GREEK
MYTHOLOGY

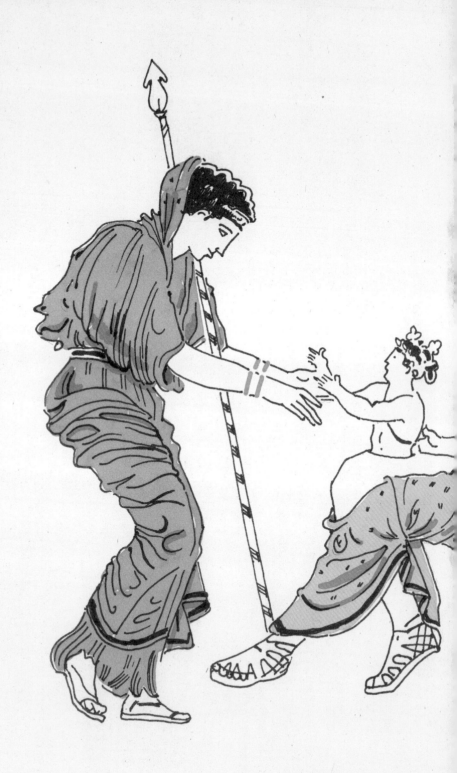

神游希腊

从奥林匹斯山到特洛伊的探秘

[英] 大卫·斯图塔德 著　吴晓雷 译

华中科技大学出版社
http://press.hust.edu.cn
中国·武汉

有书至美
BOOK & BEAUTY

图书在版编目（CIP）数据

神游希腊：从奥林匹斯山到特洛伊的探秘／（英）大卫·斯图塔德（David Stuttard）著；吴晓雷译.—武汉：华中科技大学出版社，2023.5

ISBN 978-7-5680-9332-3

Ⅰ.①神… Ⅱ.①大… ②吴… Ⅲ.①神话－文学研究－古希腊②文化史－古希腊

Ⅳ.①I545.077②K125

中国国家版本馆CIP数据核字（2023）第053495号

Published by arrangement with Thames & Hudson Ltd, London,
Greek Mythology: A Traveller's Guide from Mount Olympus to Troy © 2016 Thames & Hudson Ltd, London
Drawings by Lis Watkins
This edition first published in China in 2023 by Huazhong Universtiy of Science and Technology Press, Wuhan City
Chinese edition © 2023 Huazhong University of Science and Technology Press

简体中文版由Thames & Hudson Ltd, London授权华中科技大学出版社有限责任公司在中华人民共和国境内（但不含香港、澳门和台湾地区）出版、发行。

湖北省版权局著作权合同登记　图字：17-2020-169号

神游希腊：从奥林匹斯山到特洛伊的探秘　　　　[英] 大卫·斯图塔德 著
Shen You Xila: Cong Aolinpisishan Dao Teluoyi de Tanmi　　　　吴晓雷 译

出版发行：华中科技大学出版社（中国·武汉）　　　电话：（027）81321913
　　　　　华中科技大学出版社有限责任公司艺术分公司　　（010）67326910-6023
出 版 人：阮海洪

责任编辑：莽 昱　韩东芳
责任监印：赵 月　郑红红　　　　　　　　　　　　封面设计：邱 宏

制　　作：北京博逸文化传播有限公司
印　　刷：北京金彩印刷有限公司
开　　本：889mm×1194mm　　1/32
印　　张：8.5
字　　数：200千字
版　　次：2023年5月第1版第1次印刷
定　　价：138.00元

目录

莫色雷斯

库齐库斯

博斯普鲁斯海峡

达达尼尔海峡

恰纳卡莱

特内多斯

特洛伊

特洛阿德

莱斯沃斯岛

弗里吉亚

伊兹密尔

爱奥尼亚

萨摩斯

以弗所

拉特摩斯山

蒂诺斯

米科诺斯

罗斯

提洛

纳克索斯

特洛斯

吕西亚

莱图恩

桑索斯

帕罗斯

圣托里尼岛

克诺索斯

地 中 海

艾达山

狄克忒山

亚·特里亚达

斐斯托斯

0　　　　　　　　　200千米

0　　　　　　100英里

引言

希腊神话的来龙去脉

希腊神话属于整个人类。神话中的角色至今清晰可辨，与古时相比，毫不逊色，正是这些角色，让希腊神话广为流传。他们常常深陷困境，无路可逃，这一切，和困扰我们的噩梦并无二致；他们在倾诉，仿佛就站在我们面前，跨越了数千年的时间长河。罗马人欣然接受了希腊神话，黑暗的中世纪也从未将之遗忘，文艺复兴以降，这些神话的影响日益深远，遍及文学、艺术和音乐各领域，甚至在古希腊人未曾踏足的其他大陆生根发芽。时至今日，希腊神话和现代文明已密不可分，电影、电视、电脑游戏，处处可见。对很多人而言，这些已然成了他们日常生活中不可或缺的一部分，如若不然，他们大概不会太在意如此古老的过去。

在古希腊，神话故事主要是由父母、祖父母或是保姆讲给孩子们听的，即使到了公元前8世纪，人们已经能书会写，情况也并未改变。铁器时代，当吟游诗人在晚宴上诵出史诗时，人们为之兴奋不已。从古希腊到古罗马时期，在公众庆典上，人们听诗人高声朗诵《伊利亚特》（*Iliad*）和《奥德赛》（*Odyssey*）。与此同时，吟诵诗人把传奇故事编成欢乐的歌谣，以此庆祝运动健儿的胜利，而里拉琴奏响的情歌满怀着思念，那是对逝去的英雄世界的留恋。剧场里，市民合唱团随着颂歌起舞，赞颂着英雄人物的丰功伟绩；舞台上，悲剧演员则扮演着英雄的角色。竟有如此之多的场合，如此之多的机会，让人们去讲述希腊神话、倾听希腊神话，让人激动不已。

早在《荷马史诗》（*Homeric epic*，首次被写成文学作品的希腊民间神话）中，我们就曾目睹如此的盛况：《伊利亚特》中，阿喀琉斯（Achilles，特洛伊战争的英雄）在特洛伊城外的帐内愤愤不平，唱起了"人们做出的丰功伟绩"；《奥德赛》里，费阿刻斯的吟游诗人得摩多科斯（Demodocus）不光讲述了特洛伊的故事，还有奥林匹斯山上众神的故事，让听者大饱耳福。

英雄神话

得摩多科斯的歌谣让我们看到了希腊神话的两条脉络。第一条脉络关乎英雄，即凡人或半神。他们住在"现实"的世界里，或者与"现实"世界有着联系。考古学已确认，这些神话或多或少准确地反映了青铜时代晚期的世界（约公元前1500年至约公元前1200年）。诸如特洛伊、迈锡尼、斯巴达、皮洛斯、卡吕冬和克诺索斯这样的城镇，在神话世界中占据着重要地位，而在真实世界，恰恰就在这一时期，它们也同样繁荣。20世纪中叶，随着对线形文字B泥板的破译，我们甚至发现，青铜时代的人们所说的语言是希腊语较早的一种形式，而且，神话中的那些地名和真实的定居地可以一一对应。可惜的是，这些泥板只被用来记录政事而非文学，就连那些国王的名字也无从查找。在安纳托利亚（Anatolia）发现的赫梯人（Hittite，曾在小亚细亚和叙利亚建立过帝国）泥板上，倒是将诸如普里阿摩斯（Priams，特洛伊国王）和亚历山德罗斯（Alexandros）这些名字与维鲁萨（Wilusa）联系在了一起，有理由认为，维鲁萨就是特洛伊。

神话和考古发现有些彼此佐证，如此吻合，所以时至今日，仍有人满腔热情地相信，神话中的"历史"如实准确。同样，在古代，不会有人怀疑特洛伊战争是否确有其事。像希罗多德（Herodotus）和修昔底德（Thucydides）这样的历史学家就视之为史实，并且自公元前5世纪之后，人们将之视为希腊人战胜波斯人的先兆，特洛伊战争的意义愈发重大。结果就是，有如薛西斯（Xerxes）和亚历山大大帝（Alexander the Great）这样的历史人物也去特洛伊献上祭品，前者祈祷一雪特洛伊战败之耻，后者则祈求超越特洛伊战争的辉煌。

希腊人（还有后来的罗马人）中的大家族都将谱系上溯到特洛伊战争中的英雄人物，这就好比现在的英国人总爱吹嘘自己的祖上和诺曼人一起登上了不列颠，又或是有些美国人自称和开国元勋能扯上关系。所以，亚历山大说自己是阿喀琉斯 [还有赫拉克勒斯（Heracles）] 的后代，而尤利乌斯·恺撒（Julius Caesar）和奥古斯都（Augustus）则把埃涅阿斯（Aeneas）和安喀塞斯（Anchises）作为自己的先人。

创世神话

得摩多科斯也曾吟唱众神，其中的一些故事，描绘了创世的经过。赫西俄德（Hesiod）在其《神谱》（*Theogony*）中对此进行了简略的概述。这部《神谱》堪称短篇史诗，融合了古希腊和近东的传说故事。根据书中所述，世界诞生于混沌的虚空之中，一代一代的神祇争权夺势，儿子们从父亲的手中夺取权力，或是削弱了父亲的力量，最终高高在上。创世之初，一众男神女神繁衍生息，令人眼花缭乱，抽象概念化身为具象神祇纷纷诞生，譬如复仇女神（Vengeance）、混乱之神（Lawlessness）、命运女神（Fate），还有和谐女神（Harmony）。

早在赫西俄德之前数千年，早期的人类就试图对环境和自身地位一一作答，创世神话便植根于此，在不同的文明中，可以找到许多共同的主题。比方说，天降洪水，以惩罚（甚至要灭绝）人类，而唯一的幸存者——一对虔诚的夫妇——在洪水过后再次繁衍出世世代代，整个近东都流传着同样的故事；而对于人类所遭受的苦难，世界上许多伟大宗教的共同点是将其归罪到某个女人身上，无论是夏娃（Eve），还是潘多拉（Pandora）。

共同的神话

即使是堪称典范的希腊神话，也蕴藏着民间故事共有的主题，譬如这样三个例子：其一，弃婴长大之后回来夺取王权的故事。俄狄浦斯（Oedipus）的神话就围绕着这一核心展开，同一主题在特洛伊王子帕里斯（Paris）的故事里也至关重要。还有珀利阿斯（Pelias）和涅琉斯（Neleus），两人分别是伊奥尔科斯的国王和皮洛斯的缔造者。珀尔修斯（Perseus）的故事在此基础上又有所改变，他和母亲达那厄（Danaë）一起被丢进了一口箱子，漂流远方。古时候，出于种种原因，弃婴儿于不顾这种事时有发生，而弃婴得以幸存、长大成人，无论是有意前来寻仇也好，无意中报了仇也好，其主题真实地反映了人类的恐惧。

第二个例子则流露出一种不安。这种不安始于文字。在早先的希腊人看来，文字既充满了魔力，却又罪孽深重。两个遭到拒绝的女人在信中写下了诬陷的文字，将强奸的罪名安在了两位神话人物的头上：希波吕托斯（Hippolytus）最终含冤被害，而柏勒洛丰（Bellerophon）幸存下来，沉冤得雪。

第三个主题讲的是一个探险家远赴他乡、克服重重困难、历尽艰辛，最终赢得异域公主芳心的故事。这些故事有时［珀尔修斯和安德洛墨达（Andromeda）］皆大欢喜，有时［伊阿宋（Jason）和美狄亚（Medea），忒修斯（Theseus）和阿里阿德涅（Ariadne）］灾难重重。偶尔，主人公的期望落空。俄狄浦斯踏上了旅程，他并未走向未知的土地，而是在不知不觉间回到家乡，战胜了怪兽斯芬克斯（Sphinx）。他没能和异域公主结为夫妻，而是娶了自己的母亲。

起源：地方神话和不同版本

希腊神话中也有许多起源神话。这些神话故事对一些具体的现象给出了解释，无论是自然造就还是人为造成。有一篇神话讲述了阿波罗误杀了年轻貌美的雅辛托斯（Hyacinthus），因此风信子的花瓣上便出现了"AI AI"的字母（代表悲恸的哭声）；另一则神话讲述了阿波罗的怒火让乌鸦长出了黑色的羽毛。

一个城邦的威望如何，或是那里的宗教仪式所从何而来，听一听这些城市的地方神话就知道了。这就是为什么底比斯（Thebes）人总爱声称自己的城市是由大名鼎鼎的卡德摩斯（Cadmus）一手建造；而雅典人则说，众神钟爱雅典，为了得到它，就连波塞冬（Poseidon）和雅典娜（Athene）也大打出手。而在其他一些地方，神话传说让圣地更具威仪。譬如德尔斐、提洛岛和厄琉息斯，那里的圣歌让敬神者和神话更加紧密相连。

希腊在鼎盛之时，版图西至西班牙，东至印度，北到黑海，南到尼罗河。通用的语言和共同的宗教信仰让希腊人觉得他们是一个统一的整体，但就地理而言，希腊世界支离破碎，交通往来也着实不便。所以，地方神话大量涌现，广为流传的神话也演绎出众多不同的版本。这不仅源自希腊人的民族骄傲以及生动的想象力，也是因为在古代希腊，无论宗教也好，神话也罢，从未出现过所谓正统的概念。没有任何一个版本的故事——即使是神祇的诞生——会优先于另一个版本。

希腊人对一切神话一视同仁，并将它们改头换面、重新修订，新老版本并存于世。因此，公元前6世纪，来自意大利南方梅陶罗（Metaurus）的抒情诗人斯特西克鲁斯（Stesichorus）在《颂歌》（Palinode）中写道：斯巴达的海伦从未到过特洛伊，而是被众神藏在了埃及；替她前往特洛伊的，只是个幻象。一个世纪之后，雅典的欧里庇得斯（Euripides）将这位诗人的新编旧作，也就是更为通俗的版本，轮番写进了自己的戏剧。

希腊文学和艺术中的神话

对于古希腊人来说，神话无处不在、丰富多彩，而且始终变化发展。对我们而言，却并非如此。我们对于希腊神话所知有限，因为留存至今的文学与艺术与最初的创作相比，只剩一鳞半爪，所以我们永远无法确定，它们是否能够代表希腊神话的整体。古希腊人对于神话与文学之间的关系与我们的看法并不相同。公元前5世纪的历史学家希罗多德（他不仅熟知希腊神话，对埃及、北非和近东的神话也耳熟能详）如是说：

> 每一位神祇从何而来，他们是否不朽于世，各自的形象容貌又是怎样——可以说，直到昨天，或前天，我们才一一知晓。我这样说，是因为我总觉得赫西俄德和荷马只比我们早了四百年而已。正是他们告诉了希腊人，众神从何诞生，他们姓甚名谁，都有何等的丰功和能耐，还为我们描绘出了他们各自的容貌。

在几个层面上，希罗多德都犯了错。从时间上来说，荷马和赫西俄德距他更近，而神话的起源则更为久远。不过，正是早期诗人的史诗让神话与众神变得生动翔实。荷马对众多的希腊神话信手拈来，显然，这些神话一定广为流传。不过，众多早期的史诗，除了《荷马史诗》，只留下了些残篇。这其中，有讲述特洛伊战争的诗篇，也有关于底比斯的传奇，还有的描写了伊阿宋和阿尔戈英雄们（Argonaut）的冒险历程。

自公元前7世纪以来，抒情诗人就在诗篇中旁征博引各种神话故事，譬如莱斯沃斯岛的萨福（Sappho）、斯巴达的提尔泰奥斯（Tyrtaeus）和阿尔克曼（Alcman），以及底比斯人品达（Pindar）。有些典故晦涩难懂，现代读者常常不知所云。从公元前6世纪起，剧作家们从神话故事里汲取丰富的素材，写下了数以百计的悲剧作品，在雅典乃至整个希腊世界的剧场里上演。到了希腊化时期（从亚历山大大帝逝世开始），在亚历山大港的图书馆里，诗人和学者们开始了对希腊神话的研究与发展工作，使其焕然一新。譬如卡利马科斯（Callimachus）所著的《起源》（Aetia），为起源神话分门别类；而罗德岛的阿波罗尼奥斯（Apollonius）为《阿尔戈英雄纪》（Argonautica）编纂参考文献，足见其博学多识，也颇有现代风范。散文作家也纷纷对神话研究作出了贡献，譬如公元前2世纪的阿波罗尼奥斯，就对希腊神话做了校对和精简的工作，但也经常把自己绕糊涂了。拉丁语诗人，如维吉尔（Vergil）、奥维德（Ovid），则从希腊神话的宝库里各取所需，并将之改头换面，为罗马时代所用。

到了公元2世纪，旅行家保萨尼阿斯（Pausanias）迷上了希腊神话。他写下了《希腊志》（Description of Greece），为不同版本的神话提供了有力的佐证，也证实了众多失传的艺术品在希腊神话的理解与传播中起到了至关重要的作用。其中一例，就在斯巴达附近的阿米克莱，那里矗立着阿波罗的宝座，其雕刻表现了卡吕冬的野猪之猎以及帕里斯的评判，足以证明希腊神话丰富的多样性。另一例，就是放在奥林匹亚赫拉神庙中的库普赛洛斯（Cypselus）之柜，大概可以追溯到公元前7世纪，柜面和盖子上刻满了希腊神话，不光有特洛伊战争的场面，还有阿尔戈号的远航、赫拉克勒斯的伟绩、奥德修斯（Odysseus）的漂泊、七将攻打底比斯，以及忒修斯和珀尔修斯的冒险经历。

风景中的神话

有时，雕刻作品有助于我们将某个地点和神话联系在一起。奥林匹亚宙斯神庙东首的三角墙上刻有珀罗普斯（Pelops）驾着战车比赛的画面，据推测，这场比赛就发生在距此不远的地方；而雅典的帕台农神庙西首的三角墙上以及西侧排档间饰（一块一块独立完整的雕刻块）中所刻画的，正是发生在雅典卫城里的一幕幕神话。自然景观让我们看到了另外一种联系。同样在雅典卫城，一块岩石上长着一棵橄榄树，岩石上有三道沟纹，看似是三叉戟留下的痕迹，这就为雅典娜与波塞冬之间争斗的真实性提供了更多的佐证。在小亚细亚的马格尼西亚（Magnesia）有一块峭壁，形似哭泣的女人，被认作是化身为石的尼俄柏（Niobe）。阿耳忒弥斯（Artemis）和阿波罗杀了她的孩子，至今她还为之悲恸不已。在德尔斐，有一块岩石为希腊人所敬奉，他们认为这是克洛诺斯（Cyprus）误吞的石头，他以为吞下了自己的儿子——宙斯。岩石所处之地，正是希腊人眼中的地球中心。

对很多人来说，有些风景因为有了神话和其中的神奇生物才变得生机勃勃。森林女神住在橡树里，山岳女神住在山洞里，海中女仙住在海浪里。轻风、牧场、草地、喷泉、山泉和河流，到处都住着神灵。神话就是这样，与风景密不可分，在许许多多的地方紧密相连——就像野猪之猎之于卡吕冬密林遍布的幽谷，阿佛洛狄忒（Aphrodite）的诞生之于塞浦路斯波光粼粼的大海，或是弥诺陶洛斯（Minotaur）之死之于克诺索斯（Knossos）的殿宇宫阁。

旅行者指南

希腊的地理风貌塑造了希腊神话，希腊神话又影响了希腊的历史。因此，本书尝试着将神话、历史以及与之息息相关的地点联系起来，带领读者一同踏上希腊的土地，以及爱琴海上的几座岛屿，还有土耳其的几处遗址，那里一度也是希腊的领地。时至今日，这些地方仍可以到访，旅行者们可以把本书当成旅途上的伴侣。对于宅坐家中神游的读者，书中每章开篇都邀你重拾过往的诗文，领略其时至今日依然具备的感染力。

旅行可以增长见识，不过，倒也并非至关紧要，因为只要有开放的思想存在，希腊神话便会生生不息。关于这一点，本书作者的人文学老师——罗伯特·奥格尔维（Robert Ogilvie）教授，发表过这样一首诗，说得尤为清楚：

> 彼时我一岁，在希灵斯通，
> 你在六月的午后，
> 读荷马史诗。如今我已二十，
> 我在根特，读荷马史诗。
>
> 从根特到希灵斯通，那么远。
> 已有二十年之遥。
> 而绮色佳却这么近。
> 今日，我将在那里，见到你。

第一章

奥林匹斯山：迪翁和众神的家园

相传，奥林匹斯山上，住着永生的神明，

那里是他们的家园，长存且不朽。

狂风撼不动，暴雨淹不没，连有雪的云

也从不见踪影；只有万里的晴空，

一片洁净的光芒，不着一丝云彩。

那有福的众神便居于此，终日欢乐。

荷马，《奥德赛》，6章41行始

从奥林匹斯山到大海之间，有一片肥沃的平原，迪翁就坐落于此，生机盎然。那里大树高耸——橡树、白蜡树、白杨树、柏树、羊荆树——树枝间，鸟儿振翅飞过，树叶沙沙作响，直到鸟儿又落下，停在树枝之上。鸽子在树梢窃窃私语。远处，乌鸦在空中飞舞。色彩斑斓的蜻蜓在湖面上飞来飞去，或是在下沉的庙宇中围着廊柱盘旋。清澈的湖水流过饱经风霜的石材，乌龟趴在上面，懒洋洋地享受着日晒。石砌的街道笔直地延伸开来，还似昔日般辉煌，只是长满了茂盛的草木，野玫瑰在怒放，一切淹没在日光兰的花海之中。银莲花和罂粟花星星点点，一同延伸向圆形的露天剧场。而在那一排排的台阶后，挺拔而屹立着的便是神话传说里希腊众神的栖身之所——奥林匹斯山，它如此之近，又如此之远，既令人生畏，又温柔可亲，山峰之上云层缭绕，仿佛戴着王者的冠冕，漫山还长满了葡萄。

万物之始

对古希腊人来说，奥林匹斯山乃是至高无上的权力所在。住在山上的众神统治着大地和天空，也统治着生生不息的万物。统治万物的众神，家族庞大，常因狂妄自大而吵个不休。他们时而反复无常，时而又忠心耿耿，但总是满心猜忌，时刻担心自己的权威，对任何反对的人都毫不留情。

不过，这些奥林匹斯众神并非从一开始就统治着整个宇宙，因为并非一开始就存在宇宙。起初，只有混沌，一片巨大的虚空，无穷无尽、空无一物——一个被无边的黑暗笼罩的不毛之地。赫西俄德描述了创世的过程：

> 万物之始，先有混沌；后有盖亚（Gaia，大地之神）。她住在白雪皑皑的奥林匹斯山上，是一切不朽神祇永远牢靠的根基；再有地狱之神塔耳塔罗斯（Tartarus），在那道路宽广的大地深处；还有爱欲之神厄洛斯（Eros），不朽的众神中数她最美，令人四肢酥软，无论是众神还是凡人，莫不迷了心窍，昏了头脑。

万物有了形状，又有了活泼的神灵，余下的也就应运而生。从混沌里诞生了夜晚和白天；大地之神生下了"乌拉诺斯（Ouranus），那缀满繁星的天空，与她一般大小，盖之于上，不差分毫"。大地之神也在生长进化。赫西俄德讲述了这一切是如何发生的：

> 她升起了连绵起伏的山脉，那是仙女的家园，她们住在秀美高耸的峡谷山林之间。未经甜美的性爱，她就孕育了波涛汹涌的蓬托斯（Pontus）——荒凉的大海。不久后，她又与乌拉诺斯交合，

诞下了深流涌动的大洋。

如此一来，这个核心的宇宙形态就基本完备了。在早期希腊人的想象中，大地平坦如铁饼，周围被海洋环绕。在此之下，便是地下王国——塔耳塔罗斯或冥府，不久，那里便成了死者的家园，而大地之上是伸展的乌拉诺斯——广阔的天空。

提坦的诞生

乌拉诺斯的雨水让大地受孕，接连生下最初的生灵，统称提坦（Titans）。其中的一些本是抽象的概念，如今具象成人，譬如忒弥斯（Themis，"神圣的传统"）和摩涅莫绪涅（Mnemosyne，"记忆"），她们将在古希腊的宗教思想中发挥重要作用。另一些，瑞亚（Rhea），孕育了后来的世世代代；还有一些是凶猛的怪兽，如独眼巨人库克罗普斯（Cyclopes）："傲慢而嚣张……他赠予宙斯（Zeus）雷鸣，还为其铸造闪电。他们和众神并无二致，只不过生了独眼，长在额头正中，所以被叫作库克罗普斯（圆眼的）……"但在所有提坦之中，克洛诺斯最为可怕，他"狡猾多计，对父亲恨之入骨"。

可是，乌拉诺斯和盖亚所生的孩子没有一个见过光明。他们一生下来就被乌拉诺斯深藏地底。这么多孩子又回到了盖亚的身体里，她痛苦不已。绝望之际，她忍无可忍，用最坚硬的石头铸出一把镰刀，并问自己的孩子，谁愿助她一臂之力。只有克洛诺斯自告奋勇。盖亚把巨镰交给他，让他等到夜幕降临，乌拉诺斯笼罩大地，一心想要与她做爱之时。在赫西俄德的想象之中，克洛诺斯"右手握着锯齿弯刀，飞快地割下父亲的生殖器，远远丢在了身后"。飞溅的鲜血滴入大地，长出了巨人和复仇三女神（the Furies），而那被抛入大海的生殖器，则诞生了性与爱的女神——阿佛洛狄忒，她最终被冲上了帕福斯附近的岸边，那里就是她最钟爱的塞浦路斯。

如今，其他众神也诞生了。夜晚生出了令人恐惧的神祇：年迈与饥荒；战争与杀戮；争吵、谎言和过错；毫厘不差的报应女神，谁犯了错，都逃不脱她的惩罚；还有无情的命运女神，"凡人一生下来，好运或厄运，皆已决定。无论是神是人，凡有过失，无有不查，除非公正降临，罪行已惩，否则女神的怒火永生不熄"。

蓬托斯的孩子中，有一些倒也和蔼可亲：最早生下的是涅柔斯（Nereus，有时也被称为"海中的长者"），涅柔斯的女儿们——涅瑞伊德（Nereids）——能在"雾气迷蒙的大海上，平息翻涌的波涛和怒吼的狂风"。但其他的孩子着实令人胆战心惊：布里阿柔斯（Briareus）是百臂巨人；哈耳庇厄（Harpies，"抢夺者"）是鸟身女妖，负责运送已逝英雄的灵魂去冥府；

厄喀德那（Echidna），一半是"面容姣好的少女"，一半是布满斑点的巨蟒；还有斯芬克斯、海德拉（Hydra）、喀迈拉（Chimaera），都是为害一方的怪兽，直至英勇的凡人将其铲除。溪水与河流翻涌流淌，清风徐徐吹过。太阳神赫利俄斯和月亮女神塞勒涅（Selene）诞生了。第一个黎明终于到来。

奥林匹斯众神的诞生

在这个混乱的万物创生之中，克洛诺斯一直在强暴自己的姐姐瑞亚。她生下了五个孩子——三个女儿〔赫斯提亚（Hestia）、得墨忒耳（Demeter）和赫拉（Hera）〕和两个儿子〔哈得斯（Haides）和波塞冬〕。不过，每生下一个，克洛诺斯就吞下一个。因为据预言所说，他将被自己的儿子推翻。瑞亚听从父亲乌拉诺斯和母亲盖亚的建议，怀上了第六个孩子，然后逃到克里特岛，在山上〔古时认为是在艾达山（Mount Ida）和狄克忒山（Mount Dicte）〕生下儿子，把他藏进山洞深处。枯瑞忒斯（Curetes）守在洞口，同时安排了一众全副武装的年轻人，以矛击盾，用发出的声音掩盖孩子的哭声。然后，瑞亚在襁褓里塞进一块石头，作为自己的孩子交给了克洛诺斯。克洛诺斯连看都没看一眼，就将其囫囵吞下。

众神（其中，忒弥斯乘着雄狮所拉的战车）与巨人们英勇作战，德尔斐锡弗诺斯宝库（Siphnian Treasury）北侧檐壁浮雕，公元前6世纪末至前5世纪初。

　　　　第一章　奥林匹斯山：迪翁和众神的家园

众神很快便长大成人，所以没过多久，这个孩子就离开了克里特岛，乔装打扮，混入了父亲的宫殿并做了一名侍酒者。在他的哄骗之下，克洛诺斯酩酊大醉。他干呕着，先是吐出了包着襁褓的石头，接着把吞下的5个孩子（尚未消化，何其幸运）接连吐了出来。直到此刻，他才恍然大悟：他根本无法骗过命运。他的第六个孩子宙斯就在眼前，要把他拉下宝座。

一场恶战就此开始。克洛诺斯这一边有提坦诸神，阿特拉斯（Atlas）是他们的统帅。另一边，是宙斯和他的五位哥哥姐姐，还有独眼巨人库克罗普斯，他们原本被克洛诺斯囚禁在塔耳塔罗斯的深渊之中，是宙斯解救了他们。十年之后，宙斯才取得了胜利。大部分提坦诸神被交给了塔耳塔罗斯。当然，也有人说，宙斯饶恕了克洛诺斯，让他掌管乐土，统治那些有福的逝者。

不过，提坦诸神还有力量强大的堂兄弟——二十四位大地所生的巨人。后来，他们前来寻仇。这些巨人撕裂了群山，将皮利翁山堆在近旁的奥萨山顶，希望借此登上奥林匹斯山，于是又引发了一场惊天动地的战争。多亏赫拉克勒斯助了众神一臂之力，他们才击败了这些身材庞大的对手。从今往后，再没有谁试图推翻他们。

奥林匹斯众神

古希腊人通常认为，奥林匹斯山上的男女神祇共有十二位，每一位都居住在一座自己的宫殿里，宫殿建在高山峡谷的青铜地基上。在人们的想象中，众神和凡人长得没什么两样——对此，公元前6世纪末至前5世纪初的哲学家色诺芬尼（Xenophanes）说道："若是牛、马、狮子也长出手，会如人一般能工会画，那么，马画的神祇必定像马，牛画的一定像牛，每一位都是按照自己的模样来塑造神祇。"

众神不仅拥有人类的情感，他们的等级划分也反映了青铜时代古希腊的等级制度：一位独断专行的国王、一位王后、一批大臣、一群王子公主；只不过，与人类相比，他们高高在上，人神之间，就仿佛地位卑微的奴隶与世间位高权重的国王一般遥不可及。人与神还有诸多不同，而最重要的不同则在于：神永生不朽。他们的血管中流淌着灵液（神的血液）。他们只吃神肴仙馔（ambrosia，本意就是"不死之食"），只饮玉液琼浆（nectar，意为"蜜之酒"）。他们可以随心所欲幻化形状——或鸟或兽、或男或女——不费吹灰之力就可以周游世界，在人间结朋识友，不论善恶。

人们想象中的奥林匹斯山也可以变换形状。大部分时间，奥林匹斯山屹立在希腊的东北部，有时它又似乎更加遥远，更为缥缈。在《伊利亚特》中，荷马描述了赫拉驾着战车与雅典娜一同寻找宙斯，她们似乎就是从一个虚无缥缈的幻境，来到了一座实实在在的高山。

赫拉撩起面纱，回头看着宙斯。雅典帕台农神庙，檐壁浮雕，公元前5世纪。

赫拉扬鞭策马，动作敏捷，驱车前行。
天门的铰链轰隆作响，为她而开。
时序女神（Horae）守在门旁，
壮丽的天国和奥林匹斯由其看管，
而那翻腾不休的云，是散还是留，
皆由她们决定。于是，赫拉一行，
穿门而去，一路鞭飞马疾，终把
克洛诺斯之子——宙斯寻得，他远离众神，
独坐在那多脊的奥林匹斯山上。

　　众神在奥林匹斯山上时常聚会，时常宴饮。也许，对众神的欢宴最令人叹为观止的呈现，莫过于帕台农神庙檐壁上（受到更为久远的德尔斐锡弗诺斯宝库檐壁的启发）雕刻的画面。檐壁上，神圣的信使伊里斯（Iris）正向赫拉禀报消息。赫拉身旁，她的丈夫端坐在王座之上，威严地注视着她。他就是宙斯，公认的众神之王。

宙斯

　　宙斯和他的两个哥哥——哈得斯和波塞冬——决定靠抽签来划分创世以来的三大领域：大地（连同天空）、海洋和地狱（或称冥府）的归属。最后，宙斯抽到了大地和天空，在奥林匹斯山的山脊、如今的斯特凡尼（Stefani）即位。他右手举着黄金权杖，统治着众神和人类。《伊利亚特》中有一段文字曾说宙斯那远近驰名的雕像便脱胎于此，史诗中描述了他出场时的万钧之力："宙斯，克洛诺斯之子，说话间头微倾，涂抹了芬芳圣油的长发从那不朽的头颅上披下。巍峨的奥林匹斯山因他颤抖。"这并不令人吃惊。因为伟大的天神拥有一件武器——雷霆，威力无穷，电光火石的一击便可让一切灰飞烟灭。所以有人认为，雷霆才是宙斯的真面目——纯粹的光、夺目的能量，全都蕴藏在他（更安全的）人形身体之中。

宙斯的左手落着一只鹰，右手挥动着雷霆（阿提卡红色人物花瓶画，约公元前470至前460年）。

众神皆有化身。宙斯的化身是雄鹰，雄鹰也是他的专用信使，转瞬之间，便可毫不费力地直上云霄。公元前5世纪的抒情诗人巴库利德斯（Bacchylides）讲述了宙斯和雄鹰之间的这种关系：

> 力量无穷的雄鹰展开黄褐色的双翼，如闪电般敏捷，划破无垠的长空——这是雷电之神宙斯的信使，他统治的疆界广袤无边。所有的小鸟无不惊慌失措，尖叫着四散而逃。高耸入云的群山拦不住它的去路，那不知疲倦的大海、声如雷鸣的巨浪也阻挡不住。它掠过广阔的大地，在空中展翅遨游，任凭和煦的西风轻柔地拂动身上的羽毛。全天下的人都看到了它。

宙斯、赫拉和他们的孩子

奥林匹斯众神赢得了胜利，宙斯刚确立了自己众神之王的地位，就（效仿克洛诺斯）追求起了亲姐姐，在阿尔戈斯（Argos）附近勾引了赫拉之后，宙斯娶她为妻。尽管奥林匹斯众神为之载歌载舞，可这场婚姻绝非天作之合。宙斯一次次拈花惹草，让赫拉痛彻心扉。不过，无法忍受宙斯统治的，也不止赫拉一个。据荷马讲述，有一次赫拉和其他神祇把宙斯捆绑起来，多亏海中女神忒提斯（Thetis）唤来百手巨人布里阿柔斯。对布里阿柔斯来说，再复杂的绳结都易如反掌，宙斯得以获救。宙斯怒不可遏。他把波塞冬和阿波罗贬为奴隶，因为他们也参与了阴谋，让他们去修建特洛伊的城墙。对于赫拉，他也没有轻饶。《伊利亚特》中写道，宙斯提醒她：

> 别忘了，你曾被高高吊起，脚踝上坠着铁砧，
> 还有黄金的镣铐缚在手上，牢不可破。
> 雾霭之中，你高高吊起，从那遥远而广阔的
> 奥林匹斯山上，传来众神的怒火。但他们
> 无法将你解救。

直到众神发下毒誓，再也不会背叛宙斯，他才放了赫拉。

他们生下了三个孩子，只有女儿赫柏（Hebe，青春女神）性情十分随和。两个儿子，其一便是战神阿瑞斯（Ares），宙斯对他宣布（据《伊利亚特》所述）："我比这奥林匹斯山神中的任何一个都更憎恶你。你最大的乐趣就是冲突——还有战争和暴力。你和你的母亲赫拉一样刻板无情，我真无法忍受。事实上，她也就勉强听听我的话。"

另一个儿子——赫菲斯托斯（Hephaestus），更能惹是生非（至少在他

的父母看来）。因为生来跛脚，赫拉嫌弃他，就把他从奥林匹斯山顶远远地扔进了大海。两位海中女神，忒提斯和欧律诺墨（Eurynome）救了他，将他抚养成人。作为回报，赫菲斯托斯为她们打造了"美丽的青铜器、胸针、螺旋臂环、酒杯还有项链，放在空荡荡的洞穴里，外面湍急的洋流汹涌而过，泛起阵阵白沫"。后来，赫拉发现了这个儿子，因为赏识他潜藏的才能，便让他重返奥林匹斯山，重获神祇的身份，并让他为自己收藏的珠宝饰品增辉添彩，还把阿佛洛狄忒嫁给他。在另一个版本的神话中，赫菲斯托斯为了报仇雪恨，造了一个宝座，紧紧夹住了赫拉，让她成了阶下囚。多亏狄奥尼索斯（Dionysus）的劝说和美酒，赫菲斯托斯才释放了赫拉。

和赫拉相比，宙斯更不喜欢这个儿子。有一次，因为赫菲斯托斯支持赫拉，宙斯抓起他的脚，又把他扔下了奥林匹斯山。《伊利亚特》描写了赫菲斯托斯从山上掉下来，过了整整一天才摔到了地上，正落在利姆诺斯岛（Lemnos）。不过，这回他所受的惩罚也就到此为止了。荷马想象他在奥林匹斯山上的铁匠铺里工作的情形，身旁站着几位黄金打造的机械助手，身形酷似年轻貌美的姑娘，而且"有感觉、会思考、会说话、有力量"，他们一同打造有轮子的三脚鼎，可以凭借自己的意志自行移动（后来的作家们把赫菲斯托斯的锻铁炉迁到了西西里，就在埃特纳火山脚下）。不过，不管赫菲斯托斯的技艺多么超群，他仍不免沦为别人的笑柄。看到他一瘸一拐地在欢宴大厅里走来走去，他们"开怀"大笑；看到他的兄弟给他戴了绿帽子，更是笑得肆无忌惮。

尽管宙斯与赫拉经常争斗，但宙斯还是爱听赫拉的甜言蜜语。他曾施展神力，把他们在萨摩斯岛上的新婚之夜变成长达三百年之久。荷马也描绘了赫拉如何在奥林匹斯山的寝室里换好了迷人的装束后，在特洛伊附近的山巅诱惑宙斯：

> 他将赫拉抱在怀中，身下的土地钻出鲜嫩的青草和苜蓿，上面缀满露珠，番红花和风信子，茂盛又柔软，他们以此为毯，盖住了坚硬的土地。他们一同躺下，一朵金色的云，壮丽又辉煌，遮住了他们，落下滴滴露珠。

丢卡利翁和迪翁的宙斯圣坛

大地之上，先是黄金时代，没有疾疫，田地无须耕耘，便可五谷丰登，接下来是纷争四起的白银时代。之后便是青铜时代，人类被创造出来，但未过多久，就堕落变坏。他们中的一员——吕开俄斯（Lycaeus），不是在阿卡狄亚的某个山顶，就是在一场野蛮的筵席上，将儿子献祭给了宙斯。这让宙斯深恶痛绝，把他变成了野狼，还将他五十个无法无天的儿子烧成了灰烬，并决定要灭绝人类。

于是，宙斯聚起如墨的阴云，大雨倾盆而下。洪水吞没了广阔的平原，希腊的每一条河流都在翻滚咆哮。整个人类就要被淹没，不过，提坦巨神普罗米修斯（Prometheus）不忍看着自己人间的儿子——丢卡利翁（Deucalion）死于这场浩劫。他建议儿子打了一口箱子，里面装进食物和他的妻子——潘多拉（Pandora）的女儿——皮拉（Pyrrha）。虽然洪水滔天，不断上涨，这口箱子却始终安然无恙地漂浮在水面上，直到丢卡利翁和皮拉成了人类唯一的幸存者。等到宙斯注意到他们时，他的怒火也烟消云散了。因为他们两个都是虔诚善良的人，不必受此惩罚。就这样，过了九天九夜，洪水终于消退，丢卡利翁的箱子落在了帕纳索斯山（Mount Parnassus）的山顶上。两位幸存者听从宙斯的建议，从山脚下捡了些石块，从肩头掷于身后。丢卡利翁丢下石头的地方，长出了男人；皮拉的身后，长出了女人。于是，品格高尚的人类诞生了。后来，丢卡利翁和皮拉也生下子嗣。他们的女儿瑟利厄（Thyia）与宙斯生下了一个儿子——马其多诺斯（Macednos），马其顿（Macedonia）的名字就来源于他。

为了表达获救的感激之情，丢卡利翁在迪翁为宙斯建了一座祭坛，奥林匹斯山的阴影正落在那里，这是新时代的第一座祭坛。到了古典时期和希腊化时期，迪翁已被划为特殊的圣地。毫无疑问，迪翁是属于宙斯的。

缪斯女神

其他神祇也一同住在奥林匹斯山上，其中最著名的便是缪斯女神（Muses）。她们是宙斯的女儿，由提坦记忆女神摩涅莫绪涅所生。她们的家园之一离迪翁不远，在奥林匹斯山脉北翼的皮埃里亚（Pieria）。保萨尼阿斯说，最初只有三位缪斯女神。不过，到了希腊化时期，女神的数量增加到了九位，每个人都被赋予了特定的角色。于是，卡利俄珀（Calliope）成了专司史诗的缪斯女神，克利俄（Clio）司掌历史，忒耳普西科瑞（Terpsichore）司掌舞蹈，诸如此类，各司其职。

缪斯诸神也是睚眦必报，动辄打压对手。有一次，赫拉鼓动长着翅膀的塞壬（Siren）与缪斯比试歌喉，结果缪斯女神拔光了塞壬的羽毛，做成冠冕戴在自己的头上。还有一次，凡人皮埃洛斯（Pieros，皮埃里亚国王）的九个女儿向缪斯发出挑战。缪斯歌喉一展，万物敛声，倾耳静听，无不沉醉；然而，待到人间的姑娘放声歌唱之际，无边的黑暗遮住了天日。为胜利而沾沾自喜的缪斯女神，把她们变成了鸟儿以作惩罚。另一位音乐家，技艺精湛的色雷斯里拉琴演奏家塔米里斯（Thamyris）也向女神下了战书，他说：若是他的歌曲赛过了女神，那么缪斯女神就要轮流与他同枕共眠。结果他输了。缪斯女神把他变成了盲人，同时还夺去了他的音乐才能。

赫西俄德自称在底比斯附近的赫利孔山上遇见了缪斯女神，这一回，女神发了慈悲，让他歌唱众神的诞生（他的诗作《神谱》）]。他如此描绘她们：

> 取悦奥林匹斯山上的宙斯，她们的父亲。
> 她们的和声歌唱着现在、将在和已在的万物。
> 不知疲倦的唇间，甘甜的歌声流淌而出，
> 飘荡在宙斯的殿宇中，其声如百合芳香，
> 雷神宙斯面露微笑。歌声回响，自奥林匹斯
> 白雪皑皑的山峰，传遍了那不朽的众神居住的殿堂。

缪斯所赐的灵感是无价之宝。正是由于她们，诗人们才能如此自信地传颂那些过往的神祇与英雄。

希腊神话中，在很多重要的公共场合，缪斯都会出场。譬如，在底比斯举行的卡德摩斯和哈耳摩尼亚（Harmonia）的婚礼上，还有在皮利翁山举办的珀琉斯（Peleus）和忒提斯的婚礼上，缪斯女神们都着阿波罗的里拉琴载歌载舞。她们也常在葬礼上演唱。在《伊利亚特》中，她们哀悼阿喀琉斯，令人难忘；而品达《挽歌》（Dirges）中的残篇，同样引人入胜：

> 她们哄着儿子们的尸骸沉沉入睡。第一位
> 叹息着哀悼利诺斯（Linus）；第二位
> 为许墨奈俄斯（Hymenaeus）唱起了悲伤的歌谣，
> 命运女神在婚宴上要了他的命；
> 第三位为伊阿尔墨诺斯（Ialmenus）唱起挽歌，
> 是无情的疾疫使他的力气消耗殆尽。
> 然而，为执金剑的俄耳甫斯（Orpheus）……

俄耳甫斯

俄耳甫斯出生在迪翁附近的一个小村庄平普雷亚（Pimpleia），一生之中他和这里都联系密切。他的母亲是卡利俄珀，缪斯中最年长的一个。有人说，他的父亲是阿波罗，还有人说是俄阿格洛斯（Oeagrus）王——皮埃洛斯（缪斯惩罚了他的女儿们）之子。俄耳甫斯的音乐才能名扬四海。据公元前5世纪的诗人提谟修斯（Timotheus）说，是俄耳甫斯把里拉琴带到了皮埃里亚，他的琴声如此美妙，歌喉如此甜美（借欧里庇得斯之口）："在那奥

林匹斯的密林深处，俄耳甫斯的音乐迷住了草木，迷住了林间的野兽。"凡听到他的音乐的，无不追随他，林木、巨砾、各种动物，就连山中的溪水都因他的歌声而改道；在色雷斯的奇科涅司（Cicones），林中女神欧律狄刻（Eurydice，"宽广的公正"）爱上了他。两人欢天喜地地结为夫妻。然而，灾难很快降临。一日，欧律狄刻与她的同伴们一同编织花环，采花时不小心打扰了一条蛇的好梦。蛇咬了她的脚踝，不一会儿她便中毒身亡。悲痛至极的俄耳甫斯哀悼女神的歌声令人痛彻心扉，万事万物莫不随他一同哀悼。最后，谁也承受不了如此的悲痛，于是缪斯女神建议俄耳甫斯前去冥府，请求哈得斯将欧律狄刻复活。

抛开心头的恐惧，俄耳甫斯来到了幽深恐怖的地下王国，直至遇见了冥府凶残的看门狗——三头犬刻耳柏洛斯（Cerberus）。俄耳甫斯用温柔的催眠曲让刻耳柏洛斯安静下来；不久，他就见到了冥王哈得斯。面对哈得斯，俄耳甫斯唱起了催人泪下的挽歌，倾诉自己对亡妻的挚爱，恳请哈得斯让她重获生命——那年轻而短暂的生命。他的歌声打动了世间最冷漠的铁石心肠：那些负罪的灵魂在地狱中遭受无尽的折磨，听到这歌声，无不如痴如醉；残忍的复仇女神冷若寒冰的心灵为之融化；就连哈得斯也为之动容，心生怜悯。他同意了俄耳甫斯的请求。但有一个条件——那就是，在回家的路上，俄耳甫斯必须走在前面，只有两人都回到地面之上，才可以回头看他的妻子。俄耳甫斯一边在前头引路，一边听着欧律狄刻轻柔的脚步紧随其后。终于，前面隐约可见微弱的阳光。可是，俄耳甫斯却停下了脚步去倾听，发现一片寂静。他如何能确信欧律狄刻还跟在身后？一时冲动，他回过了头。欧律狄刻就在眼前，嘴角挂着悲伤的微笑，不得不服从哈得斯的号令，转身离他而去。黑暗转瞬吞噬了她。

俄耳甫斯的生活再无意义。他所能做的，只是用歌声哀悼已逝的欧律狄刻。不过，他的歌喉仍令人无法抗拒。他所去之处，女人纷纷坠入爱河。最后，在迪翁，欲火让她们发了疯，对俄耳甫斯歇斯底里地抓挠撕扯。等到欲火熄灭、激情散尽，她们才发现，俄耳甫斯的身体早已支离破碎。有人说，俄耳甫斯并非是被欲望所撕碎，而是因为他崇拜阿波罗而无视狄奥尼索斯。于是，妒火中烧的狄奥尼索斯发动他的女信徒（他的女性追随者），于拂晓时分在一座山顶袭击了俄耳甫斯。当然，也有人说，俄耳甫斯是死于宙斯的雷霆。

缪斯女神们收好他的残骸，在迪翁为他举办了葬礼。通往奥林匹斯山的路上，距迪翁只有几千米的地方，保萨尼阿斯看到一个立柱，顶端放着一个石瓮，（据当地人说）里面放着俄耳甫斯的骸骨。保萨尼阿斯还写道，在迪翁，杀害了俄耳甫斯的女人们跑到赫利孔河边清洗沾满鲜血的手。但她们一靠近河边，河水便因厌恶而沉入地下，以免成了她们的共犯。时至今日，当

俄耳甫斯手里还拿着里拉琴，疯狂的女追求者们
一拥而上，一个挥舞着炙叉，另一个举起了石头。
（阿提卡红色人物花瓶，约公元前640年）

年河水消退的地方，还有一处不大的湖泊，景色十分宜人。俄耳甫斯全身上
下，只剩下头颅完好无损。头颅随波远流，一路歌唱，最终被海浪带到莱斯
沃斯岛。在那里，人们怀着无比的尊敬，将之安葬。缪斯女神将俄耳甫斯的
里拉琴带回奥林匹斯山，众神把这七弦琴变为星座，永远挂在天上。

古时候，一系列归于俄耳甫斯名下的颂歌和教诲被收集起来并逐渐形成
了一个神秘的宗教（俄耳甫斯教），其信徒相信：死后灵魂不灭，仍可以转世。

迪翁和奥林匹斯山的前世今生

奥林匹斯的山峰神圣无比，可能在整个古代都是禁忌。攀登奥林匹斯山
的想法闻所未闻。至于迪翁，则是马其顿王国最神圣的遗址之一，在公元前
5世纪末，阿基劳斯一世（Archelaus I）的统治让这座城市显赫一时。仅在
一个世纪之前，为了能够参加奥林匹克运动会，马其顿王国的亚历山大一世
不得不自称是赫拉克勒斯和阿尔戈斯国王的后裔，以证明自己的希腊身份。
现在，阿基劳斯已经将迪翁变成了希腊世界中最美好的圣地之一。他兴建了
宙斯神庙、一座露天体育场、一座剧场、并将"奥林匹亚"定为体育运动

与戏剧的节庆，献给宙斯和缪斯女神。或许，欧里庇得斯（他在晚年曾加入了国王的宫廷）的《阿基劳斯》（*Archelaus*，已失传）就曾在这里上演。也或许，他的戏剧《酒神的女信徒们》（*Bacchae*）和《奥利斯的依菲琴尼亚》（*Iphigenia in Aulis*），就是为迪翁的剧场而作。

公元前4世纪，腓力二世（Philip II）为了庆祝胜利，在迪翁举行盛大的庆典。而他本人与众神的关系很复杂。公元前336年，他在婚礼庆典上让人们抬着十二尊奥林匹斯神像在附近的艾加伊剧场内欢庆游行——还加入了第十三尊，他自己的雕像。这在其他希腊人看来，是傲睨神明的举动，定会招致众神的惩罚。所以不久之后，腓力遇刺，在他们看来丝毫不足为奇。

公元前334年，腓力的儿子亚历山大在入侵波斯之前，在迪翁举办了一场规模盛大的庆典。这场庆典既有体育赛事，又有祭祀活动。在剧场旁边，他搭了一个大帐篷，可以容纳一百桌筵席，用来款待手下的军官将领。同年，在格拉尼卡斯（Granicus）取得胜利之后，他向利西波斯（Lysippus）定制了一组青铜群像，安放在迪翁，以纪念在战役中死去的二十五位骑兵。公元前332/前331年，亚历山大宣称，从埃及锡瓦（Siwah）的神谕中得知，他是宙斯的儿子——狄奥尼索斯和赫拉克勒斯同父异母的弟弟。经过长年征战，亚历山大把对奥林匹斯诸神的崇拜一直传播到了印度。在希达斯皮斯河（Hyphasis）的两岸，他建起了十二座高高的祭坛——为每一位神祇修建了一座——还好，亚历山大并不愚蠢，没有为自己也建一座。

公元前220年，埃托利亚（Aetolian）的希腊人伙同罗马人，将迪翁洗劫一空，不过很快，国王腓力五世（Philip V）就重建了这座城市。这位腓力国王从迪翁一路南下，最终于公元前197年，在库诺斯克法莱（Cynoscephalae）被罗马人打败。公元前168年，继任的马其顿国王珀尔修斯挥师北上，但在彼得那（Pydna）被罗马的卢基乌斯·埃米利乌斯·保卢斯（Lucius Aemilius Paulus）击败。罗马人迅速将希腊诸神与罗马众神一一对应并融为一体，（稍事调整便）完好地保存了希腊的宗教和神话，并继续向北、向西发扬光大，甚至传到了英国。

公元前31年，迪翁成了罗马的殖民地，日益繁荣，地位也越来越重要。到了公元346年，这里成了一任主教的所在地。然而，公元393年，基督教皇狄奥多西（Theodosius）颁布法令，禁止一切异端宗教，给了迪翁一记重创，三年之后，迪翁又遭到了哥特人阿拉里克（Alaric）大军的洗劫。而后，三番五次的地震和洪水造成越来越大的损害，不久之后，迪翁被遗弃了。

1806年，英国人威廉·利克（William Leake）发现了迪翁遗址，但直到1928年，迪翁遗址才首次被考察。（1992年的）一个意义非凡的重大发现将迪翁与缪斯女神联系在一起。在罗马人的"狄奥尼索斯之宅"（Villa

Dionysus），人们发现了一些风琴管，它们属于一架公元前1世纪的水动风琴，这是世界上留存至今最早的键盘乐器之一。

迪翁

大事记＆遗迹

约公元前500年	在迪翁的"正厅式"（megaron-type）神庙中有祭祀活动的迹象。
约公元前413年	迪翁在阿基劳斯一世的治理下成为重要圣地，变成了一座由城墙环绕的城市。
?约公元前407年	欧里庇得斯的剧作《阿基劳斯》在迪翁的剧场上演？
公元前348年	腓力二世庆祝征服奥林索斯（Olynthus）。
公元前338年	腓力二世庆祝在喀罗尼亚（Chaeronea）获胜。
公元前334年	亚历山大大帝入侵波斯之前，举行献祭活动。
公元前220年	迪翁被埃托利亚希腊人洗劫，不过不久便得以修复。
公元前31年	迪翁成为罗马殖民地。
公元396年	哥特人阿拉里克大军洗劫迪翁。
1806年	威廉·利克"发现"迪翁。

E75高速公路从希腊东北部的卡泰里尼市（Katerini）南边经过，从那里下了高速公路，就可以到达迪翁。在高达2919米的奥林匹斯山荫下，遍布葡萄园，一条平坦的公路从此穿过。

距现代化的乡村不远，就是风景优美的古代遗迹公园。从售票处进入后，沿着圣湖右侧的一条路走到一个十字路口，前面就是**"正厅式"**建筑——得墨忒耳的圣殿。从右边的路口向前，首先来到的是（经过大规模修复的）**剧场**，再往前，穿过一片草地（这儿就是亚历山大搭建帐篷的地方），朝着（右方）**奥林匹斯山宙斯的圣地**——二十二米长的石灰岩祭坛的遗迹——走去，就是古老的百牲祭（祭献一百头牛）的所在之处。在这附近，是一座罗马剧场的遗迹。稍稍往回走不远，首先映入眼帘的便是至高无上的**宙斯圣所**、祭坛和神庙。以前，通向这儿的路旁屹立着高大的石柱，柱头上安放着大理石雕刻的雄鹰。不远处的河对岸，是部分已经下沉的**伊西斯圣堂**。从这儿走向一条新修的道路，穿过城墙，通往（部分被挖掘出来的）城市。按照顺时针的次序，先经过**公共浴场**，接下来是**早期的长方形廊柱基督教堂**，然后穿过壮观的**"主干道"**（沿街的罗马建筑正面雕刻着精美的盾牌和胸甲），到了有众多大宅子的遗迹前，**狄奥尼索斯之宅**就在这里。

村子里，**考古博物馆**保存了遗迹中的许多发现，其中包括**水动风琴**的风琴管、**马赛克镶嵌图案**、一个**日晷**，以及一尊**伊西斯雕像**的残品和至高无上的**宙斯雕像**。

第二章

苏尼恩：峭壁之上的波塞冬神庙

从波塞冬这伟岸的神开始，我歌唱我的歌谣。他撼动大地与那荒凉的大海，他是海洋之神，统治着赫利孔山和宽广辽阔的艾加伊。众神赐予你双重的荣耀，伟大的撼动大地者：驯服骏马、拯救船只。致以敬意，波塞冬，黑发的大地守护者！圣洁的神啊，发发慈悲，拯救我们水手吧！

《荷马诗颂（*Homeric Hymn*）：致波塞冬》

公元前5世纪青铜像，挥舞着三叉戟
（现已丢失）的波塞冬，在苏尼恩北
部海中被发现。

高高的海角之上，这座庙宇沐浴着落日的余晖，仿佛是面向大海的塞壬，令人向往。斜阳照在修长的立柱上，大理石像刚搅拌好的黄油，闪烁着细腻的金光。与此同时，立柱在光滑的岩石上投下凉爽的影子，渐渐变长，仿佛伸出手指去摩挲那尚有余温的石块。突然，庙宇的石阶上匆匆跑过两只鹧鸪，带来哒哒哒、咯咯咯的声音，打破了这份宁静——峭壁之下，大海波浪起伏，更让这宁静催人入睡。长长的海浪席卷而来，冲向岸边，拍打在岩石上，碎成了白色的飞沫。如天鹅绒般的大海上，太阳熊熊燃烧，万千波光粼然炫目。海平面尽头的几座小岛，仿佛薄雾中的一只只海豚：基克拉泽斯之北，如此诱人，因为驶过那里，便是广阔无垠的外海。毋庸置疑，正因为海神，苏尼恩的海角才如此神圣。或者说，这座庙宇之所以存在，皆因他的圣名：征服骏马的神、大地的撼动者——波塞冬。

波塞冬的王国

克洛诺斯之子瓜分了胜利的果实，波塞冬接管了大海。正如宙斯可以号令雷云，发出闪电、贯穿天地一般，波塞冬可以召唤地震，让坚实的土地犹如大海一般滚动翻涌。或许，正是因为他的形象总和颠簸振动、奔腾起伏联系在一起，这才让波塞冬又多驾驭了一个领域：骏马。

波塞冬住在水下的宫殿，统治着海洋的咸水（不包括大洋，环绕大地的淡水河流）。传统上认为，波塞冬的宫殿就坐落在苏尼恩的北部，位于大陆与埃维亚岛西北的艾加伊镇之间。历史上，让艾加伊引以为荣的，是这里曾有一座波塞冬的神庙。斯特拉博（Strabo，希腊地理、历史学家）认为，爱琴海便由此得名。荷马描绘了波塞冬的宫殿：

> 金碧辉煌，永不腐朽。波塞冬来到这里，让他那轻盈敏捷、踏着铜蹄、披着长长金鬃的马儿驾上战车。他也披上黄金战甲，手中扬起制作精良的金色长鞭，登上战车，破浪而去。海中的生物，看见国王熟悉的身影，都从四面八方的巢穴中欢天喜地地蹦跳而出。大海欢欣地分向两旁，为他开路。于是，马儿疾驰向前，那青铜的车轴上，滴水未沾。

读至此节，希腊人几乎总能想起波塞冬挥舞着三叉戟的模样。地中海沿岸的渔民，有些人至今还在使用这种尖齿的鱼叉。也正因如此，在古典时期的绘画作品中，波塞冬从来不会被认错。

波塞冬的爱人和他的城池

波塞冬娶了海中仙女安菲特里忒（Amphitrite）为妻，不过，他的追求可不是一帆风顺。有人说，安菲特里忒正在纳克索斯岛附近与海中仙女们一同跳舞嬉戏，波塞冬看中了她，便将她掳走；还有人说，仙女并不愿意嫁给波塞冬，便向东逃去，向阿特拉斯寻求庇护。不过波塞冬派去了一条海豚，向她苦苦恳求，终于，婚事达成。诸神为了纪念这条海豚，在天上创造了一个星座。然而，波塞冬对妻子的爱并没能阻止他移情别恋。

波塞冬的情人超过了一百位，其中有男也有女，有神祇也有凡人，如盖亚［他和他生下了漩涡卡律布狄斯（Charybdis）］、奥林匹斯女神阿佛洛狄忒以及得墨忒耳（他的妹妹）。和波塞冬大部分的恋人一样，得墨忒耳并不愿迎合他的挑逗，而是化身成一匹母马，躲进了阿卡狄亚国王翁喀俄斯（Oncius）的牧群里。可惜这并不是个好办法。波塞冬可是众马之神，他一路跟着得墨忒耳，化作了一匹公马。结果，得墨忒耳生下了两个孩子：一位女神——得斯波伊纳（Despoina，"情人"之意），负责阿卡狄亚秘仪；还有一匹永生的黑马阿里翁（Arion），口能言，疾如风。

一些次要的女神和仙女也同样吸引着波塞冬，然而，结果却常不如意。有两位都是海神福耳库斯（Phorcys）的女儿。波塞冬与可爱的斯库拉（Scylla）之间的风流事传到了安菲特里忒的耳朵里，安菲特里忒便把毒草化在了斯库拉经常沐浴的水池中。斯库拉下了水，感到自己的身体开始变化：尽管她的腰部以上依然楚楚动人，但臀部下却伸出了六只狗头，长长的脖子，层层的利齿；下身则变成了一条鱼尾，十二条狗腿悬在鱼尾旁。悲痛欲绝的斯库拉找了一处岩洞住下，岩洞下有一条狭窄的海峡，从此，斯库拉便沉溺于杀戮水手［也有人将斯库拉身体的变化归因于女巫喀耳刻（Circe），因为喀耳刻嫉妒海神格劳科斯（Glaucus）对斯库拉的爱］。

福耳库斯的另一个女儿是美丽的海中仙女美杜莎（Medusa）。波塞冬在雅典娜的一座神庙里强奸了她，惹怒了雅典娜。然而，雅典娜不能报复波塞冬，便将怒火全部发泄在了美杜莎身上，将她变成了面目可憎的怪物。美杜莎口中长出了野猪的獠牙，秀发变成了扭动的毒蛇——冰冷的双眼，无论谁看到都会变成石头。而且，雅典娜还阻止了美杜莎生下腹中的孩子。直到阿尔戈斯王子珀尔修斯砍下了她的头颅，美杜莎才生下波塞冬的两个孩子：巨人克律萨俄耳（Chrysaor）和飞马珀伽索斯（Pegasus）。

波塞冬和雅典娜同样为城池而争论不休，他们两位勉强分享了伯罗奔尼撒半岛东北部的特洛曾，不过，等到雅典娜赢得了雅典之后，波塞冬一怒之下淹没了特里亚西亚平原（Thriasian Plain），直到宙斯插手此事，才让一切恢复如初。

波塞冬在争夺其他城池时也屡遭挫败，所以，他也再三报复。修建特洛伊城时因没拿到工钱，波塞东派放出一头海怪，去吞吃国王拉俄墨冬（Laomedon）的女儿；当阿尔戈斯被授予给赫拉时，波塞冬让阿尔戈斯长年奔流的河水一到夏天就干涸断流（至今这些河水仍是如此）；争夺科林斯时，他也没能完胜，因此不得不把阿克罗科林斯（Acrocorinth）拱手让给了赫利俄斯。不过，他还是赢得了下城和伊斯米亚港（Isthmia）。在他的神庙附近，每两年都会举行伊斯米亚运动会，以向他表示敬意。在古代，只有两座城市以波塞冬为名：位于希腊北部的波提狄亚（Potidea）和意大利西南的波塞冬尼亚（Poseidonia），如今世人只知道它的罗马名字——帕埃斯图姆（Paestum）。

有人说，国王埃勾斯（Aegeus）就是每日站在苏尼恩的峭壁上眺望，祈盼着忒修斯的船从克诺索斯归来，希望可以看到白帆——这是父子二人约好的信号，表示忒修斯成功杀死了弥诺陶洛斯。然而，他等来的却是一张黑帆（忒修斯忘记更换成白帆），伤心欲绝的埃勾斯跳下悬崖，投海自尽，从此这片海便被叫作爱琴海（Aegean，与斯特拉博的说法相比，这一解释更普遍地为人所接受）。后来，另一场死亡又在此发生。在《奥德赛》中，皮洛斯国王涅斯托耳（Nestor）讲述了攻陷特洛伊之后，希腊的舰队是如何返航的：

> 我们来到神圣的苏尼恩，雅典的海角。在这儿，福玻斯·阿波罗（Phoebus Apollo）用他温柔的箭矢杀死了墨涅拉俄斯（Menelaus）的舵手——佛戎提斯（Phrontis），当时他正为敏捷的船掌着舵，他是奥涅托尔（Onetor）之子。暴风怒吼时，他的船比所有部落里的男人都快。尽管墨涅拉俄斯急于前行，但他还是留在了那里，为他的同伴举行了葬礼，庄重而得体。

苏尼恩的前世今生

苏尼恩处于阿提卡的最南端，所以对于雅典人来说，苏尼恩岬的战略价值不言而喻，而其象征意义也非同小可。希罗多德告诉我们，直到公元前5世纪初（这一时期，海角上正在修建一座庙宇），这里还每四年举行一次庆典。希罗多德向我们描述了一艘圣船如何从雅典出发，沿着海岸航行至苏尼恩。更多的细节，我们就无从得知了，但若不是因为埃伊纳岛上的居民，我们连庆典的存在都无从知晓。公元前490年，这些岛民"埋伏起来，等着圣船驶来，一举夺下了这艘船，抓住了船上一众雅典领袖，还给他们捆上了锁链"。不久之后，雅典人就一报还一报，他们允许一船埃伊纳岛流放者在苏尼恩定居，一上岸，他们便像海盗一样，洗劫了他们。

公元前480年的夏末，苏尼恩见证了希腊翻天覆地的变化，彼时尚未竣工的神庙被薛西斯带领的波斯人焚烧殆尽。然而，未过几周，希腊舰队就在萨拉米斯战役中击败了波斯海军。为了答谢神祇，胜利者将三艘敌军的三桨战船供为祭品：第一艘在萨拉米斯，第二艘在波塞冬的圣地——伊斯米亚，而第三艘便在苏尼恩。这艘战船被拉上了高高的海角，放在那座已被焚毁的神庙中，以示世人。

伯里克利（Pericles）计划将阿提卡被毁的圣地一一重建。公元前444年，作为重建计划的一部分，苏尼恩开始大兴土木。四年之后，波塞冬神庙落成。尽管如今只有遗址残存，但其原貌可以从雅典市集广场保存完整的赫菲斯托斯神庙得窥一二，因为这两座神庙的样式几乎相同。而苏尼恩的神庙也并非仅此一座。在此以北，地势较低的山丘上建有雅典娜神庙，其建筑群中，或许曾包括一座为墨涅拉俄斯的舵手佛戎提斯建造的英雄殿。

公元前412年，在伯罗奔尼撒战争中，苏尼恩岬修筑了防御工事。在整个希腊化时期，苏尼恩仍被作为军事基地，神庙之下的海边也建有船坞。然而，到了罗马时期，苏尼恩日渐衰落。公元1世纪，罗马人拆除了苏尼恩的雅典娜神庙，并在雅典的市集广场将其重建。如今，雅典的古广场博物馆里，还陈列着神庙的两个爱奥尼亚式柱头。百年之后，保萨尼阿斯开始动笔撰写《希腊志》，如是说道："苏尼恩岬位处希腊大陆，从阿提卡伸向爱琴海，伸向基克拉泽斯群岛。绕过海角，就可以看到一处港湾，和那高高在上的苏尼恩雅典娜神庙。"当然，他所说的其实是波塞冬神庙。这是一个令人遗憾的开头，否则这本书将更为出色。

到了公元4世纪末，拜占庭皇帝阿卡狄乌斯（Arcadius）下令："一切未拆除之庙宇，悉数拆毁，即刻执行。"于是，宏伟的波塞冬神庙被弃之不用，苏尼恩岬成了海盗出没之地。1810年，拜伦爵士到此游览，写下了"二十五个曼诺特（海盗）在峭壁之下的洞中，还有成了他们阶下囚的希腊船夫们"。这群海盗并没有让拜伦望而却步，他还是将自己的名字刻在了神庙的某根立柱上，还是在他的长诗《唐璜》（Don Juan）中对此地称赞不已：

> 让我登上，苏尼恩那大理岩的峭壁，
>
> 那里除了我和海浪，别无他人，
>
> 听得到，你我之间的悄声细语……

苏尼恩

大事记&遗迹

公元前 8 世纪	苏尼恩有了居住的痕迹
约公元前 500 年	出现了凝灰岩建造的庙宇
公元前 490 年	雅典驶往苏尼恩的圣船被埃伊纳岛岛民伏击
公元前 480 年	尚未竣工的神庙被波斯人焚毁；萨拉米斯一役后，波斯人的三桨战船被作为祭品，献给了波塞冬。
公元前 444 年	新的波塞冬神庙和雅典娜神庙开始兴建。
公元前 412 年	海角上建起了防御城墙。
公元 1 世纪	雅典娜神庙被拆除，在雅典重建。
公元 2 世纪	保萨尼阿斯认错了波塞冬神庙。
公元 4 世纪	波塞冬神庙被废弃。
1810 年	拜伦爵士到苏尼恩游览。

若要从雅典出发，来一个短途旅行，那么苏尼恩将是个热门之选，那里日暮时分的景象尤其令人赞叹。所以，这个小景点常常人满为患。不过，旅游淡季的时候，还是可以欣赏一下这里浪漫的孤寂。

从停车场和位置便利的饭店看去，神庙一览无余。从售票处进入，有一条小路，从那里可以看到通往**雅典娜神庙**地基的路（已禁止进入）。拾级而上，经过**防御城墙**，就来到了**波塞冬神庙**（禁止入内）。另有一条通往西面的路，向下可以到达海湾，从那里可以看到下面的**船坞**。从饭店大概可以步行至海角的尽头，在那儿眺望神庙或是远眺大海，景色令人惊叹。不过，一定要格外小心，因为悬崖陡峭，没有护栏遮挡。

第三章

厄琉息斯：得墨忒耳和珀尔塞福涅的秘仪

哈得斯啊，他的治下，亡灵众多，驾着不朽的骏马，坐着金色的战车。珀尔塞福涅（Persephone）与他同乘，赫尔墨斯（Hermes）就在一侧，手执缰绳和长鞭，他们飞驰而去，离开宅邸。须臾之间，便走到了长路的尽头。无论是大海、河流，还是那高草遍生的山谷，都挡不住这不朽的马儿，就连那高山峻岭也力所不能。他们势不可挡，从高高的空中，一路飞来（直抵厄琉息斯）。赫尔墨斯在神庙之旁停车驻马，这里芳香缭绕，住着头戴花冠的得墨忒耳。当看他们时，得墨忒耳飞奔出来，仿佛酒神的女信徒，穿行在山腰上树影斑驳的林地。珀尔塞福涅望见母亲动人的双眸，从战车上一跃而下奔向母亲，搂住了她的脖颈，紧紧相拥……于是，厄琉息斯的土地，那孕育万物的胸怀很快就迎来春天，麦田里将翻起麦浪，长长的麦穗沙沙作响，肥沃的犁沟里将堆满捆扎结实的麦穗。

《荷马诗颂：致得墨忒耳》，374-389；450-456

在漫长的历史中，环绕着厄琉息斯的平原通常都称得上肥沃而富饶。这处圣地坐落在露出地表的岩层之上，那里空气通透，鸟叫虫鸣。极目远眺，越过波光粼粼的海湾，看得到萨拉米斯那蓝灰色的山丘，还有远处伯罗奔尼撒半岛上耸立的高山，在薄雾之中闪烁着光芒。往内陆看去，金黄的麦田沿着群山一直延伸到海边。田间的辙痕旁，绚烂的番红花、银莲花和鸢尾花绽放得色彩斑斓。

如今，厄琉息斯的四周已然成为工业炼狱。化工厂的烟囱冒出滚滚浓烟，呛人的味道令人窒息；炼油厂的废渣冒着熊熊烈火；货柜船和油轮无所事事地停泊在海湾；仓库、陈列室、办公室和住房，这些丑陋的现代建筑在水泥平原上拔地而起、四处扩张；还有厉声尖叫、咆哮不止的车水马龙，沿着高速公路直通雅典。然而，即便如此，这处圣地依然保留了几分残存的尊严、一些非凡之处和那被遗忘已久的身份：它是厄琉息斯秘仪的发源地，在所有古代的仪式中，数它最为神秘；而得墨忒耳和珀尔塞福涅这两位女神的神话，与这一秘仪之间莫大的关系也永远不会改变。

得墨忒耳和珀尔塞福涅

得墨忒耳是典型的母性神，仅其名字就揭示了这一身份：*Demeter*中的"*meter*"即"母亲"；而前缀"*de-*"，或许来自克里特语中的大麦（*dea*）或是多利安语（Doric）中的*dē*，意为"大地"。她掌管的是肥沃多产的耕地，希腊人相信，天神宙斯用雨水使耕地受孕，产下繁盛的谷物和花朵。不光如此，宙斯还以更传统的方式让他的妹妹得墨忒耳受孕，生下了一个女儿珀尔塞福涅（"承受死亡者"）。这个名字如此禁忌，所以很多人都只叫她"女孩"。

哈得斯，冥府之神，并不介意和珀尔塞福涅之间如此亲近的血缘关系（他既是她的叔叔，又是她的舅舅），决定诱拐并娶她为妻。他甚至说服了宙斯来助其一臂之力。一个露水晶莹的清晨，他们的阴谋得逞了，当时的珀尔塞福涅"离开了母亲，和海洋的女儿们一同玩耍，在芬芳的草地上采花——玫瑰、番红花、迷人的紫罗兰，还有鸢尾花、风信子。当然，还有水仙……"

这花香沁人的水仙正是宙斯为她设下的陷阱。正当珀尔塞福涅俯身摘花之际，大地突然裂开。哈得斯乘着金色的战车一跃而出，他抓起女孩，不顾她向宙斯求救，带着她飞驰而去，回到了冥府。

九天九夜，得墨忒耳不吃不喝，手持燃烧的火炬，发了疯似地在大地之上四处探寻女儿的踪迹。最后，她从赫利俄斯的口中得知了发生的一切并在盛怒之下冲出了奥林匹斯山："她在城邦中游荡，迷失在人世的广厦良舍中，日日以泪洗面。没有男人认得出她的模样，女人们也认不得她，直到她来到

哈得斯掳走珀尔塞福涅时，赫尔墨斯在战车旁奔跑。安菲波利斯（Amphipolis）一处希腊化时期的墓葬中新近发现的马赛克镶嵌画。

英明的刻琉斯（Celeus）家中。他是厄琉息斯的王，统治着那个芳香缭绕的地方。"

正是在厄琉息斯，得墨忒耳的神话得以继续。得墨忒耳形容憔悴，仿若老妇，坐在井边，悲恸不已。刻琉斯的女儿们见了她，心生怜悯，带她进了王宫。她们的仆人伊阿姆柏（Iambe）给她讲笑话，逗她发笑；她们让她坐到羊皮椅子上，劝她喝下了易醉的吉肯（kykeon），一种混合了发酵大麦和薄荷的鸡尾酒。稍作振奋的得墨忒耳同意为刻琉斯家人干活，做刻琉斯小儿子得摩丰（Demophoön）的保姆。她甚至还想让这个孩子不朽。每日，她都用神膏为他涂体，将她的神力注入他的体内，而每晚，为了确保她的魔力，她将这孩子放入炽烈的火焰。待到孩子的母亲目睹了这一切，痛苦万分，失声大叫了起来——得墨忒耳被冒犯，她放弃了自己的职责，并透露了自己的真实身份。随后，她命令厄琉息斯全城的百姓为她建造神庙。

再没有什么可以让她分神，得墨忒耳又一次陷入对珀尔塞福涅的思念之中。《荷马诗颂》如此描述她：

那丰满的女儿，让她朝思暮想，日渐憔悴。

也让人世遭受痛苦，因为那育养万物的大地

如今也变得荒凉：大地拒不生产谷物，因为

头戴花冠的得墨忒耳已将其藏起。田里的耕牛

徒劳地拖动着弯犁，麦种，也白白播下。

她可以让世间饿殍遍野，无人幸免，可以

让那奥林匹斯山间的众神再无献祭的荣光可享，

如若不是宙斯留意，并放在了心上。

出于私心，宙斯说服了哈得斯交还珀尔塞福涅。不过，在还回珀尔塞福涅之前，冥王诱惑她吃下了一颗"甘甜若蜜的"石榴籽。这个诡计，得墨忒耳早已担心，所以珀尔塞福涅刚一回到母亲的身边，她便问自己的女儿：

我的孩子啊，你在那地下，可曾吃过什么东西？……

如果不曾吃过，那么，如今你已离开

那卑鄙的哈得斯，可以留在我和你的父亲，

那聚集风暴者，众神敬仰的宙斯身边。可如果你确曾吃过，

你就必须重回那大地深处，每年三分之一的日子

都必须在那里度过，另外三分之二才能和我，

及其他神祇一同生活。待那大地遍开鲜花，芳香四溢，

你才可以从那幽冥阴暗之中，再次重返大地，

无论是对众神，还是凡人，这都是何等的奇迹。

事情就是这样，自此之后便一直如此：希腊的夏天，焦炙的大地寸草不生，只有九月来临，才万物复苏。为了感谢厄琉息斯的人民，得墨忒耳教会了他们的王子特里普托勒摩斯（Triptolemus，她也做过他的保姆）耕种的技艺，并接纳刻琉斯和他的儿子们加入她的秘仪："不可违背，不可无视，不可外传，因为对众神无上的虔敬缚住了言语。世间的凡人中，见过众神的人，皆为有福之人；而那不被接纳的命运则迥然不同，将在那幽冥阴暗之处，枯萎凋零。"

厄琉息斯秘仪

秘仪（在希腊语中的含义是"接纳的仪式"）之中究竟发生了什么，这本身就是一个谜。因为接纳之人被死之痛楚禁止透露发生的一切，因而没有任何一手资料存留下来，只能通过文学作品中的间接引用和艺术作品中的呈

现来重构仪式和它们的意义。

厄琉息斯秘仪的成员有男有女，有自由的公民，也有奴隶。接纳仪式分为两个阶段。第一阶段是小秘仪（Lesser Mysteries），在春天举行，进入安塞斯特里昂（Anthesteria）月（"鲜花的盛宴"，大致上是二三月）。这一秘仪发源于厄琉息斯，但从公元前5世纪开始，转移到了雅典。据说，这一仪式源于得墨忒耳为赫拉克勒斯施仪，在他血洗了半人马族之后，净化他屠杀的罪恶。在仪式中，每一位新成员都要向得墨忒耳和珀尔塞福涅献祭一头乳猪，并在伊里色斯河（River Ilissus）中依照仪式以水净身。接下来的一系列仪式包含了颂歌、舞蹈和传授，有助于理解十八个月之后（不得于同一年加入这两种接纳秘仪）在厄琉息斯举行的大秘仪（Greater Mysteries）中所要经历的一切。

大秘仪在9月举行，长达九天以上，其最显著之处，便是神圣不可侵犯的休战，这样一来，前往厄琉息斯参加秘仪的朝圣者们，相对而言便有了安全保障。首先，祭司们由雅典新入伍的青年男子陪同，一路从厄琉息斯将圣物运送到雅典，暂时保存在市集广场一座被称为厄琉希尼翁（Eleusinion）的神庙中。到了第二天，朝圣者们涌入大海，在水中净身涤罪，然后每人献祭一头乳猪——或许是因为相信祭品可以消减他们的罪恶。三天之后，新成员身着华袍，头上冠以香桃木的树叶，从雅典出发，列队前行二十二千米，来到厄琉息斯。许多人跳起舞，讲起笑话（让人记起伊阿姆柏讲给得墨忒耳的那些笑话），唱起称颂伊阿科斯（Iacchus）的赞歌，伊阿科斯的木制雕像被游行队伍放在前列。伊阿科斯是狄奥尼索斯的化身，是葡萄酒之神。在公元前5世纪初，狄奥尼索斯、得墨忒耳和珀尔塞福涅的秘仪就已经融合交织在了一起。面包与葡萄酒的圣餐仪式由来已久。

纳新的庆典两天后开始。经过斋戒、献祭、涤罪，新成员穿上新衣，走进了泰勒斯台里昂（Telesterion）神庙。这座秘仪之厅是一座巨大且多柱的建筑，自兴建以来几经扩建。然而，接下来发生了什么，我们就无从得知了。不过，很有可能新成员会先喝下吉肯，从而更容易接受启示，产生幻觉。庆典中，火炬熊熊，由埃斯库罗斯（Aeschylus，公元前525年生于厄琉息斯）设计的华丽戏装更使其熠熠生辉。这场庆典之中很可能包括了一出宗教戏剧（改编自《荷马诗颂：致得墨忒耳》中的事件），由新成员来饰演。这出剧大概以重现找寻珀尔塞福涅为开始，每当她的名字被提及，巨锣便敲响一次，最后以女神现身结束。彼时，内室的门——打开，一片辉煌之中，女神出场。普鲁塔克（Plutarch）的描述，多少可以让我们感受到这一氛围：

厄琉息斯秘仪的女神 —— 得墨忒耳和珀尔塞福涅 ——
站在年轻的王子特里普托勒摩斯左右两侧，厄琉息斯
的一块大理石浮雕，约公元前440年。

新加入秘仪的成员聚在一起，开始时，个个摩肩接踵，一片喧嚣；但那神圣的仪式甫一开始，神启将至，他们便沉寂无声，莫不屏息凝神，如痴如醉。哲学与此，并无二致。最初，也是云者众多，个个口若悬河、自以为是，为了哲学的美名而争强好胜；但不论是谁，一旦找到了心之所求，领悟到了一丝真理——好比那神圣之门悉数开启——便仿佛脱胎换骨，举止行为判若两人，变得心生敬畏，静默不语。

在别处，他又写到纳新的仪式和死亡何其相似。先是困惑，接下来是恐惧、颤抖，直到那神奇的圣光出现，满目璀璨。旅行者豁然开朗，面前一片水草丰美的牧场，舞蹈正欢，神启得见。

最受崇敬的神启似乎是这样的，成束的麦子被装在罐子里，缓缓从地下升起。尽管麦子已被割下，已是死物，然而其中却含有新的生命的种子。或许，正如随之而来的礼拜仪式所说，这些新成员在经历了秘仪之后，便进入了更高的精神境地，恰似死后的重生。这就使得秘仪变得极为强大。许多希腊人，包括哲学家们，譬如毕达哥拉斯（Pythagoras）和柏拉图（Plato），都相信灵魂会轮回到许多身体中，包括人和动物。《约翰福音》中，基督也用了与厄琉息斯神启相同的隐喻，向前来耶路撒冷过逾越节（Passover）的"某些希腊人"预示自己将至的死亡以及死后的重生："我实实在在地告诉你们：一粒麦子若非落地而终，仍旧是一粒麦子；若是死了，就结出许多种子来。"最后一天，新成员们尽情欢宴，举行圣仪以敬逝者。然后便各自回家，或许，去好好回想——如在厄琉息斯发现的一段铭文所述——"福佑的众神已赐我们神迹，如此美丽。凡夫俗子，死亡也无须再惧：正相反，死亡本是神赐的福祉。"

厄琉息斯的前世今生

厄琉息斯的历史至少可以上溯至公元前15世纪。早在公元前7世纪，《荷马诗颂》写下之时，厄琉息斯秘仪在当地已颇具盛名。到了公元前6世纪中叶，雅典吞并了厄琉息斯。尽管秘仪仍掌握在厄琉息斯的祭司手中，但雅典的独裁者庇西特拉图（Peisistratus）为了争取国际认同，从更广阔的希腊世界鼓励新成员的加入。

公元前480年，波斯人焚毁了阿提卡的圣地，厄琉息斯也未能幸免。不过，不出几天，希腊人就在厄琉息斯的对面——萨拉米斯湾击败了波斯海军，或许那一天恰逢举行秘仪之日。希罗多德记下了战前"三万大军从厄琉息斯向此逼近，踏起了如云的尘土，漫天飞舞……人声鼎沸，仿佛秘仪上献给伊阿科斯的颂歌……尘土直飞云天，弥漫了整个萨拉米斯海湾，那里驻扎着希腊的舰船"。

雅典人重建了他们的神庙后，在雅典卫城入口两侧的堡垒以及雅典娜·波里阿司（Athene Polias，城邦的保卫者）神庙的雕带上，用厄琉息斯石灰岩砌成镶边，作为护城符带。他们在帕台农神庙的雕带上也刻画了厄琉息斯的重生启示。同时，在厄琉息斯，他们还扩建了泰勒斯台里昂神庙，并为圣地修建了围墙。

厄琉息斯秘仪蓬勃发展。公元前4世纪，在涤罪仪式中，交际花芙里尼（Phryne）裸身入海沐浴，引发了轰动。在罗马人的统治下，纳新仪式变成了知识分子和上层人士的习俗。西塞罗（Cicero）将之称为一切"雅典"习俗中最美好最神圣的一个，宣称"从中可以汲取力量，不仅生时心满意足，死时更是满怀希望"。

哈德良（Hadrian）修葺了厄琉息斯圣地。保萨尼阿斯在梦中受到警示，不许他在书中描绘此地的庙宇殿堂。公元170年，科斯托博契人（Costoboc）洗劫了厄琉息斯，圣地损毁过半，不过罗马皇帝马可·奥勒留（Marcus Aurelius）立即重建了圣地。最终，公元392年，基督教罗马皇帝狄奥多西禁止了厄琉息斯秘仪。四年之后，哥特人阿拉里克将这里洗劫一空，这座城市逐渐衰败。

到了18世纪末，厄琉息斯再次出现在了地图上，文物收藏家和掠夺者趋之若鹜。到了19世纪初，爱德华·多德威尔（Edward Dodwell）写道：

> 如今，这里的人们痛惜他们失去了刻瑞斯［得墨忒耳］女神——1802年，爱德华·克拉克（Edward Clarke）博士运走了那高大的半身像。我第一次去希腊的时候，昔日的神庙只剩断壁残垣，唯有这城邦的守护女神还矗立在其间的打谷场上，壮丽恢宏。村里的人深信不疑，他们的丰收全拜女神慷慨所赐。他们言之凿凿地告诉我，自女神被运走后，他们的富饶也一去不复返了。

大事记&遗迹

公元前15世纪　　厄琉息斯有了居住的迹象

公元前7世纪末　　《荷马诗颂：致得墨忒耳》写成。

公元前6世纪初　　厄琉息斯被雅典吞并。

公元前6世纪中叶　庇西特拉图将厄琉息斯秘仪变成了国际性庆典。

公元前480年　　　波斯人洗劫了厄琉息斯。

公元前449之后　　伯里克利重建圣地。

约公元前360年　　在莱克格斯（Lycurgus）的带领下，雅典人修建了更多的防御性城墙。

公元170年　　　　科斯托博契人洗劫了厄琉息斯，马可·奥勒留予以重建。

公元392年　　　　狄奥多西禁止了厄琉息斯秘仪。

公元396年　　　　阿拉里克将厄琉息斯洗劫一空。

1875年　　　　　　厄琉息斯修建了第一座工厂，哈里劳斯肥皂厂（Harilaos Soops）。

　　厄琉息斯［路标上也写作埃莱夫西纳（Elefsina）］的周边全是现代化的工厂，不过，也有美妙的咖啡馆环绕。这儿仿佛一处宁静而奇特的绿洲，尤其是一到春天，遗迹中野花生长之时。从入口开始，一条小路通往**大山门**，公元2世纪兴建的大门通往公元前5世纪修建的围墙，其中有得墨忒耳之井。接下来，是公元前1世纪的**小山门**，通往圣殿。右边是哈得斯（或称普路托）的神圣洞穴，人们相信珀尔塞福涅就是从这里重返人间的。再往前，就是**泰勒斯台里昂神庙**不同时期的遗迹，在其鼎盛时期，可以容纳3000名新成员。

　　博物馆建在神殿之上裸露的岩层处，其中陈列了与秘仪相关的一些物品，包括用大理石雕刻的**还愿祭品乳猪**、一件**典礼用水杯**，以及著名的《**奔逃的少女**》像，雕像展现了珀尔塞福涅试图从哈得斯手中挣脱的情形。另有一尊得墨忒耳的**无头雕像**，而另外一尊原本位于小山门的女像柱缺失了躯干，只剩下头颅，或许在展现女神头戴花冠的样子，那花冠上满是谷物、罂粟，还饰有一只水杯。博物馆内还陈列着一块**大理石浮雕的复制品，浮雕**上刻着得墨忒耳、珀尔塞福涅和特里普托勒摩斯——原件保存在雅典考古博物馆。第二尊女像柱（多德威尔笔下得墨忒耳"高大的半身像"）可以在英国剑桥的菲茨威廉博物馆看到。

第四章

提洛岛：勒托、阿耳忒弥斯和阿波罗的圣岛

王后勒托（Leto）来到提洛岛，说出的话中肯动听，她问："提洛，你愿不愿意成为我的儿子——福玻斯·阿波罗的属地，为他建起恢宏的庙宇？你心知肚明，不会再有旁人将你眷顾！那成群的牛羊、多汁的葡萄、富饶的谷物，永远不会在此生长，但只要你建起了供奉阿波罗的神庙，他的弓射程极远，人们会奉上祭品，如潮水般涌来，而那多脂的祭品香气浓郁，将永远弥漫空中。那安居此处的人，自有别人的双手将其奉养，只因你的土地，如此贫瘠荒凉。"

勒托所言如是，提洛欣喜若狂，当即答道："勒托，伟大的科俄斯（Coeus）之女，最受敬仰的女神，我将满心欢喜迎接您的儿子，那射程极远之神。现在，我默默无闻，但从今往后，我将声名远扬。"

《荷马诗颂：致提洛岛的阿波罗》，49-65

一眼望去，提洛岛是座贫瘠之岛。小岛海拔较低，仿佛蹲伏在海中，岛上昔日神圣的港湾里，防波堤早已破败不堪，任凭海浪袭来，无情地拍打。岛上贫瘠的土壤一片黯淡，毫无生气，咸咸的海风吹过矮小的灌木，呜呜作响，受了惊吓的鹌鹑咕咕地仓皇逃窜，跑上山坡，脚下的小石子不期然地崩落，滚向一旁。跟着它们费力爬上缓缓升起的辛托斯山（Mount Cynthus），山顶的风光让人难忘——一条弧形的岛链：最北面是蒂诺斯岛，接下来顺时针往东是米科诺斯岛、纳克索斯岛，南面是帕罗斯岛；再往西，越过低矮的里尼亚岛（Rhenea），便是锡罗斯岛，岛上的街道狭长，港湾繁忙。它们都属于基克拉泽斯群岛。这两百多个小岛组成的巨大车轮，从公元前4世纪起，孕育出了独一无二的艺术和文明，而这车轮的中心，就是提洛岛。对于古典时期的希腊人来说，这座岛屿是世间最神圣的地方之一，因为就在这儿，女神勒托生下了阿波罗和阿耳忒弥斯。

勒托的生产

勒托是提坦之一，她的妹妹阿斯忒里亚（Asteria），神谕与梦之女神，曾生下赫卡忒（Hecate，掌管鬼魂、问卜的女神，人们在十字路口以狗向她献祭）。贪恋美色的宙斯迷上了阿斯忒里亚，然而她却不愿委身于宙斯，便化身为一只鹌鹑，跳入了大海。她在海中变作一座漂浮的岛屿——奥提伽岛（Ortygia，鹌鹑岛）。没能得逞的宙斯又看上了阿斯忒里亚的姐姐，据赫西俄德说，"那是所有奥林匹斯女神中最温柔的一位"。宙斯发现，跟她妹妹比，勒托听话多了，不久她就怀上了双胞胎。不过，因为宙斯拈花惹草，赫拉怒不可遏，她让勒托的孕期变得痛苦而又漫长。

赫拉给生育女神厄勒梯亚（Eileithyia）下了死命令，不许她去帮助勒托，还命令阿瑞斯和伊里斯确保大地之上再无勒托的安身之处。希腊大陆不容她立足，又有凶残的皮同巨蟒（德尔斐的巨蟒，后被阿波罗所杀）穷追不舍，而生产的痛苦也日益加重，勒托逃到了亚洲海岸。在吕西亚，牧人们想要把她从汩汩的泉水旁赶走，不让她饮水解渴。一怒之下，勒托将他们全变成了青蛙。如今，他们的后代依然在圣地莱图恩（Letoön，靠近现代土耳其的桑索斯）那被水漫过的地方呱呱齐鸣。最后，绝望的勒托只好向奥提伽，那漂流的岛屿，她曾经的妹妹阿斯忒里亚求助。因为奥提伽岛并没有与大陆相连，所以并不触犯赫拉的禁令。况且，因为阿斯忒里亚断然拒绝了宙斯，赫拉对她也心怀敬意。

于是，在奥提伽岛上一个环形湖的湖畔，勒托痛苦地蹲伏在那里，紧紧抓住了一棵棕榈树。分娩的痛苦似乎无休无止，终于，勒托生下了一个女儿——阿耳忒弥斯。不久，阿耳忒弥斯就成了人人崇拜的野兽与狩猎女神，不光如此，她同时也是助产女神。因为生为神衹，她刚生下来就帮助勒托生下了双胞胎弟弟阿波罗，光明之神。在助产的时候，一群天鹅从帕克托洛斯河（River Pactolus）昂首游过，"绕［岛］七圈，为此神的诞生而歌唱。这缪斯的鸟儿，是所有飞翔的鸟儿中声音最悦耳的……岛上的仙女们也一同吟唱着分娩的颂歌。一时之间，那夺目的苍穹回荡起洪亮的圣歌，赫拉听了，也不觉愤恨，只因宙斯已熄灭了她心中的怒火。这时，［这座岛的］基岩变成了黄金，那环形湖里荡漾着黄金，棕榈树上金叶摇曳，打着旋的伊诺普斯河（Inopus）也流淌出了黄金"。

从那时起，这座岛屿的名字也变了。如今，它已在海底牢牢扎下了根，叫作提洛（"清晰可见"）。

至少还有两地自称勒托分娩之地：位于克里特岛南部海域的帕西马狄亚群岛（Paximadia island，古时称为勒托艾），以及埃及尼罗河三角洲的布托（Buto）。据希罗多德称，直至公元前5世纪，那里还有一座漂浮的岛屿。埃及和提洛岛之间的联系还不止这一处。人们相信，提洛岛上"打着旋的伊诺普斯河"（其实，只是一条时断时续的溪流，如今已经断流）就发源自尼罗河的一条地下支流，每逢埃及的这条兄弟河流洪水泛滥，它也水势见涨。或许，更令人信服的是勒托在两种文化之中的关联——在近东，勒特（或阿勒特，Lat or Allat）是伟大的母亲神，而在吕西亚语中，"勒托"的意思就是"女士"。

不过，唯有在提洛岛，在这片圣湖之旁，对勒托的崇拜才最为虔诚。这儿的一座神庙同时供奉着她和她的双胞胎孩子，阿耳忒弥斯和阿波罗。在神话中，这一家人也同样如此亲密。

阿波罗和阿耳忒弥斯的复仇

听说底比斯的王后尼俄柏吹嘘自己胜过勒托——因为她生了十二个（另有说十四个）子女，而勒托只生了两个——阿波罗和阿耳忒弥斯即刻采取了行动。他们搭箭上弦，用一支支毒箭送去了死亡：阿波罗杀光了她的儿子，阿耳忒弥斯杀光了她的女儿。荷马讲述了尼俄柏抛下自己"躺在血泊中的子女九日九夜"，向东逃到了吕底亚（Lydia）。坐在西皮洛斯山（Mount Sipylus）上，她泪如雨下，久而久之，化作了山石，"心中尽是神给她的痛苦"。这块"哭岩"就在今日的土耳其马尼萨城附近，至今，人们还可以在那里看到它。

阿波罗和阿耳忒弥斯姐弟两个，一样的青春永驻，一样的满头金发，一样的矫健而敏感，也一样的箭术高超。不过，不一样的是，阿波罗还弹得一手动听的里拉琴，而里拉琴之所以有七根弦，正是因为阿波罗出生之时，天鹅绕着提洛岛转了七圈。不过，就像那一张一弛的弓弦或琴弦一样，这姐弟俩也会突然暴怒，盛怒之下常常大肆破坏——尤其是他们的荣誉受到损害的时候。

阿耳忒弥斯和阿波罗向尼俄柏的孩子们射出了致命的箭矢
（雅典的红色人物花瓶画，公元前5世纪）。

在提洛岛东边的弗里吉亚，当萨堤尔（Satyr）——马斯亚斯（Marsyas）
吹嘘自己吹奏阿夫洛斯管（双簧类管乐器）的技艺了得时，阿波罗向他发起
挑战。因为二人技艺超群，为了分出胜负，弹奏里拉琴的阿波罗提议，两人
必须边演奏乐器边演唱。马斯亚斯当然无法做到，就这样阿波罗获胜，他得
意地将马斯亚斯活生生剥了皮。那位可以点石成金的国王迈达斯（Midas）
的运气稍稍好些，他说自己更喜欢潘神（Pan）的牧笛声，结果阿波罗让他长
出了一对驴耳朵，以作惩罚。

阿波罗的怒火也会变成肆虐人间的瘟疫。《伊利亚特》开篇，阿波罗
将"弓与箭囊负在身后，从奥林匹斯山怒气冲冲直奔凡间，天神降临如黑夜
覆盖大地，肩头的箭矢琅琅作响。他站在船边，张弓射箭，银弓的弦声令人
心惊胆寒。他先射杀骡子，接着是狗，然后是人。焚尸的柴堆烧了一层又一
层"。只因在特洛伊，希腊人侮辱了他的祭司。

与众多神祇一样，阿波罗身上也体现了对应统一。索福克勒斯
（Sophocles）的悲剧《俄狄浦斯王》（Oedipus the King）中，底比斯突降瘟疫，
肆虐全城（部分原因是人们曲解了德尔斐神谕），人们祈求"提洛的医者"
阿波罗来救治百姓。献给阿波罗（他的名字在希腊语中与apollumi有关，意为
"我摧毁"）的颂歌中，最常见的形式就是派安赞歌（paean），其字面意思为
"治愈之歌"。

提洛岛上的阿波罗节庆

在提洛岛，阿波罗是万众崇拜的对象，尤其是爱奥尼亚的希腊人。人们从雅典，从各岛，从西亚的沿海城市蜂拥而至，前来参加两大节庆活动：四年一度的提洛节（Delia，古希腊人为阿波罗所办庆典，以其音乐竞赛著名）和每年一度的小提洛节。在小提洛节上，雅典人用阿波罗的月桂叶装饰他们神圣的三桨船，然后开去提洛，在那里举行献祭活动。这样一来，雅典便得到了净化。在此期间，任何死刑都不得执行——公元前399年，被判处死刑的苏格拉底（Socrates）不得不等到这艘船返航归来，才喝下那杯致命的毒酒。

四年一度的提洛节场面盛大。天神被呼唤，《致提洛岛的阿波罗》称颂道：

> 最令你光荣的，便是这提洛岛。岛上，为了向你致敬，爱奥尼亚人穿着飘逸长袍，身边站着他们的孩子与端庄的妻子；无论是在拳击、舞蹈，还是在歌咏时，他们都在心中呼唤你的名字，各式各样的比赛，只为了让你欢欣。看到爱奥尼亚人聚集在此，有男人，还有丰满的女人，和线条优美的船儿，以及满载的财富，如此赏心悦目，如此令人愉快，你会以为他们将长生不老。还有另一桩奇迹，她们的名声将永垂不朽——提洛岛上的少女，阿波罗的侍女，她们一展歌喉，歌颂阿波罗，歌颂勒托，歌颂那弓箭女神阿耳忒弥斯。颂歌让人想起他们的先辈，想起男人和女人的事迹，这让聚集的人们心旷神怡。她们的歌声模仿着每一种语音和方言，不管是来自哪里，每一个人都深信不疑，认为是自己在歌唱：她们的赞歌这样唱，构思是多么巧妙。

在提洛节的音乐和舞蹈中，阿波罗作为缪萨革忒斯（Mousagetes，众缪斯之领袖）的地位至高无上。从公元前6世纪以来（提洛岛的黄金时期自此开始），艺术家们常把阿波罗塑造成手持里拉琴、身旁伴有两位音乐缪斯的形象。在提洛节上，跳舞的少女或许正代表了缪斯，歌唱着用多地方言写成的歌曲，将希腊语世界团结在一起。

阿波罗和法厄同

随着时间的推移，阿波罗又被称为福玻斯（"闪耀者"），是提洛岛的光之神，他与太阳神赫利俄斯的身份渐渐等同了起来，直到几乎无法区分。罗马的奥维德在其《变形记》（*Metamorphoses*）中，就将他们合二为一，让福玻斯成了在劫难逃的法厄同（Phaethon，"燃烧的"）的父亲。《变形记》

中，法厄同再三恳求，想要驾乘太阳神的战车。缰绳在手，法厄同却无法驾驭拉车的马儿，马儿俯冲向地面，将大半个非洲烤成了焦土，变成沙漠，埃塞俄比亚人的皮肤被烤成了黑色，大海也即将被烤干，直到宙斯［奥维德诗中的朱庇特（Jupiter）］放出雷霆，击中战车。法厄同跌入了埃利达努斯河（River Eridanus，罗马人认为是波河），他的姐妹赫利阿得斯（Heliades）在那里变成了黑杨木，悲伤的泪水化成了琥珀。

提洛岛的前世今生

作为阿波罗的出生地（阿耳忒弥斯的出生地时有争议），提洛岛享有神圣而崇高的地位。在公元前7世纪末，纳克索斯岛上的爱奥尼亚人将一组由九到十二头大理石雄狮构成的雕塑群像（或许是从埃及的斯芬克斯大道获得的灵感，譬如从卢克索到卡尔纳克之间的大道）献给了阿波罗，将其安放在高台之上，俯瞰圣湖。

六七十年之后，庇西特拉图为了提高雅典在爱奥尼亚希腊人中的领导地位，净化了圣湖的周边，将附近一片墓地迁至提洛岛的远端。他还着手兴建阿波罗神庙，面向圣港，神庙内的圣坛放着一尊巨大的阿波罗雕像。与此同时，波利克拉特斯（Polycrates），萨摩斯岛的君主，则将近旁（更大）的里尼亚岛献给了阿波罗，将之与提洛岛以铁索相连，以便神圣的"能量"可以经此流动。

公元前490年，波斯人入侵，希庇亚斯（Hippias，庇西特拉图的儿子，通敌波斯）希望自己的叛国之举可以得到阿波罗的支持，在提洛岛举行了耗资巨大的献祭仪式。结果未能遂愿。击败波斯人之后，提洛岛成了希腊同盟，或称提洛同盟（公元前478年）的集会和财产所在地。结盟的仪式庄严肃穆，爱奥尼亚代表汇聚在圣港，宣誓效忠雅典，并将烧红的铁块掷入大海，以证诺言。

就在庇西特拉图所建神庙的正南方，面对着公元前7世纪纳克索斯岛民供奉的阿波罗巨像（高达九米），又有一座柱廊式神庙开土动工。这座神庙直到公元前4世纪末才竣工。待到公元前454年，同盟的所在地已迁至雅典，雅典继续控制着提洛岛。公元前426/前425年，在伯罗奔尼撒战争中，雅典将提洛岛上的坟墓全部迁至里尼亚岛，并宣布自此以后，任何人不得在提洛岛上生育、死亡，或养狗。雅典人还在已有的两座神庙之间建造了第三座阿波罗神庙。

在罗马时代早期，提洛岛是一座繁荣的自由港，居住人口超过两万，奴隶市场生意兴隆，吸引来了众多其他神祇的崇拜者。岛上建起了祭奉伊西斯和巴力（Ba'al）的神庙，其中还包括一座现存最古老的犹太会堂。不过，提

不怒而威的阿波罗下令终止打斗，公元前5世纪奥林匹亚宙斯神庙西侧三角墙饰。

洛岛无所依傍，这让其极易受到攻击。到了公元前1世纪，提洛岛开始走上了下坡路。最终，因为缺乏耕地，还是被废弃了。

如今，提洛岛上的永久居民唯有那些蜥蜴、昆虫了——还有鹌鹑，匆匆忙忙地在大理石的废墟间跑来跑去。尽管古典时期的神庙还有地基与部分立柱尚存，希腊化时期华丽的剧场、罗马和埃及的神殿以及罗马人的住宅也仍留有遗迹（一些住宅中还保存着壁画和马赛克镶嵌画），但提洛岛那古时的辉煌，只能由我们凭空想象了。岛上的圣湖早已干涸，那里的湖面曾蚊虫飞舞，仿佛阿波罗的箭矢，散播着疾疫。如今，还有一棵棕榈树孤零零地立在干涸开裂的湖岸边，纳克索斯雄狮的复制品居高临下地注视着这里。最重要的是，高高在上的阿波罗，光明之神，不动声色地俯视着这里的一切。

大事记&遗迹

史前—公元前1200年	提洛岛在青铜器时代便是敬神活动的中心之一。
公元前7世纪	提洛岛成为爱奥尼亚的崇拜中心；纳克索斯岛民献上了大理石雄狮和巨大的阿波罗神像。
公元前546年后	庇西特拉图清理了提洛岛并修建了岛上的首座神庙。
?约公元前530年	波利克拉特斯用铁索将提洛岛与里尼亚岛相连。
公元前490年	提洛岛从波斯人的入侵中逃过一劫。
公元前478年	结成提洛同盟；雅典人开始兴建第二座神庙。
公元前426/425年	雅典人再次清理了提洛岛，开始修建第三座神庙。
公元前166年	提洛岛成为罗马的"自由港"。
公元前2世纪末	提洛岛成为主要的奴隶交易市场和商业中心。
公元前88年	本都王国的米特拉达梯国王（Mithridates of Pontus）袭击了提洛岛，20000居民被杀。
公元前69年	海盗袭击。
公元前1世纪末	人口减少，提洛岛不可挽回地走上了下坡路。

提洛岛是航游的好去处，不过，散客也可以从附近的米科诺斯岛乘坐往来频繁的轮渡（三十分钟）去往该岛。岛上阳光强烈，又无遮阴，一定要准备周全。

三座兴建于公元前6世纪至前5世纪的**阿波罗神庙**，正对着**圣港**（隔着一条狭长的岬角，就是古老的**商业港**，如今大多数人都在这里下船）。三座神庙全是坐东朝西，这一不同寻常的朝向，是为了与青铜时代早期的一座圣坛保持一致。左边的一条路通往**勒托神庙、雄狮大道**和（如今已经干涸的）**圣湖**。精力充沛的徒步爱好者可以继续前往提洛岛的远端，参观**竞技赛场**和**犹太会堂**。右侧的几条路通往宏伟的**剧场**，继续往上，是几所大宅，内有保存完好的马赛克镶嵌画和壁画。在这附近，还有几座神祠，供奉着叙利亚和埃及的神祇。一条铺好的小路通往**铿托斯山**顶，从那里可以一览基克拉泽斯群岛的全貌。

不大的**博物馆**（这儿也卖餐点）收藏了在提洛岛上的考古发现，包括**纳克索斯雄狮**原件、一件**迈锡尼象牙饰板**（上刻有头戴野猪獠牙头盔的战士）、一件**古希腊年轻女子的雕像**、一件令人印象深刻的**狄奥尼索斯青铜面具**和一件公元前2世纪的**阿波罗雕像**。此外，这间博物馆还收藏了大量的**陶器**和一件令人叹为观止的**壁画**，画中绘有赫拉克勒斯、两位拳击手和一位音乐家。

第五章

德尔斐：阿波罗的神谕之所，狄奥尼索斯的常游之地

阿波罗敏捷地掠过群山之巅——来到德尔斐，在帕尔纳索斯山（Mount Parnassus）的皑皑白雪之下，西向的岩层向上盘旋。上面有山崖绝壁高高耸立，下面是多石的山谷，树木林立。天神福玻斯·阿波罗下令修建他那辉煌的神庙，说道："我选中此处，为我光芒万丈的神殿，为全人类的神谕之地，他们将带来无瑕的祭品，奉献给我——从那富饶的伯罗奔尼撒半岛来，从欧罗巴大陆来，从那些海浪拍打的岛屿来，当他们有求于我时。凡来我华丽庙宇的，我会给予指引，而我所言不虚。"

《荷马诗颂：致德尔斐的阿波罗》，281-293

德尔斐似乎悬在大地和天空之间。破晓时分,阳光洒满了帕尔纳索斯山的峭壁,那些山崖绝壁——"闪耀之岩"——沐浴着夺目的光芒,而那屹立着宝库和神庙的平台也披上了金色的荣光。下方的山谷一片沉寂,如此遥远,德尔斐圣地仿佛飘浮其上。稍后,待到日头渐高,干燥而炎热的空气中,百里香的味道开始弥漫,聒噪的蝉鸣渐响。偶尔可见几只雄鹰,借了上升的热气流,毫不费力便直上云霄。

雄鹰是宙斯的鸟儿。传说,为了找到大地的中心所在,宙斯从大地边缘最远的两端放出了两只雄鹰,让它们相向而飞,保持路线一致。最后,两只鸟儿在德尔斐相会。古时候,这儿立了一块锥形的巨石作为祭台。据说,这就是克洛诺斯吞下的那块石头。在阿波罗神庙中,数它最为神圣,被称为翁法洛斯(Omphalos)——大地之脐。

最初的神谕

仿佛这样的环境还不够,据说翁法洛斯石附近的岩石上有一道裂隙,是地震所为。吸入从裂隙里升起的云烟雾霭之后,一时会神魂颠倒,心醉神迷,口中(常常语无伦次地)念念有词。虽说不知所云,但其意义不言而喻:说话的人,为神所附,成了神的喉舌。在德尔斐,大地两端的中心点,人可以与神交流。

有史以来,阿波罗在德尔斐的地位至高无上,不过希腊人将他的神谕上溯到了更为久远的时代。据神话所说,最初,是个牧羊人为了救坠入裂隙的山羊才发现这里。因为看到山羊在下面瑟瑟发抖,牧羊人便钻入裂隙去救它。在裂隙中,牧羊人吸入了雾气,不可思议地发现自己可以洞悉过去与未来。后来,这儿的人们选了一位少女作为祭司,这里便成了德尔斐神谕所,而山羊则成了献祭仪式中的祭品。曾几何时,这里是地震之神波塞冬的圣地,是他分开了大地。不过也有人说,最初,这里是大地女神和众神之母盖亚的领地(或许是因为Delphi这个名字来源于古希腊语 *delphús*,"子宫"之意):

> 我的祷词,先献给盖亚,众神中最初的先知;下一位,献给忒弥斯,(相传)她继承了母亲的衣钵,坐上了先知的宝座;接下来,友好地传递给另一位提坦——福柏(Phoebe),她是盖亚之女。后又将之赠予了福玻斯,作为生日礼物……

在埃斯库罗斯的剧作《欧墨尼得斯》(*Eumenides*)中,阿波罗的女祭司如是说。不过,关于阿波罗是如何来到德尔斐的,最常见的版本(进入罗马时代之后,依旧在仪典中重现的版本)也是最血腥残暴的一个版本。

德尔斐的阿波罗

在提洛岛诞生后不久，阿波罗便动身寻仇，要去杀掉那条在母亲勒托怀孕时穷追不舍的巨蟒皮同。他在帕尔纳索斯山麓的丘陵发现了这条三头巨蟒，盘曲在盖亚神谕所的那条裂隙旁。这条蛇为害四周的乡邻已久，但凡稍有靠近，无论人兽，必死无疑。不过，阿波罗是箭矢之神，"他的射程极远"，皮同想要靠近阿波罗也无能为力。巨蟒昂首抬头，口吐蛇信，阿波罗则箭如雨下，支支中的，皮同精疲力竭，伤口里流出了乌黑的黏液，轰然倒地，一命呜呼。随着太阳越升越高，巨蟒的尸骸渐渐腐坏，化成了一摊黏液——皮同正是从中所生。黏液滴入裂隙，只剩一堆白骨和阵阵腐臭。正是从这腐败之中（希腊语中pythesthai意为"腐坏"），皮提亚（Pythian）的女祭司，阿波罗的口舌，才得此称号，而德尔斐也有了另一个名字——"皮托"（Pytho）。

阿波罗与皮同在德尔斐争夺先知的三脚祭坛，在（意大利南部城市）克罗托内（Crotom）发现的一枚银币（古波斯希腊钱币）上的图案，约公元前420年。

希腊人认为，杀戮后一定要赎罪才行，即使杀的是皮同。因此，阿波罗在那条毒气萦绕的裂隙之上修建了一座神庙，然后将皮同的骸骨放在一口釜中，供奉在庙里。不仅如此，他还发起了葬礼运动会，历史上曾经每四年举办一次，除了田径比赛，还包括各种音乐、舞蹈竞赛，并将其命名为皮提亚竞技会，以纪念巨蟒皮同。胜利者将获得一顶神圣的阿波罗桂冠。

然而，即便如此，仍不足以赎清其罪。宙斯下令阿波罗通过仪式来涤净血债。据当地流传的故事所述，宙斯选中了坦佩河谷（Vale of Tempe）来进行涤罪；可阿波罗更想在西锡安或克里特岛举行仪式，因为那里的大小仪式都由国王主持。然后，阿波罗回到了德尔斐，称其为自己所有。在此，他说服了潘神，那位在牧群和人群间播下恐慌的神、乡野间的山羊神，教会他预言之道，因为若是神谕之所由他掌握，这将至关重要。随后，阿波罗开化岛民，教授他们栽种果树，过上农耕生活，然后邀请母亲勒托和姐姐阿耳忒弥斯前来庆祝他的胜利。不过，即便如此，帕尔纳索斯山麓的丘陵也并非就彻底安全了。勒托前往圣地时，在蜿蜒的路上突然遭到了巨人提提俄斯（Tityos）——盖亚之子的攻击（或许是受了依旧妒火中烧的赫拉唆使）。提提俄斯撕碎了她的面纱，意欲强奸，幸亏阿波罗和阿耳忒弥斯听见了勒托的尖叫，致死的箭矢顿如雨下。不死的巨人被打入冥府受罚，四肢伸开，手脚被钉入大地。两只秃鹫蹲伏在他身上，开胸破腹，食其肝肠。

阿波罗选了克里特水手来做他新神庙的祭司。《荷马诗颂》中描述了阿波罗如何远远地暗中观察，看他们驶向皮洛斯，并为他们高超的技艺所打动，阿波罗：

> 与他们在途中相会，化身海豚，跳上了他们的快船，
> 躺在甲板上，硕大无朋，令人生畏。谁也不知道他究竟是谁，
> 他们试图将他推回大海。但他在这黑色的船上，翻腾拍打，
> 船板震颤不止，他们瞠目结舌，跌坐在地，个个吓得魂不附体。

无论水手们如何努力，他们的船已然失控，不可思议地驶进了德尔斐之下的克利萨港湾，并在那里的海滩上搁浅。"就在那儿，那射程极远的天神阿波罗从船上一跃而起，仿佛正午升起的明星，身旁闪电穿梭，粲然夺目，其光直冲云霄；穿过立着珍贵的三脚祭坛的大道，阿波罗阔步走上了他的圣所。"

最后，水手们才明白，原来阿波罗是位神祇，便遵从了他的旨意，做了阿波罗神庙的护卫——在这一版本中，阿波罗的圣地之所以被称为德尔斐，是为了纪念他化身为海豚。对于大多数希腊人来说，他们在德尔斐问谕已有千年之久，对祭司的阴谋诡计保持着清醒的头脑，对谕辞的暧昧模糊保持着

警觉。看来，克里特人爱撒谎的坏名声并非偶然得来。

不过，说谎（或被认为在说谎）会激怒阿波罗。有一次，他从自己的信使——一只鸦的口中听闻，自己的恋人、怀有身孕的科洛尼斯（Coronis）对他不忠。阿波罗不肯相信，惩罚了鸦，将其变成乌鸦（在此之前，天下的鸦都是洁白的）。后来，阿波罗发现了真相，杀掉了科洛尼斯，并让乌鸦做了死亡的先兆。然而，这件事尚未就此结束。科洛尼斯的父亲来到德尔斐，放火烧掉了阿波罗的神庙，而阿波罗又将其杀害。

狄奥尼索斯

尽管德尔斐是阿波罗的圣地，但他还和另一位神祇共享此地。恰如此地是两极的中点，另一位神祇，与阿波罗文明的秩序相去甚远，他就是狄奥尼索斯。每年十月末，当昴宿星第一次出现、雪开始覆盖帕尔纳索斯山时，黑暗的山崖变得险恶而荒凉。这时，人们相信阿波罗离开德尔斐，去了极北乐土（北方之地，一位希腊地理学家认为就是不列颠岛）。于是，在这三个月里，狄奥尼索斯在德尔斐的统治至高无上。

在早期希腊人的想象中，狄奥尼索斯蓄须，身披豹皮，手执酒神杖，那是由常春藤缠绕的茴香茎（常春藤长青的叶子对酒神来说是神圣的），顶端还镶了一颗松果。后来，到了公元前5世纪，酒神的形象变成了无须、柔弱、头戴缀满葡萄和藤叶花环的年轻人。其实，他可能是任何形象，因为他首先是变形之神，可以改变人对于现实的感知，尤其是借助酒力或是戏剧之力。他最拿手的变形之一，和德尔斐也极为相称，就是把人变作海豚。

《荷马诗颂：致狄奥尼索斯》中讲述了海盗如何抓住了这位年轻的神祇，而狄奥尼索斯正"站在那伸向荒凉大海的海岬之上"。等他上了船，海盗们就发现，这回他们惹上了大麻烦：

> 不久，奇迹便发生了。黑色的船上洒满了甜美、芳香的葡萄酒，阵阵奇香弥漫开来，水手们如痴如醉。接着，从最高的帆桁上，一根藤蔓向两旁伸开卷曲的枝叶，上面坠满了沉甸甸的葡萄；浓密的常春藤缠绕着爬上了桅杆，绽开朵朵鲜花，结出了累累的果实……酒神立于船首，化身雄狮，声如雷鸣，令人胆战心惊……水手们看到之后，纷纷仓皇逃命，跳入波光粼粼的大海，被酒神变作了海豚。

只有心怀同情、想要阻止海盗绑架狄奥尼索斯的舵手毫发无伤。对于那些认出他来的人，狄奥尼索斯也会温柔以待——他既是"咆哮者"，也是"释放者"。

狄奥尼索斯将船上的海盗变成了海豚，然后，便躺在了这艘黑色的船上，藤蔓爬上了桅杆，坠满了葡萄。（公元前6世纪酒碗）

　　对狄奥尼索斯的信徒以礼相待是明智的做法。据普鲁塔克（他自己就是德尔斐祭司）记载，在公元前356年至前346年的神圣战争期间（周边的城邦为争夺德尔斐而交战），一群来自雅典和福基斯（Phocis）的酒神信徒前来膜拜，在帕尔纳索斯山迷了路，他们神志不清、跌跌撞撞走到了并不友好的阿姆菲萨（Amphissa，距离德尔斐七千米）。当地的女人一大早看到她们，一言不发，保护性地围成一圈，把他们围在其中，直到这些酒神信徒清醒过来。然后，她们说服自己的丈夫，把这些仍旧不辨东南西北的拜神者安全地送出了边境。

与普鲁塔克同时代的保萨尼阿斯描述："帕尔纳索斯山的最高峰难以企及，就算体格健壮也无济于事。那些山巅高耸入云，只有狂热的提阿德斯（Thyades，可能是酒神女信徒在雅典建立的一个"团体"），才会为了向狄奥尼索斯和阿波罗致敬跑来这里。"她们会向两位神祇表达敬意，这或许表明这是一个特殊的节日，也许是为了纪念每年两次的德尔斐"易主"——德尔斐被从一位神祇手中交到了另一位手中。

德尔斐人甚至宣称，狄奥尼索斯的坟墓也在此处。翁法洛斯附近就是狂热的信徒们庆祝酒神之死与重生的所在。它就在阿波罗的神庙之内，早期神庙旧址之上。据说这旧庙乃是阿波罗亲手所建，这里上演了一个又一个的神话故事。

德尔斐流传的其他神话

帕尔纳索斯山是宙斯用洪水毁灭了大部分人类之后，丢卡利翁的"方舟"靠岸之处。不过，关于德尔斐，荷马只说这是奥德修斯因捕猎野猪而留下伤疤的地方。奥德修斯回到绮色佳之后，他的奶妈看到这道伤疤，立即认出了他。

到了公元前5世纪，德尔斐及其神谕在文学与神话中的地位越发重要。在索福克勒斯的《俄狄浦斯王》中，俄狄浦斯误解了神谕，招致灾祸；在埃斯库罗斯的《欧墨尼得斯》中，弑母的俄瑞斯忒斯（Orestes）从迈锡尼逃到了德尔斐，希望可以涤清罪孽。然而事与愿违，复仇三女神抓住了他。在恐怖的序幕中，阿波罗的女祭司战栗着从神庙中爬了出来，神庙中的情形把她吓得魂飞魄散，也让她怒不可遏：俄瑞斯忒斯满身鲜血，一手持剑，一手拿着橄榄枝，坐在翁法洛斯之石上苦苦祈求——而围住他的三位复仇女神却在沉睡，"她们乌黑、可憎、鼾声连天，连呼吸都令人厌恶，她们眼中流出的是肮脏的肉"。

最后，俄瑞斯忒斯在雅典被宣判无罪，但他并未因此而变得虔诚。在欧里庇得斯的《安德洛玛刻》（Andromache）中，他又回到了德尔斐，与阿喀琉斯之子涅俄普托勒摩斯（Neoptolemus）的妻子、斯巴达人赫耳弥俄涅（Hermione，海伦与墨涅拉俄斯之女，俄瑞斯忒斯爱上了她）一同密谋策划，害死了涅俄普托勒摩斯。一段生动的台词讲述了俄瑞斯忒斯如何说服德尔斐人杀死涅俄普托勒摩斯。当时，涅俄普托勒摩斯在德尔斐览胜已有三天，他"参观了盛满了黄金的神庙地窖，还有世人的宝库"（俄瑞斯忒斯声称，涅俄普托勒摩斯打算前来洗劫）。涅俄普托勒摩斯逃出了神庙：

> 德尔斐人把能砸的东西都砸了过去——箭矢、投枪、轻矛和
> 祭刀……把他围了个水泄不通，连个喘息之地都没留下。因此，

他纵身跳下了献祭的圣坛。德尔斐人四散逃去，仿佛鸽群遇见了雄鹰，互相挤踏，推推搡搡地往狭窄的出口逃去。突然，一声尖叫在这神圣而令人敬畏的四壁间回荡开来，又自那神庙之外的峭壁回响而来，令人毛骨悚然、惊恐万分。一片寂静之中，涅俄普托勒摩斯静默无声，武器在手中挥动，闪闪发亮。突然，又是一声尖叫从内殿传来，让人不寒而栗、恐怖莫名。这让德尔斐人大受刺激。他们掉转头来，前去与涅俄普托勒摩斯搏斗。阿喀琉斯之子就这样死在了那里，一支利剑洞穿胸口。一位德尔斐人杀了他，他只是众人中的一个……他们将尸体抬出祭坛，丢在了圣地之外。

离阿波罗神庙不远，保萨尼阿斯见到了一个小院，据说涅俄普托勒摩斯的坟墓就在那里。

欧里庇得斯的另一出悲剧——《伊翁》(Ion)也发生在德尔斐。这出戏整体较为平和，生动地描绘出了圣地的逐渐兴起。伊翁，阿波罗与克瑞乌萨〔Creusa，雅典国王厄瑞克透斯（Erechtheus）之女〕所生之子，一生下来便被弃于荒野，后为人所救，被带到德尔斐做了神庙的侍从。伊翁拿着香桃木嫩枝扫帚，正打算打扫神庙，他向其他侍从描绘了绝壁之上朝阳夺目的胜景，并对他们说：

> 干没药燃起了烟，直上神庙的屋顶，德尔斐的女祭司坐在那神圣的三脚祭坛上，歌喉里流淌出了阿波罗的话语。而现在，德尔斐神庙里，阿波罗的侍从们，快去卡斯塔利亚打着旋的池塘，在那神圣的源泉里涤净自己，再回到这神庙……我就要履行孩童时便赋予我的职责，用这鲜嫩的月桂新芽与神圣的花环还有净洁的水露，将通往阿波罗神庙的入口洒扫一新。

母子二人后来相聚，伊翁回到了雅典，爱奥尼亚人便是他的后裔，他们大多定居在爱奥尼亚（土耳其西部）。

我们在这三出剧中，无一例外地看到了德尔斐的神话及其地形地貌，还有岛上所行仪式，以及这三者间紧密的关联。

德尔斐的前世今生

尽管德尔斐很早便有了一处圣所，但直至公元前6世纪，这里才建起了第一座石制神庙。在整个希腊世界里，德尔斐这才有了重要的意义。不久后，这座石庙被焚毁，雅典的庇西斯特拉图家族将其重建，直至公元前4世纪才恢复了原貌。今天我们所见遗迹，就属于这座最晚兴建的神庙。

对于希腊人来说，德尔斐是绝佳的聚会场所。有人来这儿是为了观看或参加皮提亚竞技会。体育竞技在露天体育场［公元2世纪由希罗德·阿提库斯（Herodes Atticus）建造，至今保持原貌］举办，艺术竞赛在剧场里举行，双轮战车比赛则在圣地下方稍远处的克利萨平原上进行。另有一些人蜂拥而至求取神谕。阿波罗居于此地的九个月中，每个月的第七天，都会给出回应。人们所求问题无所不包——有人问询有无子女，有人问询可否去开辟殖民地，或应该去哪里开辟殖民地。有些神谕变得家喻户晓：公元前6世纪，吕底亚国王克罗伊斯（Croesus）来求神谕，问是否可以入侵邻国波斯。神谕告诉他：只要渡过两国之界——哈利斯河，那么他将摧毁一个强大的帝国。于是他发动了战争，但摧毁的却是自己的帝国。在公元前5世纪末，神谕宣称，苏格拉底是在世的人中最聪明的（苏格拉底本人想要证明事实并非如此，便向那些自诩专家的人提出疑问，结果他们让他大失所望，因此也就未能如愿以偿）。或许神谕让亚历山大大帝消除了疑虑，让他相信自己战无不胜，因为他来的那天并非问询日。到了罗马时期，三十岁的尼禄（Nero）听到神谕说"小心七十三岁"后如释重负，相信自己可以安然活到那一天。不久之后他才恍然大悟，原来自己会错了意。尼禄选择了自杀，而非面对他的敌人和他们所效忠的将军——七十三岁的加尔巴。

求谕的过程虽然尚不清楚，不过前来求谕之人献过祭品并在卡斯塔利亚泉中涤罪之后，大概会通过男祭司，将心中所求传给坐在三脚祭坛上的女祭司。三脚祭坛就在那云蒸雾绕的裂隙之上，而女祭司则在心醉神迷的状态中念念有词。接着，男祭司便将女祭司所说之话翻译出来，再用工整的六音步诗行表达出来。不过，他们的话几乎都是模棱两可的，这样一来，即使神谕与最终的结果并不吻合，他们也无可指责——阿波罗众多的别名之一便是洛克西阿斯（Loxias，"不可捉摸"之意）。

在古代的大部分时间，德尔斐确实算得上古希腊世界的中心。在所有圣地之中，这里算是最富庶的一个。人们从各地送来祭品：爱奥尼亚送来了黄金和象牙雕刻的阿波罗神像；纳克索斯岛送来了斯芬克斯像，蹲伏在一根高高的立柱上；还有镶金镀银的公牛；公元前479年，希腊在普拉塔亚大败波斯之后献祭了一根高达八米的青铜柱，上面盘绕着三头巨蟒皮同，（像三脚祭坛一样）支撑起了一尊黄鼎。除此之外，还有数不胜数的阿波罗神像、其他神祇的雕像，以及希腊伟人和善民的雕像。在这儿，各个城邦和家庭，都光明正大地炫耀自己的财富，将之存在金库之内，或是用来建造或扩建祭坛和神庙。久而久之，在德尔斐，几乎每一位神祇都有了自己的神殿，而神殿前的雅典娜圣殿，这座闻名遐迩的圆形神庙，其声名尤为显赫。

神庙接连建起，金库日益充盈，雕像也一座接着一座立在越来越高的立柱之上——德尔斐像磁铁一样吸引着掠夺者。据说，阿波罗曾两次天降巨石，将来犯的部队毁于一旦：一次是公元前480年，波斯人入侵时；另一次是公元前279年，高卢人侵袭时。最后，盖亚本人或是波塞冬前来干涉。一场地震合上了裂隙，从此便没有了神谕。

有关神谕消失的另一种说法颇具传奇色彩。据基督教作家们（错误地）相传，大约公元15年前不久，最后一条神谕如是说："一个希伯来男孩，一位天使之神，要求我永远离开这座殿堂，回到冥府去。于是，我悄然离开了我的圣坛。"另有一种说法是，公元4世纪，罗马最后一任异教皇帝、叛教者尤里安（Julian the Apostate）求得了这样一道神谕："对着皇帝说，那巧夺天工的厅堂已经倒下。阿波罗已不再守护他的庙宇，或是那带来征兆的桂枝与那潺潺作响的泉水。他的泉水早已干涸。"

如今，阿波罗那公元前4世纪金碧辉煌的神庙只剩下宏伟的地基，和五根多多少少可以重现旧貌的立柱。据说，阿波罗亲手镌刻在高墙之上的箴言（"认识你自己""凡事勿过分""无虑则招祸"）也已无迹可寻，尽管其蕴含的智慧已经流芳百世。神庙三角墙上的楣饰曾简明扼要地刻画出了德尔斐的双重性，如今也只剩下残垣断壁——东面的山墙上是阿波罗（坐于其三脚祭坛之上）、勒托、阿耳忒弥斯以及众缪斯，充分展示了静止的和谐之美；而西首的山墙上，则是狄奥尼索斯和他的女信徒。希腊人深知，所谓完美，恰在对立两面的和谐统一之中。而德尔斐，已几近于此。

大事记＆遗迹

公元前7世纪　　德尔斐神谕开始名扬海外。

公元前582年　　皮提亚竞技会首次举办。

公元前6世纪末　圣殿扩建，兴建阿波罗廊柱式神庙。

公元前373年　　阿波罗神庙被地震所毁，随后重建。

公元前1世纪　　神谕逐渐式微。

公元1世纪至3世纪　德尔斐复兴，部分是作为旅游胜地。

公元391年　　基督教罗马皇帝狄奥多西禁止一切异教，
　　　　　　　　其中也包括德尔斐的神谕。

?公元424年　　举办最后一届皮提亚竞技会。

　　如今，这一遗迹被分成了几个部分。村庄所在地往东约八百米，主干道的左侧，一条**圣道**从金库遗迹（其中也包括了重建的**雅典人金库**）中穿过，昔日的穷奢极侈已荡然无存。沿着圣道上坡，路两旁曾摆满了雕像。这条路通往**阿波罗神庙**，部分遗址已被修复，包括那座硕大的**祭坛**。按照规划，一旁还将重新竖起巨蟒立柱（立柱原物可以在伊斯坦布尔的露天竞技场看到）。再往上，是保留完好的**剧场**。再往上走，就是雄伟壮观的**露天体育场**（无法入内），于公元2世纪用石材重建。

　　主干道的左边，游客首先经过的是浓荫下的**卡斯塔利亚泉**（无法入内）。继续往右走，一条小径往下，通往神殿前的**雅典娜圣殿**所在的院落，尚保存了几座神庙的地基，其中还包括重建的**圆形神庙**，让人可以领略往日的风貌。在它附近，就是**运动场**。

　　德尔斐馆藏丰富的**古文物博物馆**，藏品包括一件公元前4世纪**大地之脐**的复制品、不同时期阿波罗神庙的**雕塑**（包括公元4世纪的**三角楣饰**）、斯菲尼亚金库，以及整个古典时期的众多祭品。其中包括两件**青年男子雕像**（约公元前580年），其身份为克勒奥庇斯和庇同（Cleobis and Biton）——来自阿尔戈斯城的两兄弟；纳克索斯岛的**斯芬克斯**（约公元前560年）；公元前6世纪爱奥尼亚的**阿波罗、阿耳忒弥斯和勒托象牙金像**；同一时期实物大小的**金银牛像**；精雕细琢的**青铜战车**，传统上认为这是公元前478年左右，西西里盖拉的波吕泽卢斯（Polyzelus of Gela）在皮提亚竞技会上赢得桂冠后献给阿波罗的祭品。此外，还有一尊酒杯，上面绘着手执里拉琴的阿波罗，正坐在一只黑色乌鸦对面。

第六章

以弗所：阿耳忒弥斯和母神崇拜

我歌唱阿耳忒弥斯，金色的箭矢女神，圣洁的处女。她狩猎的号角响彻云霄，矢如疾雨，屠鹿于野，她是那持金剑的神，阿波罗的亲姐姐。越过葱郁的群山，越过多风的山岭，她拉满金弓，放出带去痛苦的箭矢，驰骋狩猎，享受追逐的乐趣。那高耸的群山山顶在颤抖，林间野兽的厉声惨叫在灌木丛中回荡。大地震动，鱼儿出没于大海。她勇猛无畏，遍踏四方，猎杀了一代又一代的野兽。

《荷马诗颂：致阿耳忒弥斯》，1-11

高耸而略有些歪斜的立柱上面，一只白鹳在自己的巢里晒着太阳，伸展着双翼，懒洋洋地四下张望。这可是个令人羡慕的有利位置。东面便是尘土飞扬的现代城镇塞尔丘克（Seçuk），阿亚索鲁克城堡高耸的城墙屹立在低矮的丘陵之上，仿若一顶王冠。这儿还有圣约翰长方形廊柱大厅的废墟，沐浴着日光，洁白的廊柱在夕阳中闪着光芒。在此之下，伊萨贝清真寺的尖塔上栖息着乌鸦。白鹳伸了伸脖子，看向了南方，那里高耸的山脊连着平坦的耕地，片片棉田，葡萄成园，橄榄成林，果园里果实累累、橙红柠黄。然而它的目光又回到了近旁，向下望去。在这片空地上，散布着砖瓦石砾，向西延伸直到高高的黑树林边。那儿有芦苇丛生的沼泽，遍地青蛙，对于懒散的鹳来说，得来全不费工夫。

而对大多数到此一游的旅客来说，重建的立柱、被水淹没的地基，以及零零散散的大理石碎块都有着不同的意义，因为这儿曾伫立着一座以弗所的阿耳忒弥斯神庙。这是古代世界的七大奇迹之一，雄伟庄严之地，一个回声荡响、金碧辉煌、香烟缭绕的圣地，它属于古代最强大的女神之一。如今这里虽然只剩一片沼泽、蚊虫出没，但阿耳忒弥斯仍在此地。这位自然女神，野生生物的女主人，生生不息的力量，这茂密的苇丛和沼泽便是她重生的圣殿。

处女阿耳忒弥斯

希腊诸神常让人捉摸不透又令人着迷，阿耳忒弥斯便是其中一位。与她的双胞胎弟弟阿波罗一样，她也是两种极端的代表。她既是幼兽的保护者，又喜爱打猎；既爱翻山越岭（在荷马的诗中，她"手持长弓，漫步于泰格图斯的山脊上"），又爱沼泽低地（欧里庇得斯说"她在沼泽间游荡，在河口的沙洲上漫步，在浪花中嬉戏"）。尽管她坦言自己是位处女，却是生产女神，是女性在分娩时最常求助的女神。在提洛岛，因为阿耳忒弥斯出生在先，便做了助产士，帮助母亲勒托生下了阿波罗——这段经历既让她有了足够的经验，可以掌管分娩（在厄勒梯亚等小神灵的帮助下），也让她彻底打消了自己生孩子的欲望。

在《阿耳忒弥斯颂》（*Hymn to Artemis*）中，卡利马科斯描写了这位女神还在蹒跚学步的年纪，心智就已成熟。她坐在父亲宙斯的膝上，向父亲提要求：

> 父亲，让我永远做个处女，给我多多的称号，不要让阿波罗超过我。给我弓和箭——等等，父亲！我可不是在向你要箭囊和大弓，独眼巨人库克罗普斯正要为我造箭矢和柔韧的弓弦！让我为人们带去光明，我还要穿上束腰的外衣——齐膝，绣边——好去猎

杀野兽！再给我六十个大海的女儿，来陪我跳舞，都要九岁大，穿着小姑娘的裙子！还要向克里特河神（Cretan River）阿谟尼索斯（Amnisus）要二十个仙女来做我的侍女，在我猎完猞猁或牡鹿之后，为我清理靴子、照看猎狗。每一座山我都要，城市倒不用，你觉得哪座城市合适就哪座吧——因为阿耳忒弥斯可不爱去城市！

宙斯听得入了迷，一一答应下来，送了她三十座城市，还让她做了街道和港口的守护者（卡利马科斯笔下"守护者"这个词用的是 *Episkopos*，后来这个词的意思成了"主教"）。

卡利马科斯还描写阿耳忒弥斯去了西西里，独眼巨人库克罗普斯给了她一张克里特风格的弓、箭囊和箭矢；接着她去了阿卡狄亚，潘神送给她猎狗。阿耳忒弥斯在一片草地上发现了五只肥美的雌赤鹿，头上长着金色的茸角。按捺住了张弓搭箭的冲动，她把这些赤鹿围了起来，驯服了它们，让它们为她拉战车——除了其中逃出去的一只，后来这只鹿给赫拉克勒斯带去了麻烦。赫拉克勒斯不得不从梯林斯出发去抓它。随后，阿耳忒弥斯便去完善她的射箭技术，她对着榆树练，对着橡树练，射倒了一头野猪，然后将她的箭矢对准了"一城不义之人"。他们的牲口倒下了，庄稼枯萎了，老人们哀悼自己的儿子，女人们死于分娩。他们绝不是最后一批被阿耳忒弥斯惩罚的人。

阿耳忒弥斯的惩罚

在漫长的青春期中，阿耳忒弥斯一向凡有轻慢，严惩不贷——这被她的一个侍女卡利斯托（Callisto）看在了眼里。就像阿耳忒弥斯小团体里的每一位一样，她也发誓永保贞洁。不过，宙斯根本没把这条誓言当回事，他变成了阿耳忒弥斯的模样，诱奸了她。后来，她们洗澡的时候，阿耳忒弥斯看出了卡利斯托已有身孕。出离愤怒的阿耳忒弥斯毫不留情。赫西俄德在一首诗中描述了她是如何将卡利斯托变成了一只熊。另有人说，阿耳忒弥斯一箭射中了自己怀有身孕的侍女，是宙斯或赫拉将她变成了熊。幸好，宙斯救下了卡利斯托腹中的儿子阿耳卡斯（Arcas），将他偷偷带到了安全的地方，并把卡利斯托化为星座——大熊座。在古典时期，熊在阿耳忒弥斯崇拜中扮演了重要的角色：在雅典附近的布劳隆［就是在这里，为了平息阿耳忒弥斯的怒火而被献祭的伊菲琴尼亚（Iphigenia）被授予了一座英雄圣坛］，阿耳忒弥斯的圣地，那些刚刚步入青春期来侍奉神明的姑娘们就被称为"雌熊"。

阿克特翁（Actaeon）也惹怒了阿耳忒弥斯。阿克特翁是底比斯的一位王子，一日，他与朋友们去打猎，偏离了道路，走到一个池塘边，正遇上阿

阿克特翁被自己的猎狗撕成了碎片，阿耳忒弥斯冷眼旁观。西西里，塞利农特"E"神庙排档间饰。

耳忒弥斯和众仙女赤身沐浴。有人说，他试图强奸阿耳忒弥斯；也有人说，阿耳忒弥斯看到了他，一时手足无措。她知道，虽然阿克特翁年少，但他一定会跟同伴们吹嘘，竭尽所能去描述阿耳忒弥斯赤裸的身体。所以，阿耳忒弥斯将他变成了一只雄鹿。惊慌失措的阿克特翁四处奔跑，他的猎狗追了上来，雄鹿跌倒在地；猎狗一拥而上，将阿克特翁撕成了碎片。保萨尼阿斯写道：他阴魂不散，吓坏了乡邻，直到他的尸骸入土之后才得以平息。后来，人们为他塑了一尊铜像，用铁铆在了岩石上。

以弗所的阿耳忒弥斯和亚马逊人

在希腊世界的其他地方，阿耳忒弥斯都被想象成一位处女猎人，不过以弗所的阿耳忒弥斯却并非如此。据那些保存至今的复制品所示，这儿的阿耳忒弥斯崇拜雕像独一无二。虽说每一尊塑像都略有不同，不过女神的典型装扮都是头戴高冠，上面饰有张开双翼的猛兽，冠顶是城市或神庙的模型，脖子上挂有水果花环。她的短斗篷上布满了星座，紧身长裙上成排的动物轮廓分明：狮子和狮身鹰首兽、豹子和山羊，以及公牛和蜜蜂。不过最引人注目的，还要数她身上从胸口到手腕遍布的蛋形球面。这些究竟象征着什么，至今仍是个谜。有人说那是（没有乳头的）乳房，有人说那是葫芦，也有人说那是公牛的睾丸。不管那是什么，都清楚地表明，以弗所的阿耳忒弥斯是生殖能力的化身。

为什么会有如此不同？大部分古代文明在交流时，都乐于发现彼此神祇之间的相似之处，只要有可能，便会接纳彼此之神，将他们融合在一起。通常，融合后的神祇在两种文明中都可以辨识。然而，在以弗所，这样的事情并未发生。显然，移民而来的希腊人在此发现了一位古代的亚洲野兽女神［或许就是大母神西布莉（Cybele）］。他们发现，这位女神与希腊的自然女神十分相似，虽然相貌迥异，但本质无二。在以弗所，或许早已有了一尊供人崇拜、为人敬仰的本地女神雕像——有人说这尊雕像是从天而降，是宙斯所赐的礼物。所以希腊的移居者保留了她的体貌特征，但是给了一个熟悉的名字：阿耳忒弥斯。

希腊人还为她设计了一套不同的崇拜仪式，或许采用了更古老的崇拜仪式。与希腊的标准仪式不同，由处女担任的祭司队伍中增加了"美加比齐"（Megabyzi）——阉人祭司，就像西布莉的侍从一样。奇怪的是，有关是否允许女信徒进入圣地的说法总是莫衷一是。阿尔米多鲁斯（Artemidorus，"阿耳忒弥斯的礼物"），一位公元2世纪写梦的作家也是一位以弗所本地人，他写道：女人不得入内，违者死。

以弗所的阿耳忒弥斯也有自己的神话。据当地的传说记载，她并非生在提洛岛，而是在以弗所出生。关于对她的崇拜和雕像，卡利马科斯认出了其"野蛮的"根源：

> 亚马逊人，她们只爱战斗，为您［阿耳忒弥斯］树立了一尊木像，就在大海之滨的以弗所，在一株橡树下，［她们的女王］希波（Hippo）来此行圣礼。亚马逊人环绕木像跳起了战舞，先舞起了盾和甲，然后舞者拉开间距，围成一圈。她们吹响哨音，尖声伴唱……脚步踏出节奏，箭囊咯咯作响。后来，以木像为中心，建起了宏伟的神庙，比晨曦照耀过的任何一座都更富丽堂皇、庄严神圣。轻而易举，它便胜过了德尔斐。

亚马逊人与以弗所的阿耳忒弥斯神庙之间的联系十分符合逻辑。这个传奇部落全是彪悍好斗的女战士，与女神阿耳忒弥斯一样，她们也拒绝性爱，除非到了非要增加人口的时候。与西布莉一样，她们也不是希腊人，来自文明开化的（希腊）世界之外。公元前5世纪的希腊人以为她们的家园在锡西厄（Scythia，如今的克里米亚半岛）。

"Amazon"（亚马逊）这个名字，据说来自希腊语中的 *a-mazos*，即"少了一个乳房"之意。罗马历史学家查士丁（Justin）对此做了说明："这些女人因为习惯了操练兵器、骑马狩猎，她们便烧掉了年轻姑娘右侧的乳房，以便拉弓射箭之时不受妨碍。"然而，希腊雕塑家和画家们的作品中却从未表现这种伤残，所以她们的名字更可能源于印欧语系的 *hamazan* 一词（意为"战士"）。

与亚马逊人的邂逅，常常是浪漫与死亡的并存。赫拉克勒斯被派去偷取亚马逊女王希波吕忒（Hippolyta）的战斗腰带，而他的同党忒修斯却爱上了女王的妹妹安提俄珀（Antiope），将她拐跑，并有了一个儿子希波吕托斯（他也是阿耳忒弥斯狂热的信徒）。作为报复，亚马逊人入侵了阿提卡，差点儿就攻下了雅典，而他们的失败是艺术家们热衷表现的主题。品达写道，就是在这次远征之中，他们在以弗所修建了这座神庙，将这块圣地当作了庇护所。

亚马逊人还入侵过小亚细亚——吕西亚（以弗所以南），在这里，她们被柏勒洛丰击败；以及弗里吉亚，她们与普里阿摩斯，后来特洛伊的国王交战。尽管如此，在特洛伊战争中，亚马逊人却与特洛伊并肩作战，共同对抗希腊人，（荷马颇为钦佩地写道）她们打起仗来"和男人一样"。在特洛伊战争中，她们的女王彭忒西勒亚（Penthesilea）被阿喀琉斯所伤，奄奄一息之际，阿喀琉斯爱上了她。公元前6世纪末，花瓶画画家埃克塞基亚斯（Exekias）生动地描绘了这一画面；而在公元4世纪的史诗诗人、来自近邻士麦那的昆图斯（Quintus）的想象中，阿喀琉斯站在彭忒西勒亚的尸体旁，凝视着她：

> 她穿着铠甲，仿佛阿耳忒弥斯。女猎人、宙斯的女儿，她翻山越岭、持箭猎狮，如今已经疲倦，卧地而眠。虽已溘然长逝，但头戴灿然金冠的阿佛洛狄忒，阿瑞斯的新娘，让她依旧美丽动人，让那满怀悔恨的爱情之箭，射穿了阿喀琉斯的胸膛……他后悔到心碎，如此佳人在他手下香消玉殒。他本可以携她回到弗西亚，那盛产战车的家园。她可以做他的王后，做他的新娘。众神的女儿啊，她完美无瑕，身材高大，美若天仙。

阿喀琉斯刺穿了亚马逊女王彭忒西勒亚，
公元前6世纪花瓶画画家埃克塞基亚斯创作。

亚马逊人和以弗所阿耳忒弥斯神庙之间的联系如此密切，她们的众多雕像也都陈列在此，其中就有伟大的雕塑家波利克里托斯（Polycleitus）和菲狄亚斯（Pheidias）的作品。

伟大的以弗所人的戴安娜

到了罗马时期，阿耳忒弥斯越发重要，而以弗所则成了小亚细亚最繁忙的商业枢纽。强大的犹太社区吸引了基督传教士保罗，他为传播福音，踏遍了希腊罗马世界。他慷慨激昂的布道（公元54—57年）导致很多书（价值"五万银币"的）被焚毁，也让他和以弗所的银匠之间发生了直接冲突——这些银匠正是靠打制阿耳忒弥斯神庙和阿耳忒弥斯雕像的银质纪念品来谋生。《使徒行传》[Acts of the Apostles，詹姆士国王钦定本的译文用了阿耳忒弥斯的罗马名字戴安娜（Diana）]中记载：

有一个人名叫底米丢（Demetrius），是个银匠，专门打制戴安娜的银龛，这手艺带来不少收益。他聚集同行的工人说："先生们，你们知道我们是靠这生意发财。这保罗不但在以弗所，几乎在亚细亚全地，说服和拉走了许多人，说，人手所造的那些不是众神。这是你们所看见、所听见的。这样下去，不单我们的生意处境危险，就是大女神戴安娜的圣殿也要被人轻看，连亚细亚全地和全世界所敬拜的大女神的威荣也要消灭了。"全城一片混乱。

后来暴民抓住了保罗的两个侍从，将他们拖入剧场，其中一位犹太人示意大家安静下来，想要向人们辩解。"但当他们认出他是一个犹太人时，大家同声喊着：'伟大的以弗所人的戴安娜啊。'这样约有两小时。当主事人安抚了众人后，说：'以弗所人啊，谁不知道以弗所人的城，是敬拜大女神戴安娜，和从朱庇特那里落下来的像呢？'"

尽管主事人最终驱散了人群，被拉到远处的保罗还是明智地尽早离开了以弗所。

圣母玛利亚的降临

银匠的恐慌颇有道理。或许正如亚洲的大母神西布莉被阿耳忒弥斯取代一样，以弗所的阿耳忒弥斯也被基督教的处女圣母玛利亚取而代之。公元431年，在以弗所，第三次主教会议授予玛利亚"圣母"的称号。使徒约翰（基督将玛利亚托付给他照顾）将玛利亚带到了以弗所，并安排她到克罗索思山（今天称之为夜莺山）山坡上的一间房子住下。如今，约翰的墓就位于塞尔丘克阿亚索鲁克山上基督教圣堂的遗迹之内。

玛利亚与以弗所密切相关的信仰，到了19世纪初变得更有说服力。一位长期卧床不起的德国修女安妮·凯瑟琳·埃梅里希（Anne Catherine Emmerich），宣称自己看到了一连串幻象。在幻象之中，玛利亚描绘了耶稣受难和她后来在以弗所的生活，以及她在以弗所时住过的房子，后来这些描述被收集出版。到了1881年，一位法国的神职人员朱利安·古耶神父（Abbé Julien Gouyet）想根据这些描述找到这座房子。他发现了一处偏远的遗址，备受当地基督徒的崇敬，且与幻象中的描述完全吻合。十年之后，两名士麦那神职人员在新的找寻过程中也找到了同样的地点，从那以后，圣母玛利亚故居，或称"玛利亚之屋"，便成了朝圣之地。不管前来朝拜的游客信仰如何，这座如今已是一座小教堂的房子都令人崇敬。

七位沉睡者

基督教还有一个传说也发生在以弗所，是关于七位沉睡者的故事。公元3世纪，在罗马皇帝德西乌斯（Decius）对基督教进行迫害期间，七位年轻的基督教徒被封在了一个山洞里。祈祷之后，他们便睡起了觉，直到听到洞口的石头被挪开时才醒了过来。走出洞口之后，他们派了一个人带着钱去以弗所买吃的，并提醒他小心，不要被抓起来。他回来时，带回了惊人的消息。不光房子上都装上了十字架，店家们还问他为何用已经废弃了的钱币。这些年轻人这才发现事实如此惊人：在位的皇帝已经变成了基督徒，基督教已经成为希腊罗马世界中的官方宗教，而他们已经沉睡了近两百年。在他们还不知所措的时候，七个人被带到了主教面前，在讲述完他们的经历之后便死去了。

这个故事与早期的神话有相似之处。在以弗所以南，拉特摩斯山的一个山洞里，古典时期的希腊人相信里面也睡着一位英雄。他就是美貌英俊的恩底弥翁（Endymion），第一位记下月相变化的牧羊人。在他凝望星空的时候，月亮女神塞勒涅爱上了他。她祈求宙斯把恩底弥翁送给她，让他长生不老。于是宙斯让这位牧羊人躺在一个山洞里，哄他进入了永久的睡眠。每天晚上，塞勒涅都与他共沐爱河，直到（不经意间）为他生下了五十个女儿。因为塞勒涅是阿耳忒弥斯的另一面（两人都是月亮女神），这则故事让人想起那位象征着生育的大母神，她的雕像正供奉在以弗所的阿耳忒弥斯神庙之中。

以弗所和阿耳忒弥斯神庙的前世今生

最早人们住在海边，到了新石器时代，阿亚索鲁克山上开始有人居住。到了青铜时代，人们开始在此定居。古典时期的一些作家宣称：以弗所城和阿耳忒弥斯神庙都是由一位当地人克罗索思（Coressus），和本地河神卡伊斯忒斯（Caystus）的儿子以弗所（与该城同名）一同建造的。另有人说，这处圣地是亚马逊人建造的，为难民和罪犯提供庇护。还有人说，这是公元前10世纪的雅典人和一位流亡的王子安德鲁克里斯（Androclus）所建。德尔斐神谕给他指引：如果他看到一条跳出的鱼和一头奔跑的熊，就在那里定居下来。安德鲁克里斯的手下烧鱼吃的时候，锅翻了，鱼掉了出来；油烧了起来，灌木丛着了火，睡在附近的一头熊蹿了出来。安德鲁克里斯杀了这头熊，建造了自己的城市，欢欣鼓舞地提醒他的手下，神谕将保证这座城市繁荣富强。事实的确如此。

以弗所日益重要，多少得益于阿耳忒弥斯神庙的地理位置。神庙建在多沼泽的近海平原上。大多数的希腊神庙都坐西朝东，而阿耳忒弥斯的一些神庙却是面向西方。以弗所的阿耳忒弥斯神庙就是其中之一。尽管最早的神庙已在大约公元前650年被从黑海之外移民而来的辛梅里安人（Cimmerians）拆毁，不过不久就得以重建。一个世纪之后，吕底亚国王克罗伊斯围攻以弗所。希罗多德写道：为了能借助阿耳忒弥斯神庙的神力，"以弗所人将这座城市献给了阿耳忒弥斯，并从神庙连了一根绳到城墙之上"。然而，以弗所还是陷落了，不过，富有的克罗伊斯宅心仁厚。多亏了他的资助，阿耳忒弥斯神庙成了希腊世界里极为精美的神庙之一，双层的柱廊，立柱的圆柱鼓上刻着一队朝拜者。

尽管以弗所加入了爱奥尼亚起义，反抗波斯人（公元前499—前493年）——爱奥尼亚大地上的第一场战役就在以弗所打响——波斯大帝还是放过了以弗所和神庙。不管怎样，令人高兴的是，爱奥尼亚最终在公元前478年迎来了独立。公元前411年，斯巴达和波斯达成协议，希腊其他国家则于公元前386年正式认可以弗所重归波斯所有。三十年后，一心想要出名的纵火犯赫洛斯塔图斯（Herostratus），放火烧毁了阿耳忒弥斯神庙。据斯特拉博记载，以弗所人毫不气馁，他们收集了女人的珠宝和自己的财物，卖掉了旧庙的立柱，以重建新庙。到了公元前334年，亚历山大大帝"解放"以弗所时，工程仍未竣工。亚历山大提出要协助重建工作，却被以弗所人拒绝了。他们说，不应该让一位天神给另一位天神献上祭品。

新阿耳忒弥斯神庙立柱林立，多达一百二十七根，其中有大量刻有高凸浮雕的立柱，堪称古代世界的七大奇迹之一。公元前2世纪，西顿的诗人安提帕特（Antipater）热情洋溢地写道：

> 我曾见过那巴比伦的高墙，战车能够在上面行驰，也曾见过奥林匹亚宙斯的神像。我曾见过空中花园、罗德岛上的太阳神巨像，还有那雄伟的金字塔、高耸的摩拉斯陵墓。然而在这高耸入云的阿耳忒弥斯神庙面前，那些奇迹全都黯然失色，我不禁要说："除了那奥林匹斯山，便数这里举世无双。"

在公元1世纪的作家老普林尼（Pliny the Elder）看来，希腊世界中数这座神庙最为宏伟壮观。他写道，之所以神庙有意建在多沼泽的地方，就是为了让它免受地震破坏。为了增加稳定性，层层的木炭被踏进了沼泽地，又在上面铺上了羊毛。这种方法被称为"结构减震"，从中似乎可以看到现在的结构工程师在地震带上的巧妙设计。

到了公元前4世纪早期，卡伊斯忒河沉积，造成了以弗所的港口无法继续使用，因此在公元前290年左右，亚历山大的一位继任者利西马科斯（Lysimachus）决定将此城向西迁移。一开始，以弗所人拒绝离开家园，利西马科斯趁着一场暴雨堵住了排污管道，很快他们便服从了调令。新城繁荣兴旺起来，直到公元前133年，帕加马国王阿塔罗斯三世（Attalus III）

将之留给了罗马。接下来便是长达一个世纪的破坏，沉重的税收，轻率地与嗜血的本都国王米特拉达梯结盟，结果以弗所的罗马居民惨遭屠杀，表示同情的人也被他杀害，最终导致了罗马将军苏拉（Sulla）的报复性掳掠。

公元前1世纪，以弗所的公民把马克·安东尼［Mark Antony，他策划了公元前41年在神庙的台阶上刺杀克莉奥帕特拉（Cleopatra）的妹妹、阿耳忒弥斯的女祭司之一——阿尔西诺伊（Arsinoë）］奉为名流。即便如此，在公元前27年奥古斯都做了罗马的皇帝之后，他还是把以弗所设为了亚洲行省的省会。据斯特拉博所说，以弗所的财富与人口与日俱增，如今游客常至的那些遗址，包括剧场和塞尔苏斯图书馆，都是在这一历史时期修建的。

公元263年，哥特人洗劫了城市和神庙，不过以弗所的重要地位并未降低。然而，大自然给了以弗所致命的一击。公元7世纪，卡伊斯忒河的泥沙沉积严重，就算是希腊化时期修建的港口也已经无法使用。地震和阿拉伯人、土耳其人的烧杀抢掠让以弗所的人口大规模减少。塞尔柱人（Selijuks）在阿亚索鲁克定居下来之后，古典时期的建筑大多被拆作石料，就连阿耳忒弥斯神庙的大理石也被磨成了石灰。如今以弗所距海只有五千米，该城所在的山间低地，四处是肥沃的耕地。

重新发现阿耳忒弥斯神庙

19世纪，英国工程师约翰·特特尔·伍德（John Turtle Wood）下定决心要找到遗失的阿耳忒弥斯神庙。1866年，他发现了一些铭文，铭文描写了一行人去为阿耳忒弥斯庆祝生日，所走路线就在神庙与剧场之间。伍德相信，只要找到这几处地标，就一定可以找到神庙，于是他动身上路。

从剧场出发的路通向了马格尼西亚大门，这行人就是自此进入以弗所城。从这儿，伍德继续往东北方向走，经过了安德鲁克里斯的英雄殿，到了达米安努斯（Damianus）柱廊。伍德知道，这是为那些去阿耳忒弥斯神庙的人提供休息的地方。等到他发现了铭文中所记录的圣地边界时，他意识到自己已经接近目标。1869年12月31日，在地下将近六米的地方，他挖到了阿耳忒弥斯神庙的大理石地面，他说："遗失了这么久，寻找了这么久，这么久以来都要绝望了。"伍德抽干了沼泽地，完成了自己的挖掘工作，终于从一堆破碎不堪的石料中，用石鼓柱段复原了一根立柱。在立柱之上，每年都有一只白鹳飞来筑巢。

大事记&遗址

公元前约6000年	阿亚索鲁克山及周边地区开始有人居住。
公元前1500年	迈锡尼人来到阿亚索鲁克山定居并在此建造坟墓。
公元前10世纪	传统认为雅典人修建以弗所城的时间。
公元前约650年	辛梅里安人来犯并破坏了最早的神庙。
公元前约560年	克罗伊斯击败以弗所人，并出资修缮了旧神庙。
公元前499—前493年	爱奥尼亚起义。
公元前478年	以弗所从波斯人的统治下解放。
公元前411年	斯巴达人承认了波斯对以弗所的统治。
公元前386年	希腊大陆承认了波斯对以弗所的统治。
公元前356年	赫洛斯塔图斯放火烧毁了旧庙。
公元前334年	亚历山大大帝"解放"了以弗所，提出要资助新庙的修建。
约公元前290年	利西马科斯将以弗所迁往新址。
公元前133年	以弗所并入罗马帝国。
公元前88年	以弗所与本都的米特拉达梯并肩对抗罗马。
公元前86年	以弗所被苏拉夺回。
公元前27年	以弗所成为亚洲行省的省会。
公元54—57年	保罗来访，引起了骚动。
约公元100年	约翰逝世，他可能把圣母玛利亚带到了以弗所。
公元263年	哥特部落摧毁了以弗所与阿耳忒弥斯神庙。
公元431年	在以弗所第三次主教会议上，授予玛利亚"圣母"的称号。
公元654年	阿拉伯人洗劫以弗所。
1819—1824年	修女安妮·凯瑟琳·埃梅里希看到幻象。
1869年	约翰·特特尔·伍德找到了阿耳忒弥斯神庙遗址。
1881/1891年	两次考察找到了玛利亚之屋。

　　阿耳忒弥斯神庙坐落在塞尔丘克西部，那里平淡无奇，一无所有。除了一根重建的立柱，只看得到散落的石材和一部分路面，因为这儿常常被水淹没，到处是沼泽和蔓草。尽管如此，如果游客们拥有一张景点平面图和非凡的想象力，那么也会不虚此行。

　　离开塞尔丘克，一条公路（往左）通往希腊化时期和罗马时期的城市。入口处满是兜售纪念品的货摊。一条往南的路通向修有柱廊的**"港口街"**，曾几何时，这条路从港口直通恢宏雄伟的**剧院**（可以容纳24500名观众）。从这里的**"大理石街"**往南经过**下集市**，便到了已经基本恢复旧貌的公元2世纪的**塞尔苏斯图书馆**（可以收藏12000卷手稿）。"枯瑞忒斯街"通往山上。右边，在一个大棚下面，是**罗马房屋**，其**壁画**令人叹为观止。左边，是**公共厕所**。经过一座**哈德良神庙**和**图拉真喷泉**，就到了**音乐厅**、**上集市**和马格尼西亚大门。从停车场出发，另一条路（向右）拐个弯就到了科雷西大门、**露天体育场**和**七位沉睡者的山洞**。

以弗所是土耳其最受欢迎的旅游景点。一到旺季，天气炎热、人流拥挤，耳边各种各样的语言多少可以让人感受到一些以弗所街道当年商贸往来、熙熙攘攘的盛况。如果想要感受一下此处的浪漫，一定要避开高峰期，可以选择一大清早或是日暮时分。

想要去**圣母玛利亚故居**，圣母玛利亚之屋，要从塞尔丘克以南的D550出口（向右）转弯，绕过马格尼西亚大门的考古发现遗址，沿着蜿蜒的公路朝克罗索思山顶方向继续前行。所到之处，高树林立、清泉泠泠，这里空气清新、安宁静谧，恰是山下的景点所缺乏的，一定会让你耳目一新、精神焕发。

塞尔丘克最近将**文物博物馆**修葺一新，那里藏有在上集市发现的罗马时期**以弗所阿耳忒弥斯雕像**，以及阿耳忒弥斯神庙的**建筑详图**和神庙模型。众多展品之中还有象牙**壁缘**，雕刻着图拉真（Trajan）发动的帕提亚战争。此外，还有精美的雕像，其中就有一尊**安德鲁克里斯**。其他还包括一间泉水房的雕刻群像，刻画了**困在独眼巨人波吕斐摩斯（Polyphemus）山洞里的奥德修斯和他的同伴**。

第七章

帕福斯：阿佛洛狄忒的花园

我的颂歌献给阿佛洛狄忒，她宛若女王，仪态万千，头戴金冠，美丽动人。她的属地在那海水洗刷的塞浦路斯，那里城墙坚固，守护着城镇，温润的西风用轻柔的浪花送她穿过了那咆哮翻腾的大海。四季女神身披金带，欢喜地迎接她的到来，为她穿衣，美丽至极。黄金、山铜的珠宝，坠上她的耳垂；金灿灿的项链，挂在她柔软的脖子和光彩照人的双乳之间，与身披金带的四季女神去见她们的父亲时所戴相同。她们在那殿宇之中翩翩起舞，曼妙诱人。为她装扮完毕，她们便携她去见众神。众神一见，无不倾心，个个神魂颠倒，伸手向前，欲与她执手而回，娶为新娘。她的美，令神窒息。

《荷马诗颂：致阿佛洛狄忒》，1-18

塞浦路斯西岸骄阳似火，帕福斯低矮的海角在阳光中闪烁着光芒，仿佛海市蜃楼般，不见一丝动静，除了风吹过。风和着聒噪的蝉鸣吹过，酷暑下，雄蝉的鸣叫一声高过一声，好似求偶的情欲，一路高涨，发出声嘶力竭的尖叫。风，吹过岩石挖成的坟茔，吹过遍布尘土的下沉剧场；吹过古老、空无一人的街巷，吹过残破的石堆，吹过茂密的棕榈树。从那烈日和热浪炙伤了的草间，风又吹过，沙沙作响。

炽热无情，让人无法在此流连。所以，我们应驱车南下，离开满街酒吧和夜总会的新帕福斯，穿过耶洛斯基普（Yeroskipou）的那些水泥立方体，直到驶上一条小路，越过库克利亚（Kouklia），大海近在咫尺。沿着沙丘，我们来到了满是白色鹅卵石的海滩。绿松石色的大海就在眼前。舒缓的波涛从远处徐徐涌来，起伏荡漾，越来越近，仿佛最温柔的叹息化作涟漪，拂上海岸。只有在那岩石突兀的地方，才有浪花溅起飞沫。这儿令人沉醉，充满了魔力。许多希腊人相信，正是在这儿，在这白色的浪花之中，女神阿佛洛狄忒诞生了。她沐浴着海水，亭亭而立。

阿佛洛狄忒的诞生

阿佛洛狄忒（"生于浪花"）是情欲和性爱女神，她是在父亲乌拉诺斯被克洛诺斯阉割时所孕育。被割下的生殖器落入大海，浪花在其周围翻腾。阿佛洛狄忒甫一起身，脚下踏着贝壳，浑身上下一丝未挂，光彩夺目。据

说，贝壳先将她送到了希腊西南的塞西拉岛（Cythera），因为觉得塞西拉太过微不足道，她便继续前行，最终来到了塞浦路斯。她在距新帕福斯南几英里处的旧帕福斯附近，如今被称为爱神岩（"希腊之岩"）之处的海滩上了岸。在公元前6世纪的诗人阿那克里翁（Anacreon）的想象之中，阿佛洛狄忒回到这里戏水：

> 宛若一株百合，被簇拥在紫罗兰的花束中，在那光滑如镜的海上熠熠生辉。一旁，狡猾的厄洛斯跨在海豚的背上，无忧无虑的情欲女神乘着金光闪烁的海浪。水下，成群结队的鱼儿，划出弧线，迂回游过，与畅游海中的帕福斯女神嬉戏玩耍。

不过，荷马的记述与此大相径庭。据他所言，阿佛洛狄忒生于伊庇鲁斯的多多纳，是宙斯与当地的女神狄俄涅（Dione）所生，而狄俄涅之名也只是宙斯名字的不同形式而已。如《伊利亚特》所述，在战争中，阿佛洛狄忒的手腕受了伤，慌忙跑去母亲狄俄涅身旁寻求安慰，宙斯劝她说："孩子，打仗可不该你上！去忙爱情和婚事吧，打仗的事儿，还是留给手脚利索的阿瑞斯和雅典娜吧！"

两个阿佛洛狄忒、两个厄洛斯？

有些希腊人认为，其实有两个阿佛洛狄忒。柏拉图的《会饮篇》（Symposium）就这一看法进行了探讨，文中提到一位名叫保萨尼阿斯的法学家认为有一位"神圣的"阿佛洛狄忒，生于浪花之间；另有一位"世间的"（或"世俗的"）阿佛洛狄忒，是宙斯与狄俄涅所生。"神圣的"阿佛洛狄忒不经母亲，由乌拉诺斯的生殖器所生，促成纯洁的爱，表现为同性之间的情欲。"世间的"阿佛洛狄忒，由父母双亲所生，则负责异性之爱——而且，因为这位"世间"女神更年轻、不成熟，保萨尼阿斯相信，她的爱情既任性又肤浅。

常伴阿佛洛狄忒身边的男童——天神厄洛斯，也同样具有双重性。据赫西俄德所说，他是

阿佛洛狄忒的诞生：女神斜躺在贝壳里，厄洛斯围着她嬉戏，庞贝（Pompeii）"维纳斯之屋"的一幅湿壁画。

所有神祇之中最年长的一位，诞生于创世之际。在神秘的俄耳甫斯教中，他是夜与厄瑞玻斯（Erebus，黑暗）之子。不过，更为常见的说法是，厄洛斯是阿佛洛狄忒的儿子，长着双翼，手执弓箭，时刻准备着将爱情之箭射穿某人的胸膛。他整天笑嘻嘻、不辨是非，是母亲和战神阿瑞斯通奸所生。

阿佛洛狄忒和众神的风流韵事

阿佛洛狄忒是情欲的化身。在文学艺术作品中，她常被描绘成坐在一辆由麻雀、白鸽或是天鹅拉着的黄金战车上，赤身裸体，香艳无比、性感十足。能够不为她的魅力所动的人世间少有。据公元5世纪的史诗诗人诺努斯（Nonnus）所述，她刚踏上帕福斯的土地，宙斯就试图强暴她。一部公元10世纪的拜占庭词典则断言，他们确实发生过关系，还生了个儿子，就是长有硕大阴茎的生殖之神普里阿普斯（Priapus，也有人说，普里阿普斯是阿佛洛狄忒与狄奥尼索斯之子）。

为了阻止天神为阿佛洛狄忒争风吃醋，宙斯（或者说是赫拉）匆忙为她安排了婚事，把她嫁给了瘸腿的铁匠赫菲斯托斯。尽管赫菲斯托斯竭尽所能为她打制了各种各样的礼物，甚至还为她打造了一条腰带，让她（更加）魅力难挡，阿佛洛狄忒还是处处留情。为她俘获的，有赫尔墨斯［他们的孩子是雌雄同体的赫马佛洛狄忒斯（Hermaphroditus）］，还有波塞冬。不过，最广为人知的，还是她和阿瑞斯之间的私通。在《奥德赛》中，这是吟游诗人得摩多科斯传唱诗歌中一首诗的主题。

阿佛洛狄忒与阿瑞斯私通，被赫利俄斯看在眼里，马上就通知了赫菲斯托斯。怒火中烧的赫菲斯托斯设下陷阱。他打了一张牢不可破的网，细若游丝，"即使是众神也无法察觉"，铺在了自己的婚床上。然后，他便谎称外出，要在利姆诺斯岛（他的崇拜地之一）长期逗留。阿瑞斯借此良机，溜进赫菲斯托斯家，跟阿佛洛狄忒上了床。网一下子收了起来，把他们牢牢捆住。赫菲斯托斯回到家中，暴跳如雷。虽然女神们都觉得这是件丢人的事儿，个个闭门不出，可男神们却一拥而上，你推我搡地看热闹，看到两人被捉奸在床，笑得乐不可支。直到波塞冬出面为阿瑞斯求情，二人保证从此一刀两断，赫菲斯托斯才把他们放了出来——阿瑞斯一出来就立刻退回了荒蛮的北方，而"爱笑的阿佛洛狄忒则跑回了帕福斯"。有人说，不久之后，赫菲斯托斯就与阿佛洛狄忒离了婚，于是她和阿瑞斯有了两个孩子：厄洛斯和哈耳摩尼亚（和谐）。

也有人不觉得这个故事多有趣。柏拉图就以此为例，声称所谓伟大的文学大师伤风败俗，敏感的思想极易受其毒害。在他的理想国里，这样的段落会被删改，或者干脆把诗人拒之门外。毕竟，整部《伊利亚特》最伟大的史诗，无疑就始于阿佛洛狄忒的放荡任性：全拜她所赐，海伦才丢下丈夫，跟着帕里斯私奔，去了特洛伊。

阿佛洛狄忒和安喀塞斯的风流韵事

阿佛洛狄忒对特洛伊关爱已久，尤其是对特洛伊的一位王子，特洛伊城的建造者伊洛斯（Ilus）的儿子——安喀塞斯青睐有加。《荷马诗颂》中的一首讲述了当阿佛洛狄忒看到安喀塞斯在艾达山上放牧牛群时，宙斯如何让她与安喀塞斯坠入爱河：

> 一见到他，爱笑的阿佛洛狄忒心头便燃起了欲火，情欲越烧越旺。她怀着欲火，回到了帕福斯，塞浦路斯的圣地，那里的祭坛生香。她走进芳香四溢的神庙，身后闪光的大门道道紧闭。美惠三女神为她沐浴，为她涂上神脂香膏，这是不朽的天神用来护肤的神油。甜蜜的香脂，令空气中溢满了芬芳。爱笑的阿佛洛狄忒穿上华服，戴上金饰，匆匆离开塞浦路斯，从高高的云端，径直前往特洛伊，曼妙轻盈，香气怡人。

阿佛洛狄忒化身为凡间的姑娘，迷住了安喀塞斯：

> 她衣装光鲜照人，远胜火焰燃放的光芒——那是黄金织就，精美绝伦。衬在她柔软的双乳之间，煌若明月，灼灼其光，令人目乱睛迷！腕上的手镯，盘旋环绕；耳后的环饰，宛若花朵，晶莹闪亮。柔软的脖颈之上，还挂着精美的项链。

安喀塞斯情难自已，以为她不过是凡间的女子，便带她进了一个山洞。他为她宽衣解带，与她在熊与狮的皮毛之上一番云雨。事后，阿佛洛狄忒向他坦承身份，并告之将为他生下一个儿子埃涅阿斯。据《伊利亚特》所述，埃涅阿斯是特洛伊了不起的勇士之一，后来成了维吉尔所著拉丁史诗《埃涅阿斯纪》（Aeneid）中的主角。这部史诗讲述了他从特洛伊的流亡者变成罗马缔造者的这一漫长旅程。

阿佛洛狄忒警告安喀塞斯，千万不要泄露此事，否则宙斯会用闪电劈死他。不过，据一位罗马神话作家所述，安喀塞斯酒后失言，把警告抛诸脑后，吹嘘自己俘获了阿佛洛狄忒的芳心。果不其然，被宙斯的闪电劈中——倒没有要命，却使他致残。安喀塞斯不是阿佛洛狄忒唯一的人间情人。更广为人知的，是同样出生在帕福斯的阿多尼斯（Adonis）。

阿佛洛狄忒和阿多尼斯

密耳拉［Myrrha，也被称作士麦那（Smyrna）］哄骗自己的父亲——帕福斯国王喀倪剌斯（Cinyras）——和她发生了性关系。等到喀倪剌斯发现真相，便要杀掉自己的女儿，不过众神将她变作了一棵树，至今仍在哭泣，泪水化作了没药。后来，没药树裂开，生出一个男孩，他就是阿多尼斯。阿佛洛狄忒一见阿多尼斯，立刻便被他的英俊征服了。为了不让其他神祇发现，阿佛洛狄忒将阿多尼斯藏在柜子里，交给珀尔塞福涅妥善保管。不过，等到珀尔塞福涅打开柜子，看见了阿多尼斯后也一见倾心，不愿再把阿多尼斯还给阿佛洛狄忒。两位女神跑到宙斯面前请求裁决。宙斯裁定，阿多尼斯一年之中，要和两位女神各生活四个月，余下的四个月由阿多尼斯自己决定和谁生活在一起。结果，阿多尼斯选择了阿佛洛狄忒。

阿多尼斯如此俊美，迷得阿佛洛狄忒神魂颠倒，就算阿多尼斯去翻山越岭、驰骋狩猎，阿佛洛狄忒也要紧随身旁，生怕出现猛兽，要了他的命。多加小心的话，她说了不知多少遍。然而有一天，阿多尼斯独自外出，他的猎狗惊醒了一只野猪。阿多尼斯得意扬扬，拿起标枪要去刺杀野猪，谁知标枪刺歪了，弹向了一边。疼痛万分的野猪发了狂，戳穿了阿多尼斯的腹股沟。

阿多尼斯垂死之际，阿佛洛狄忒乘着天鹅牵引的战车从天而降。阿佛洛狄忒也无法救治阿多尼斯，便把他的鲜血化成了一片银莲花——它的生命短暂，轻柔的风也会吹落它的花瓣。然后，阿佛洛狄忒撕扯着自己的头发，将阿多尼斯的尸体放在了一层莴苣叶上，恸声哀悼：

> 阿佛洛狄忒啊，温柔的阿多尼斯就要死去。我们该如何是好？
> 撕碎衣服，捶胸顿足，又有何用！为他大哭一场吧！

待到公元前6世纪末，萨福写下了这些诗句之际，对阿多尼斯的狂热崇拜已经遍布爱琴海。尽管阿多尼斯和帕福斯密切相关，但对他的崇拜很可能起源于近东对农神的崇拜，也许是从乌加里特（Ugarit，位于现在的叙利亚）开始。他的名字"Adon"或"Adonai"在那里的意思是"上帝"之意。在初夏的季节性活动中，希腊妇女哀悼他的死亡，在特殊的花园里打理着一些长得快也死得快的植物，譬如莴苣和茴香。这些植物被种在浅陶罐中，放在屋顶，任其在烈日下枯萎。这些活动所关注的是死亡而非重生。不过，对阿多尼斯的崇拜也包含了希望的种子：正如尚未成年的阿多尼斯在一年之中，只需三分之一的时间与珀尔塞福涅一同待在冥府，每年余下的三分之二的时间里，他的灵魂都会回归，赋予大自然的活力。

对阿佛洛狄忒的崇拜之中，花园也有着举足轻重的地位。在雅典卫城，

厄洛斯振翅飞来，略显害羞的阿佛洛狄忒将手搭在了她的心上人、正斜倚在她身上的阿多尼斯肩头（阿提卡水罐上所绘红色人物画，约公元前450年至前400年）。

有一座献给阿佛洛狄忒的花园；而帕福斯城外，现在的耶洛斯基普，其名字正源于"Hieros Kēpos"（"神圣花园"）。据奥维德所说，花园中有一棵树，有着"金色的枝干，金色的树叶"。一年一度的游行队伍从帕福斯出发，中途便在此休息，然后才继续前往旧帕福斯（现在的库克利亚），最后迎来体育竞技和艺术盛会。

皮格马利翁，帕福斯王

阿多尼斯的祖父就是皮格马利翁（Pygmalion），帕福斯的国王。亚历山大的神父克雷芒（Clement of Alexandria）讲述了皮格马利翁如何"爱上了一座阿佛洛狄忒的象牙雕像"，并且不以为然地补充说："这尊雕像是裸体的。"与之相比，奥维德的描述则更富于同情：看到另一个国王的女儿们欣然出卖肉体，皮格马利翁便对女人拒之不理了。身为雕塑家，他亲手用象牙雕刻了一个年轻漂亮的女人，关节可以活动。皮格马利翁雕完之后，便爱上了她，为她准备礼物，充满深情地爱抚她，待她如真人。阿佛洛狄忒的节日到了，皮格马利翁站在祭坛上，燃烧的乳香让他不禁陶醉，羞涩地祈求可以找到和他的雕像一般美貌的妻子。

阿佛洛狄忒看出来，他是真心实意想要娶雕像为妻，便让他如愿以偿。皮格马利翁一回到家，搂住了自己的杰作，深情地亲吻——雕像顷刻有了生命。鲜血开始在她的身体里流淌，苍白的双颊变得红润；她睁开了双眼，与皮格马利翁四目相对。天上的新月圆了九次，奥维德措辞谨慎地写道，皮格马利翁的新娘为他生下一个儿子，叫作帕福斯，这座城市正是因他而得名。

帕福斯的前世今生

早在公元前3000年，在旧帕福斯平坦的石灰岩山上，就开始了对生育女神的崇拜。公元前1200年左右开始兴建神庙，包括用巨石围起的圣殿墙，墙上装饰着献祭之角，以及用立柱撑起的大厅与祭坛。在《奥德赛》中，阿佛洛狄忒遇见阿瑞斯之后，便跑回了这座"芳香四溢的圣坛"，美惠三女神为她沐浴更衣，为她"用圣油擦身，这油让不朽的神祇闪闪发光，然后为她穿上了漂亮衣服"。

阿佛洛狄忒其他神庙中供奉的女神雕像都是性感迷人的裸体美女形象，唯独在旧帕福斯，神庙中供奉着的是一块圆锥形的白玉石（奇怪的是，当地博物馆里收藏的那块石头是黑色的）。公元1世纪，地震对圣地造成了破坏，不过重建的规模有过之而无不及，并且增添了青铜时代的建筑群，然而如今只剩下了设宴用的几间屋子和那些奢华的马赛克画。

对阿佛洛狄忒的崇拜与性相关。在她的神殿中，有圣妓提供服务。希罗多德甚至暗示，在阿佛洛狄忒的神庙做妓女，对生而自由的女人来说，是一种成年礼。希罗多德描写了"巴比伦人最肮脏的习俗"：女人们头束发带在圣殿中成排坐下，男人们则在其间来来回回，左挑右拣。在没有"尽到对女神的敬意"之前，没有哪个女人可以离开，所以，"那些个头高挑、容貌姣好的很快就走了，而不够漂亮的……有时一待便是三四年。类似的习俗在塞浦路斯的某些地方也存在"。他说的，大概就是帕福斯。

公元前498年，波斯人和希腊人争夺塞浦路斯的控制权，旧帕福斯被围困。考古学家确认了这场战役的规模。两百年之久的城墙外匆匆建起了巨大的土木工事，围城武器沿城部署；尽管旧帕福斯城的居民将地道挖到了波斯人的阵营之下，意欲破坏他们的攻城塔架，但还是没能拯救自己的城市。波斯人修建的攻城坡道如此结实，以至于在一个多世纪以后重修城墙的时候，便将新建的城墙和这些坡道合为一体。

旧帕福斯仍是重要的崇拜中心，不过沿着海岸线往北走十二千米，一座新城市（新帕福斯）的出现很快就让旧城黯然失色了。新城大概是在公元前294年，由埃及的托勒密一世（Ptolemy I）所建。在保萨尼阿斯的笔下，最初兴建新城的时间更早，那是在特洛伊战争结束后，阿卡狄亚国王阿伽珀诺耳（Agapenor）的战船被风吹离了航线，到达这里。这儿的地理位置绝佳，海港优良，卫城易守难攻，令人羡慕。从公元前3世纪延续到公元4世纪的一座大型公共墓地（被错误地称为"国王之墓"）足以证明其富庶：地下墓室修建整齐，和生者的房屋几无二致，墓室环绕在中心庭院四周，门廊的立柱采用精美的陶立克式圆柱。

公元前58年，塞浦路斯被并入罗马。这座岛屿盛极一时。作为其首府，帕福斯繁荣富饶，路面铺上了许多精美的马赛克镶嵌画。这儿既是世俗权力的首府，又是非基督教信仰的中心，从而引起了基督使徒保罗的兴趣。公元45年，保罗来到此地，罗马的统治者塞尔吉乌斯·保卢斯（Sergius Paulus）也来听他布道，他与当地的祭司之间还稍有摩擦。《使徒行传》记载了保罗如何应对二人，先是与祭司（或按《钦定本》载，巫师）：

> 接下来，圣灵附体的扫罗，也称保罗，注视着他。并说，汝乃恶魔之子，常存害人之心，满腹阴谋诡计，汝乃正直之敌，可否停止扭曲上帝之正道？如今，看，上帝之惩罚已至，汝将为盲人，一季不得再见光明。顷刻之间，雾霭与黑暗便降临在他的身上；他伸出手去，四下摸索，希望有人可以拉住他，为他引路。彼时，他的副手，目睹了一切，深信不疑，为上帝的教诲而惊恐万分。

当地的传统表明，保罗成功地使罗马统治者（以及那位"副手"）改信基督教，但也为此付出了一番代价。在帕福斯，12世纪圣基里亚基教堂（Church of Agia Kyriaki）的庭院中，立着一根柱子，（据说）保罗就被绑在这根柱子上，结结实实挨了三十九下鞭挞，作为他激进传教的惩罚。

到了公元4世纪，帕福斯仍是一座富庶的城市，直至大地震造成了严重的破坏，而罗马皇帝狄奥多西一世又禁止了一切非基督教信仰，它的经济和宗教力量遭到了削弱。公元653年撒拉森人突然来犯，对帕福斯造成了致命的打击。从此以后，帕福斯城便沉寂了下去，默默地充当着避风港，直至1983年帕福斯国际机场落成，促成了旅游业的迅猛发展。如今，在这儿听到有人说英语，就像听到希腊语一样，已经不足为奇。当然，在一定程度上，这也是因为众多的塞浦路斯人都去伦敦北部安家落户。

大事记&遗迹

约公元前2800年	旧帕福斯开始了最初的祭拜活动。
约公元前1200年	旧帕福斯城建起了首座神庙。
公元前498年	波斯人围攻旧帕福斯城。
约公元前340年	旧帕福斯城开始修建新城墙。
?公元前294年	埃及的"救星"托勒密一世重新选址建造帕福斯城?
公元前58年	罗马吞并了塞浦路斯。
公元45年	保罗到访帕福斯。
公元655年	撒拉森人突袭帕福斯。
1983年	帕福斯国际机场落成。

帕福斯被联合国教科文组织列为世界文化遗产。古代遗迹公园不光包括了让人伤怀的**国王之墓**，还包括了一片希腊化时期和罗马时期的城镇遗迹，既有古代的**集市广场**，也有一座**剧场**，在现代的灯塔上若隐若现。

最让人赏心悦目的，莫过于公元3世纪到4世纪罗马时期的精美**马赛克镶嵌画**，还被保留在大宅中原本的地方。这些镶嵌画大多是对神话的再现，譬如颇具传奇色彩的恋人们，如宙斯和伽倪墨得斯（Ganymede）、菲德拉（Phaedra）和希波吕托斯、珀琉斯和忒提斯——也包括了那喀索斯（Narcissus）。帕福斯的**古代遗迹博物馆**收藏了包括新石器时期、古典时期和拜占庭时期在内的考古发现，其中有**墓碑**、**石棺**以及一座大理石雕刻的**阿佛洛狄忒半身像**。

旧帕福斯城位于库克利亚，在帕福斯南十二千米处，有公路可通，十分便捷。那里并没有多少阿佛洛狄忒圣地的遗址保留下来，除了一幅复原后的马赛克镶嵌画，画着**勒达与天鹅**。库克利亚博物馆本是一位十字军东征战士的府宅大院，经过修复后改建而成，馆中藏有一块**被视为神祇的黑色石头**，大概会当成阿佛洛狄忒来崇拜。通往库克利亚城外的路上，还可以看到公元前498年波斯人围城时修建的土木工事，以及帕福斯人挖的地道，令人叹为观止。沿着道路继续往城外走，大约几千米之后，就到了爱神岩，那里有一片鹅卵石海滩以及壮观的岩层，还有地方可以享用餐点。尽管像阿佛洛狄忒一样沐浴在浪花之中，确实让人心向往之，不过还是要注意，这儿水流湍急。

如果想要看到更多的考古遗址，可以继续往东，到库里翁（Curium）一睹那里壮观的**剧场**和**阿波罗神庙**。帕福斯北部还有两处在历史上并不太闻名，但同样能让人追忆往昔、怀旧思古的遗址。在基利（Kili），有一处遗迹，号称**阿多尼斯浴场**，既有瀑布也有池水，还有一尊阿佛洛狄忒与阿多尼斯的雕像。据说，只要摸一摸阿多尼斯的阴茎，便能保佑生儿育女。继续往北，到了腊基（Latchi）的海边，有一处**阿佛洛狄忒浴场**。浴场里有处标志，上面赫然写着："阿佛洛狄忒，爱与美的女神，曾在此天然洞穴内的小水池中沐浴……请勿下水游泳。"

第八章

皮洛斯：涅斯托耳统治之所，
赫尔墨斯藏匿阿波罗牛群之地

太阳神赫利俄斯离开了那清澈的海水，升上黄铜色的天空，在丰饶的田地之上照耀众神和凡人。于是他们来到皮洛斯，涅琉斯坚固的要塞。在这片海滩，当地的居民正奉上祭品，宰杀纯黑的牡牛献给波塞冬，那黑发的大地撼动者。献祭的人群分成了九队，每队五百人，每支队伍献上九头公牛。等到皮洛斯人品尝了脏腑，把牛腿焚献给天神，从别处来的人们匆忙靠岸，停下他们的船，收起他们的帆，沉下石锚，纷纷下船。忒勒玛科斯（Telemachus）也下了船，雅典娜与他同行。

荷马，《奥德赛》，3.1-12

正午时分，晴空万里，骄阳似火。空气干燥，昆虫的鸣声也昏昏欲睡，草木散发着淡淡的香气。远处山崖下海浪，一涨一落的节奏，与这虫鸣的旋律相呼应。潟湖长满灌木的沙堤外，纳瓦里诺港湾笼上了薄雾，闪烁着微光。狭长而缺水的斯法克蒂里亚岛（Sphacteria）上嶙峋的岩石几乎围住了纳瓦里诺的出海口。远处，新皮洛斯美丽的房舍生机盎然，市镇广场一侧止于一处避风港——枝繁叶茂的大树下，摆放着咖啡桌椅；金色的渔网被挂了起来，等着晾干；船只闲着；如玻璃一般透明清澈的水中，游过一群群小鱼。

目之所及，风光秀丽，青山隐隐，阡陌交错，海岸线向北延伸，大海波涛汹涌。不过，即便如此，近旁的海湾依然脱颖而出。狭窄的入口两侧，陡峭的山崖矗立，青绿色的海水环若马掌，白色的沙滩柔软细腻，沙丘上百合绽放。可以说，希腊的海滩之中，数这里最有诗情画意。在克瑞斐斯昂（Coryphasion）西侧的海角，在一座威尼斯城堡灰色的颓垣断壁和低矮的方形塔楼之下，有一道通往古老过去的大门——那是一座钟乳石林立的山洞，钟乳石从洞顶垂下，仿佛红褐色的牛皮，高挂在那里。（据神话所述）就是在这儿，在这狭小的港湾，刚出生的赫尔墨斯偷来阿波罗的牛群，藏在这里（涅斯托耳统治之下的皮洛斯人在此献祭，如今希腊人称之为牛腹湾，Voidhokiliá）。

赫尔墨斯的诞生和婴儿赫尔墨斯

据《荷马诗颂：致赫尔墨斯》所述，和其他很多神祇、英雄一样，赫尔墨斯也是宙斯众多婚外私生子女之一。宙斯迷上了黑眼睛的仙女迈亚（Maia），她长着一头秀发，住在阿卡狄亚边界处的库勒涅山（Mount Cyllene）上。"夜色降临，趁着没有武装的赫拉沉沉睡去，宙斯便来到她身边。"《诗颂》罗列了赫尔墨斯的诸多特征：

> 狡猾多计、偷窃成性、赶牛者、送梦者、守夜者、门口的贼，
> 不久，那些不朽的神明，就要看到他显露手段，做出一桩桩臭名昭
> 著之事。赫尔墨斯生于拂晓时分，未过正午，便已经成了里拉琴大
> 师。傍晚一到，他就偷走了阿波罗那射程极远之神的牛群。

出生才不过几个小时，赫尔墨斯便从摇篮里跳了出来，在海湾的出海口处发现了一只正在大快朵颐的陆龟。赫尔墨斯把它给杀了（《诗颂》中的描述令人毛骨悚然），剥下壳，制成了自己发明的新乐器——里拉琴，好为自己的歌谣伴奏，歌唱自己从胎儿到出生的经过。不过，对这个才不过几个小

时大的恶作剧之神来说，这点儿消遣哪能尽兴。他才不过是练了练手，就让他胃口大开。为了尽兴，赫尔墨斯当上了偷牛贼。

皮洛斯和阿波罗的牛群

他径直去了皮埃里亚，众神在那里放牧他们的牛群。他挑了五十头最好的牛，迅速将这些牛赶往南方。他让牛群倒退着行走，这样一来，留下的脚印就好像是朝皮埃里亚走来，而不是离开这里。不过，在此之前，他还想出了一条妙计，让牛的行踪变得更加扑朔迷离。

为了掩盖他的脚印，赫尔墨斯用柽柳和长春花的嫩枝编出了第一双凉鞋。"越过黑色的群山，穿过狂风呼啸的山谷，踏过遍开鲜花的草地"，赫尔墨斯赶着牛群，直至天光渐亮，才终于到了皮洛斯。不过，神话中的皮洛斯到底在哪里，至今还尚有争议。《诗颂》中认为，皮洛斯在奥林匹亚附近的阿尔斐俄斯河（River Alpheus）附近。确实，那儿曾有一处滨海的定居点，叫作皮洛斯。但同一首《诗颂》中又说，赫尔墨斯杀了两头牛，（利用自己新发明的钻木取火装置）烹煮了一下，饱食一顿之后，"在坚硬的岩石上将那牛皮铺开，许多年以后，牛皮还留在那里"。许多人认为，这儿指的就是牛腹湾山洞里状如牛皮的钟乳石。于是，在后世的传统中，渐渐地，这座皮洛斯城占据了上风。

填饱了肚子后，赫尔墨斯就回到了库勒涅山上的摇篮，"有如夏末的雾，侧身溜进紧闭的大门"。不过，没过多久，敏锐的阿波罗就发现自己的牛群被藏进了山洞，并且循迹找到了赫尔墨斯。不顾婴儿赫尔墨斯的抗议，阿波罗要求赫尔墨斯和迈亚跟他去奥林匹斯山，向众神各陈其词，以求公道。赫尔墨斯的伎俩当然骗不了宙斯，他命令赫尔墨斯把牛还给阿波罗。

这两个对头便一同回到了皮洛斯，阿波罗先把牛群从洞里放了出来，然后便要用柳条将赫尔墨斯捆起来。赫尔墨斯心生一计。他让那些柳条全都生根发芽，绕住了牛群；接着拨弄起自己的里拉琴，唱起了一支醉人的长曲，歌唱众神的诞生和大地之始。阿波罗听得入了迷，又提了一个解决办法：只要赫尔墨斯把里拉琴送给他并教会他如何演奏，阿波罗就不再计较赫尔墨斯偷牛的事儿，而且还会支持他，让他做兽群、畜群和牧场的统治者。不仅如此，阿波罗还承诺会把科勒克伊翁双蛇权杖（或称信使之物，拉丁名为caduceus）送给赫尔墨斯。据《诗颂》所写，这是一根"三股"的黄金魔杖，不过常见的说法是，这根权杖上盘绕着两条纠缠在一起的蛇，权杖顶端镶嵌着展开的双翅。赫尔墨斯无法拒绝。就这样，两位天神在皮洛斯冰释前嫌，结下了牢固的友谊。

赫尔墨斯的其他本事

除了总是和乡野联系在一起（在那里可以听到他演奏的另一项发明——牧羊人的排箫），身为小偷和骗子的鼻祖，赫尔墨斯还与贸易和商业有关，他的那些花招和伎俩让他如鱼得水。虽然出人意料（考虑到他一向不屑于说实话），但也是不可避免（毕竟，他拿到了科勒克伊翁双蛇权杖），赫尔墨斯成了宙斯信任的信使。在履行信使职责时，他协助创造了可以极大促进交流的工具：书写。他既是宙斯的信使，也是凡间使者的守护神，在美术作品中可以通过头上戴着的宽檐遮阳帽以及脚上穿着的带翼凉鞋把他辨认出来。因为他的职责让他周游四方，所以赫尔墨斯也是旅行者之神。

赫尔墨斯所掌管的旅程不仅仅包括有形的。作为普绪科蓬波斯（Psychopompus，灵魂指引者），赫尔墨斯陪伴着死者的灵魂来到冥府；作为奥涅罗蓬波斯（Oneiropompus，梦之指引者），他用自己的魔杖诱人入睡，再将亦真亦幻的画面播撒在他们的脑海中。因此，赫尔墨斯，也和魔法、通灵联系在了一起。尤其在希腊化时期的埃及，对于赫尔墨斯·特利斯墨吉斯忒斯（Hermes Trismegistus）的崇拜受到了神秘主义者的欢迎。

许多希腊神祇都体现出了对立的两面，所以赫尔墨斯既是偷盗之神，也是安全之神。看门狗在他的保护之下，在整个古代，赫尔墨斯的形象被雕塑成头像石柱（赫尔墨）安放在房门口，以防坏人。这些只不过是四四方方的石柱，有时石柱顶端会刻有蓄须的赫尔墨斯头像，不过，石柱上一定会刻有他勃起的阴茎。公元前415年，在远征西西里的前夜，雅典城内几乎所有的头像石柱都被打碎，这看上去可不是个好兆头（果然没错）。若是一间房子是安全的，那一定也是欢乐的住处，因此，赫尔墨斯也掌管宴饮，就像涅斯托耳在牛腹湾的海滩上举行的盛宴。事实上，在宾客满堂的盛宴上，若是突然安静了一阵，就会有人说："赫尔墨斯进屋了。"

涅斯托耳，皮洛斯国王

在《荷马史诗》中，皮洛斯由睿智（但有些啰唆）的老涅斯托耳统治。据《伊利亚特》所述，他是：

> 皮洛斯人的发言人，嗓音甜美、口齿清晰，从他口中传出的声音，胜过蜂蜜的甘甜。在神圣的皮洛斯，在他的一生中，已有两代人出生、成长，又枯槁死去，如今他已统治了三代人民。

从年轻时起，涅斯托耳就参与了许多冒险，既加入了卡吕冬的野猪狩猎，也踏上了父亲涅琉斯的故乡伊奥尔科斯，并从那里登上了阿尔戈号，一路远行。涅琉斯与兄长珀利阿斯大吵了一架之后，便离开了伊奥尔科斯，在皮洛斯定居下来，当了国王，并生下了十二个儿子。不过，他在赫拉克勒斯与埃利斯（奥林匹亚附近）之间的战争中选错了阵营。作为惩罚，赫拉克勒斯洗劫了皮洛斯，杀光了涅琉斯的儿子——除了涅斯托耳，他当时住在附近的耶拉尼亚（Gerania，因此他被荷马称为"耶拉尼亚人"）。待到这场纷乱平息之后，赫拉克勒斯与涅斯托耳成了朋友，还助他当上了麦西尼的国王。

虽然力量被削弱了，但涅琉斯并未屈服，继续统治着皮洛斯。涅琉斯派去参加奥林匹克运动会的一辆战车遭窃，作为回应，他要求涅斯托耳越过边境，侵入埃利斯，去掠夺那里的牧群。在《伊利亚特》中，涅斯托耳讲述了他是如何率领手下将牧群赶回的：

> 五十头牛、同样多的绵羊、同样多的猪、同样多的四下乱跑的山羊，一百五十匹栗色马，每一匹都是母马，多数腹下站着待哺的马驹。夜幕降临，我们把它们赶进了涅琉斯的城——皮洛斯。

埃利斯人做出了回击，他们跨过阿尔斐俄斯河，入侵了涅琉斯的国土。涅斯托耳率军迎战。他第一个血刃敌人，跳上了牺牲者的战车：

> 我身先士卒……如同暴风雨中的乌云，发动了攻击。我击垮了五十辆战车，连同车上的两个战士，将他们击落在地，死在我的矛下……皮洛斯人的手中，有宙斯所赐的伟力。我们追过广袤的平原，留下了他们的尸首，卸下了他们的武装……诸神之中，人人称赞宙斯；众人之中，他们称赞涅斯托耳。

涅斯托耳不仅骁勇善战，还是位优秀的运动员。有一次，他讲述了自己如何在葬礼赛事中赢得了拳击、摔跤、赛跑和标枪比赛的冠军。只有在战车赛中失利了，"我曾如此辉煌。不过，这些挑战必须交给年轻的人们去面对了，而我也不能不服老，尽管在最伟大的英雄之中，我也曾数一数二"。

从涅琉斯那里继承了皮洛斯的王位之后，涅斯托耳参加了特洛伊战争。作为年长的政治家，他乐在其中。尽管年事已高，他依然热衷战斗——品达描述了他的一匹战马被击中、倒地不起之后，他被困在了战车上；特洛伊的埃塞俄比亚盟友门农（Memnon）气势汹汹地冲上前来，涅斯托耳的儿子安提罗科斯（Antilochus）上前挡住了门农，为救父亲献出了自己的生命。不过，涅斯托耳之所以如此受人敬仰，是因为他善于出谋划策（通常都是长篇累牍，也并不总是上策）。阿伽门农（Agamemnon）声称：只要有十位这

皮洛斯宫殿中的一幅湿壁画，绘于公元前13世纪，画中戴头盔的
战士与轻装战士在一条河上激烈地战斗。

样的谋士，特洛伊城"指日可破"。从特洛伊平安归来的希腊领袖并不多，涅斯托耳是其中之一，归来后他享尽荣华富贵，得以颐养天年。

忒勒玛科斯在皮洛斯

绮色佳的奥德修斯和涅斯托耳截然不同。特洛伊战争结束后，他却十年杳无音信、不知所终，他的儿子忒勒玛科斯四处寻访幸存下来的父亲的战友，打探父亲的消息。他寻访的第一站就是皮洛斯，忒勒玛科斯在海滩上找到了正在欢宴的涅斯托耳和他的随从。忒勒玛科斯刚一表明身份，就让涅斯托耳想起了特洛伊战争的诸多旧事，想起了阿伽门农在迈锡尼惨遭杀害，还想起了自己的返航（"我们一帆风顺，全赖神明相助"）。而后，他邀请忒勒玛科斯去他的宫殿：

> 耶拉尼亚的涅斯托耳，策马带着自己的儿子、女婿，回到了他华美的宫殿。他们一到金碧辉煌的王宫，便依次坐在长榻或宝座上。老人为同来的人用缸调好美酒，十年的陈酿，香醇可口，由女管家解开封口的缚绳……他们开怀畅饮，心满意足，各自回房安睡。不过，耶拉尼亚的涅斯托耳亲自安排，让奥德修斯的爱子睡在回声萦绕的廊屋内，睡在精雕细琢的卧床上。

第二天，涅斯托耳让自己最小的女儿去为忒勒玛科斯沐浴更衣，为他涂香敷油，然后为他备好战车，并让自己的儿子庇西特拉图充当车夫，送他前往下一站斯巴达——墨涅拉俄斯的宫廷。

在如今的柯拉（Chora）附近，从牛腹湾往内陆去的地方，发现了一座青铜时代的宫殿，更让人对这段描写浮想联翩。1939年，卡尔·布利根（Carl Blegen）开始考古工作，陆陆续续挖掘出了一座B类线形文字泥板的宝库，这些文字确认了在青铜时代，这座城市确实叫作皮洛斯。他们还发掘了一座陈设讲究的正厅，四壁饰有精美的湿壁画——以及一个彩绘的浴缸（有人颇为浪漫地相信，这就是忒勒玛科斯沐浴时所用的浴缸）。

皮洛斯的前世今生

在古代，至少还有两个地方（伯罗奔尼撒半岛西海岸往北）与涅斯托耳的宫殿密切相关。一处在埃利斯与阿尔斐俄斯河附近，这一地理位置与《伊利亚特》以及上文提到的《荷马诗颂：致赫尔墨斯》中所记述的恰好吻合。不过，自从布利根在柯拉发现了那座宫殿，根据B类线形文字泥板的记载，皮洛斯的所在已被广泛认可。如今，这里的路标赫然："涅斯托耳的宫殿。"

自公元前约1700年起，这座宫殿就成了皮洛斯城的中心，而这座高墙环绕的城市自身也是一个庞大社会的活动中心（这里的居民数量超过了50000人）。据B类线形文字泥板记载，城邦管理井然有序，政府官员的管理面面俱到，譬如羊群的规模、王室庭院中栽种的葡萄和无花果树的数量（每种各千株），还有待维修的车轮数量等等。而工业生产都集中在王宫附近，其中也包括了香水制造业。与此同时，宫殿中的湿壁画描绘了大自然，既有真实的场景，也有想象的画面（既有鹿、狗、狮，也有狮身鹰首兽）。其中，有两幅画描绘了与皮洛斯相关的神话：一幅画中，一位年轻人在演奏里拉琴；另一幅画描绘了一条河上激烈的战斗。

文字泥板上对皮洛斯宗教生活的描绘也颇让人神往。尽管没有任何宗教文本留存至今（或许从来就不曾存在过），泥板上的文字却明确提到了对波特尼亚（Potnia，母神）、宙斯、赫拉、波塞冬以及赫尔墨斯的献祭。除此之外，在牛腹湾与王宫附近还出土了供王室使用的圆顶地下石墓（在这一石墓群中发现了大量的黄金和金箔）。牛腹湾山洞中的陶器碎片也暗示着这里在青铜时代曾是异教活动的中心之一。

公元前1200年前后，皮洛斯遭到入侵。在古典时期，皮洛斯所属的麦西尼地区被斯巴达吞并，当地居民沦为了奴隶。公元前425年，伯罗奔尼撒战争期间，雅典将军狄摩西尼（Demosthenes）占领克瑞斐斯昂，并在此修建了防御工事，因为他认为这里地理位置绝佳，在此地聚集心存不满的奴隶、出发攻击斯巴达的国土再好不过。斯巴达人发起反攻，从陆地包围了克瑞斐斯昂，并在毗邻的（缺水的）斯法克蒂里亚岛驻扎军队。雅典海军从水上切断了他们的退路，斯巴达人史无前例地投降了，一百二十名斯巴达精锐战士成了阶下囚。

1827年，大不列颠、法国和俄国的联合舰队为了确保奥斯曼土耳其人从伯罗奔尼撒半岛撤军，驶进了纳瓦里诺海湾。奥斯曼将军易卜拉欣·帕夏（Ibrahim Pasha）负隅顽抗，联军炮艇炮火齐鸣。五十三艘土耳其战舰被击沉，其中许多沉船的残骸至今仍可以看到。五年之后，希腊获得了独立。

大事记&遗迹

约公元前5000年　新石器时期，牛腹湾开始有人定居。

约公元前1700年　"涅斯托耳的宫殿"奠基。

约公元前1200年　"涅斯托耳的宫殿"被毁。

公元前425年　雅典人占据了克瑞斐斯昂，在斯法克里亚岛击败了斯巴达人。

1204年　第四次十字军东征中，十字军占领了皮洛斯。

1572年　土耳其人占领了皮洛斯，修建了新卡斯特罗要塞。

1827年　纳瓦里诺之战，奥斯曼土耳其大败。

1939年　"涅斯托耳的宫殿"由卡尔·布利根首次发掘。

　　在距今天的皮洛斯往东北方向十八千米的柯拉镇附近，就是"涅斯托耳的宫殿"。宫殿的房顶平淡无奇，本书写作之时，这处景点业已关闭，正在进行修复。从景点大门出发，道路直通**前厅**入口。往左，是**档案室**，绝大多数B类线形文字泥板都是在此发现的。穿过前厅，来到一个**院子**。经过院子，可以穿过数道**厅堂**，来到**中央大厅**。大厅中央是环形的中央**壁炉**，直径四米，还有四根立柱的基座，原本这些立柱支撑着一个上层廊台。厅堂都有走廊，可以通往**贮藏室**，（往右）可以通向设备齐全的**浴室**，有陶土的浴池和用来注水的大水罐。西南方向是一座年代更为久远的宫殿遗址（大部分被掩埋了起来），而东北方则是工坊、酒窖和一座（重建的）地下**圆顶石墓**。

　　从皮洛斯跨过纳瓦里诺湾就到了牛腹湾，与牛腹湾湿地保护区的潟湖毗邻。从皮洛斯-基帕里夏公路下来，有一条崎岖的小路。山洞就在牛腹湾较远一侧倾斜的山崖上。山洞上方（爬上去挺费劲的）是威尼斯风格的帕莱卡斯特罗城堡，就位于公元前5世纪狄摩西尼所建的**防御工事**处。近处的海角（比较隐蔽）处，有一座地下**圆顶石墓**。白沙滩是个洗浴的好去处。

　　皮洛斯有一座小**博物馆**，不过"涅斯托耳的宫殿"和周围地区的考古发现，除了收藏在雅典国家文物博物馆内的，绝大多数都保存在宫殿以北四千米处的**柯拉博物馆**。藏品包括了**湿壁画**、**黄金首饰**和B类线形文字泥板。本书写作时，这座博物馆正在闭馆翻新。

第九章

奥林匹亚：珀罗普斯和竞技比赛

[珀罗普斯] 为人膜拜，在他的坟墓上，人们献上血淋淋的祭品。在阿尔斐俄斯河的渡口，那朝圣之地，他的祭坛旁，陌生的人们蜂拥而至，更胜往昔。奥林匹克运动会——珀罗普斯的运动会其荣耀传遍宽广的大地，无比辉煌。无论是谁，只要在此赢得桂冠，余生便可甘甜如蜜，再无忧虑。

品达，《奥林匹亚颂歌》，90-99

在克洛诺斯山，树木沐浴着金色的阳光。清晨时分，笼罩在阿尔斐俄斯河畔星罗棋布的田野上的雾霭也已散去，只留下一层若有若无的薄雾。村子里，一扇打开的窗子里传出了断断续续的乐曲；一只狗在叫；一台引擎轰隆作响；卷帘门被推了起来，商店纷纷开业；狭窄的人行道上摆起了桌椅，香气浓郁的咖啡也上了炉。

沿着路，穿过桥，舒缓的哥罗底亚斯河（River Cladeus）在两岸的匆忙之中徐徐流过，圣地热闹非凡。麻雀啁啾，蝉声低鸣，高高的松树与之相和。在一处雕像的底座上，一只壁虎晒着太阳，迎来了一天的到来。芬芳的大地上，阳光唤醒了古老的圣殿，高高的立柱投下长长的影子，随日而行。那是赫拉神庙、宙斯神庙和二者之下的其他建筑：金库、运动馆、泉水屋、希腊化时期的奢华宾馆。穿过优雅的拱形隧道，早秋时分的仙客来正在怒放，露天跑道旁的路堤上镶嵌着粉色与白色的宝石。或许，在整个希腊世界，唯独这里，自然和人工如此和谐地交相呼应。这里是希腊最迷人的去处，它的盛名源自众神之首——奥林匹斯山的宙斯，这里便是奥林匹亚。

宙斯在奥林匹亚的胜利

奥林匹亚之重要，自有诸多神话来佐证，然而这些神话众说纷纭，各不相同。当然，对于那些"埃利斯城（奥林匹亚地区就由该城治理）里的博学好古之人"来说，奥林匹亚的重要性是不言而喻的：因为宙斯就是在这儿击败了他的父亲克洛诺斯，成了众神之王。不过，出乎旅行家保萨尼阿斯意料的是，就算是埃利斯人也争论不休：

> 有人坚信，宙斯和克洛诺斯在此以摔跤一决胜负；另有人则认为宙斯在此举办竞技比赛，来庆祝自己的胜利。他们还说阿波罗也在比赛中荣获桂冠，他跑步快过了赫尔墨斯，拳击胜过了阿瑞斯。

尽管如此，这些传说结合了两个至关重要的因素，解释了为何奥林匹亚在历史上如此重要：对宙斯的崇拜以及奥林匹克运动会。更重要的是，以竞技比赛来庆祝胜利，寓意着宙斯并非尚武之辈，并非以武力击败了克洛诺斯，而是以更文明的体育竞技方式取得了胜利。也因此，奥林匹亚得以继续崇拜吃了败仗的克洛诺斯。保萨尼阿斯写道：每逢春分，埃利斯新年之际，所谓的祭司王们都要爬上奥林匹亚树木茂盛的山坡，爬上克洛诺斯山的山顶，向其献上祭品。

在埃利斯，保萨尼阿斯听到了一个不同版本的神话。这一回，宙斯和奥林匹克运动会的起源就没有那么大的关系了。据说，在克里特的艾达山，几位枯瑞忒斯或达克堤利（Dactyl）在逗年幼的宙斯开心，这些年轻的男神你先我后地赛跑，胜者戴上用橄榄枝编成的花冠。枯瑞忒斯中最年长的那位叫赫拉克勒斯（与那位伟大的英雄同名），后来将赛跑这项运动带到了希腊大陆，而奥林匹克运动会便是从这一项目开始的。因为当时有五位枯瑞忒斯，所以，运动会每五年（希腊人的数法是将举办年算在内）举办一次。

珀罗普斯和死亡战车

　　然而，在另一些人看来，运动会的起源要血腥得多。宙斯的孙子珀罗普斯来自吕底亚。他的父亲坦塔罗斯（Tantalus）深为众神所爱，所以常与他们同餐共饮。然而，坦塔罗斯并不知足。

珀罗普斯头戴胜利者的橄榄花冠，驾着战车，载着希波达墨娅（Hippodameia），为他的战车队伍带路（公元前5世纪阿提卡红色人像瓶饰）。

众神饮琼浆食仙馐，而他只能吃肉，心怀嫉妒的坦塔罗斯想出了一个恶毒的点子。他杀掉了年幼的珀罗普斯，将其肢解，炖成菜、调好料，献给众神享用。只有得墨忒耳上了当。因为珀尔塞福涅被拐走，悲痛万分的得墨忒耳毫无察觉，啃了一口肩头的肉。其他神祇无不盛怒，他们惩罚了坦塔罗斯，让他永受饥渴。至于珀罗普斯，众神将调料从他的肉上洗去，重新将他拼好——除了肩上被得墨忒耳吃掉的那块。他们用象牙补上了这块。重获生命的珀罗普斯如此俊美，波塞冬情不自禁地爱上了他，并教会了他驾驭战车，成为个中好手。不久，这就被派上了用场。

珀罗普斯听说有一位美貌绝伦的公主希波达墨娅，她的父亲是埃利斯国王俄诺玛俄斯（Oenomaeus）。因为预言宣称，他将被自己的女婿杀死，所以他与每一位前来求婚的男子比赛驾驶战车。就这样，一个个追求者们接连输掉了比赛，十八颗狰狞的头颅被钉上木桩，成了俄诺玛俄斯王宫的装饰。珀罗普斯下定决心，不步他们的后尘。波塞冬给了他一队善飞的马，可珀罗普斯还是不愿冒这个险。所以，在得到了希波达墨娅的许可之后，他贿赂了俄诺玛俄斯王的驭手弥尔提洛斯（Myrtilus），不仅许给他一半的国土，还愿意和他分享希波达墨娅的床榻，只要他将俄诺玛俄斯战车上的铁制轮楔换成蜂蜡仿制的假货。弥尔提洛斯满心期待地答应下来。比赛开始了，珀罗普斯和俄诺玛俄斯的战车越驶越快，车轮飞速旋转，越来越热，蜂蜡开始融化。车轮飞出，战车轰然散架，战马狂奔，俄诺玛俄斯被拖曳而死。

可想而知，珀罗普斯拒绝兑现承诺。不仅如此，他还将弥尔提洛斯丢进了大海。弥尔提洛斯坠下悬崖之际，诅咒了珀罗普斯和他的家人，让漫长的苦难降临到他们身上，让他的后人世世代代厄运缠身。珀罗普斯找回了弥尔提洛斯的尸首，葬在了奥林匹亚，可惜为时已晚。为了平息俄诺玛俄斯魂灵的怒火，珀罗普斯以纪念死去的国王为名，举办了运动会，这就是奥林匹克运动会的前身。与此同时，希波达墨娅为了向赫拉（婚姻女神）表示感谢，举办了名为赫拉亚（Heraia）的女性节日，节庆活动中也有跑步比赛。

赫拉克勒斯的比赛

关于奥林匹克运动会的起源，品达为我们引述了另外一种说法。据他所说，举办运动会源自希腊的英雄赫拉克勒斯。赫拉克勒斯把埃利斯国王奥吉厄斯（Augeas）的牛舍打扫干净，可奥吉厄斯拒绝支付事先约定的报酬。赫拉克勒斯有仇必报，杀掉了国王的侄子克忒阿托斯和欧律托斯（Cteatus and Eurytus，二人常以连体双胞胎的样子出现在艺术作品中）。一场大战随之而来，最后，赫拉克勒斯打败了奥吉厄斯，占据了他的国土。为了庆祝胜利，赫拉克勒斯举办了奥林匹克运动会，向宙斯表示敬意：

为他那无可匹敌的父亲，丈量出神圣的林地。他定下了阿尔提斯［奥林匹克圣地］的界限，分开了神圣与世俗，用那四周的空地，休息欢宴。除了十二位主神，他还向河神阿尔斐俄斯致以敬意，并将那俄诺玛俄斯统治时遍覆白雪的无名山岭命名为"克洛诺斯山"。

品达描绘了运动会上最早的项目，譬如摔跤、战车赛、掷铁饼比赛，并将冠军的名字一一列出，而保萨尼阿斯则记下了这些参赛者还要感谢赫拉克勒斯的另一个原因：

> 传说，赫拉克勒斯在奥林匹亚献祭，招来了一群惹人生厌的苍蝇。不知道是他自己的主意，还是听人建议，他向宙斯·阿波慕欧斯（Zeus Apomuios，驱赶苍蝇的宙斯）献祭。就这样，苍蝇被赶到了阿尔斐俄斯河对岸。据说，埃利斯人也如法炮制，向宙斯·阿波慕欧斯献上祭品，把苍蝇赶出奥林匹亚。

奥林匹亚的前世今生

对于历史事件发生的确凿日期，希腊人能确认最早的便是首届奥林匹克运动会——相当于公元前776年。保萨尼阿斯又为我们提供了一个不同版本的起源神话，据他所说，德尔斐的祭司建议埃利斯国王伊菲托斯（Iphitus）重新举办废弃已久的奥林匹克运动会，以结束接连不断的战火和灾祸。在接下来的五十二年间，奥林匹克运动会上唯一的项目就是"斯塔德"（stade，英语体育场"stadium"一词便源于此），即长约180米的跑步比赛。首届奥林匹克运动会以宗教活动为主，而非竞技运动，即便后来奥林匹克运动会延长到五天，最为关键的第三天，恰逢8月的望日，也还是以仪式为主。是夜，在珀罗普斯的墓地将举行一场仪式，接下来的次日清晨，会为宙斯献上一百头公牛，下午才会进行赛跑。

因为奥林匹亚圣地山远地偏，每四年才举办一次，所以早期的奥林匹克运动会基本上只能算是当地的节庆活动。有记载表明，最初的获胜者无一例外全来自埃利斯。不过，随着比赛项目日益增多，运动会的声望也与日俱增，整个希腊世界都有运动员纷涌而来，奋力拼搏，运动会盛况空前。到了公元前6世纪，奥林匹克运动会已成为全体希腊人的节日，参赛选手受到休战传统的保护。不过，参赛资格有着严格的规定。选手和观众必须会说希腊语，只限男性，不得犯过杀人的罪行（另一个节日盛会——赫拉亚则专为女性而办）。

四位蓄须的成年男子和一位年轻男子赤身裸体全速奔跑。绘在一个双耳细颈瓶上，这是在约公元前530年的泛雅典娜节中颁给斯塔德赛跑冠军的奖杯。

到了公元前6世纪早期，赛事规模更大，包括了拳击、摔跤和五项全能运动，还有一些马上项目：赛马和战车赛。圣地也得以修缮。赫拉神庙始建于公元前700年，最初以木头建造，后逐渐修复并换成了石材。公元前5世纪，开始兴建气势宏伟的奥林匹亚宙斯神庙，神庙全以大理石建造，资金则来源于埃利斯击败了邻邦比萨之后的掠夺所得。神庙中的雕像取材于史前神话中有关奥林匹克运动会起源的诸神（宙斯、珀罗普斯和赫拉克勒斯），神庙内还有一尊高达十二米的宙斯坐像，表面镶着黄金和象牙。这尊坐像是菲狄亚斯（希腊雅典雕刻家）的作品，被誉为古代世界七大奇迹之一。罗马哲学家爱比克泰德（Epictetus）称："到奥林匹亚看过宙斯像，便会觉得，若此生不得一见，实在是莫大的不幸。"

运动会期间，人们蜂拥而至，使得生活颇为不便。爱比克泰德抱怨"到处都挤得水泄不通，你推我搡，喧闹嘈杂"，忍不住问出各种问题："能不被晒黑吗？能不被人挤来挤去吗？能不一身脏吗？能不被雨浇吗？能不忍受这吵吵嚷嚷以及这所有的不愉快吗？"尽管如此，他还是下了结论："不过，我觉得，只要一想到如此壮观的盛况、如此恢宏的气势，你会欣然忍受这一切。"

奥林匹克运动会不单给了运动员机会。赫拉神庙附近，修建了成排的金库，炫耀着（主要是）多利斯城邦的富有。至于个人，也都精心准备，不愿错失良机。画家宙克西斯（Zeuxis）身披斗篷，上面用金线绣着姓名，为自己的作品做起了广告；希罗多德站在奥林匹亚宙斯神庙西侧的柱廊下，诵读自己的《历史》（Histories）；而那位首次记下获胜者名单的哲学家——埃利斯的希庇亚斯，则趁此机会展示自己高超的辩才和精湛的金属制品制造技艺。雕塑家们也一争高下，希望赢得为获胜的运动员和战车队伍塑造雕像的委托。政客们当然不会放过运动会这一大好机会。公元前416年，雅典人亚西比德（Alcibiades）派出了七辆战车队，获得了第一、第二和第四名（据有些资料所说是第三）。之后，他自己掏钱设宴款待了所有观众。公元前338年，在喀罗尼亚获胜之后，马其顿国王腓力二世在此修建了一座圆形神庙，以纪念自己的丰功伟绩。到了公元67年，尼禄戴上了战车赛胜利者的桂冠，尽管他从战车上跌落下来，被扶上战车后也还是没能完成赛事。

奥林匹亚的财富引来了敌人的觊觎。公元267年，赫鲁利人（Heruli）来犯，公元397年又被哥特人阿拉里克洗劫。那时，奥林匹亚的大部分财富已经被西运到了罗马，就连宙斯神像也已不在此地。公元40年左右，人们就曾试图将神像移走，只是没能做到——神像发出了可怕的呻吟声，吓得工人惊慌逃窜——不过，到了公元390年，神像被拆卸并装船运到了君士坦丁堡，为那些热切想要表现上帝面容的基督圣像画家们带去了灵感。

尽管到了公元391年，一切非基督教仪式都被废止，奥林匹克运动会仍然继续举办，直到公元425年。失去了运动会，奥林匹亚便失去了一切。公元522年和公元551年的大地震毁掉了奥林匹亚的神庙。在接下来的几个世纪里，阿尔斐俄斯河几经改道，河沙淤塞严重，以至于到了18世纪，奥林匹亚圣地的具体位置已经无人知晓。直到1766年，英国文物工作者理查德·钱德勒（Richard Chandler）才又将其找到。早期的发掘工作始于1829年。1875年，由德国考古学院对其进行了细致的勘查。不过，直到2008年，露天竞技场遗址才得以重见天日。

1896年，受到古代运动会精神和英国公学风气的启迪，法国男爵德·顾拜旦（Baron de Coubertin）发起了现代奥林匹克运动会。运动会并非在奥林匹亚，而是在雅典举行。如今，奥林匹克运动会已是全球举办的盛会。在奥运会的开幕式上，身穿仿古服饰的角色在奥林匹亚赫拉神庙前点燃火炬。这一仪式并非源自古代传统，而是电影摄影师莱妮·里芬斯塔尔（Leni Riefenstahl）为了增加影片魅力而设，她的影片为1936年阿道夫·希特勒当政时举办的柏林奥运会大唱颂歌。

大事记&遗迹

公元前10世纪	有焚烧祭品的迹象。
公元前776年	相传举办了首届奥林匹克运动会。
公元前700年	兴建（木质）赫拉神庙。
公元前458年	宙斯神庙竣工。
公元前430年	宙斯神像竣工。
公元前416年	亚西比德派出七辆战车参赛。
约公元前338年	奥林匹亚圆形神庙建成。
公元67年	运动会从公元65年推迟至今，以便尼禄参赛（并获胜）。
公元267年	赫鲁利人洗劫奥林匹亚。
公元397年	哥特人攻打奥林匹亚。
公元425年？	最后一届奥林匹克运动会。
1766年	理查德·钱德勒重新发现了奥林匹亚。
1896年	男爵德·顾拜旦发起了现代奥林匹克运动会（在雅典）。

奥林匹亚地势平坦、树木茂盛、空间广阔，足以容纳成群的游客，是个宜人的好去处。进入大门之后，通往阿尔提斯（圣地）的大道经过**体操学校**（右）和**城市公共会堂**（左），接着就到了被部分修复的**奥林匹亚圆形神庙**。从这里开始，最好按照顺时针方向的路线游览，会经过（左）**赫拉神庙**和希罗德·阿提库斯的一座门廊，以及（右）**珀罗普斯的坟墓**和**宙斯祭坛**。接下来，我们来到**金库**（在左边的上坡路上），经过拱顶通道，就到达了**露天体育场**。继续沿着顺时针方向前进，路左边会经过**回声拱廊**（从希腊化时期开始，号角比赛就在此举行）。继续往前，就到了**尼禄的宅邸**，距**议事厅**不远（运动员们在此宣誓公平竞赛）。走不多远，就到了**奥林匹亚宙斯神庙**的遗址，还有一根立柱，上面曾安放着帕奥涅斯（Paionios）雕刻的胜利女神像。继续向前，道路左边便是**列奥尼达会场**（一座公元前4世纪晚期的宾馆），右边是**菲狄亚斯的工作间**，其大小和宙斯神庙的内殿一模一样，雕刻家和他的助手们在这里进行雕刻工作。后来，这里被改建成了一座教堂。在此进行发掘时，挖出了一个杯子，上面刻着"菲狄亚斯所有"。

奥林匹亚的**文物博物**馆中最精彩的展品包括**宙斯神庙中的雕塑作品**（刻有珀罗普斯、宙斯和阿波罗的三角山头）、帕奥涅斯的**胜利女神像**、一座公元前5世纪的**宙斯与伽倪墨得斯陶俑**，以及公元前490年马拉松战役之后，米太亚德（Miltiades）献做祭品的**头盔**，和罗马时期用大理石复制的普拉克西特列斯（Praxiteles）所塑青铜像《**赫尔墨斯**》。

第十章

底比斯：狄奥尼索斯、俄狄浦斯和
赫拉克勒斯之城

　　拂晓的日光，如此明媚，拥有七座城门的底比斯沐浴其中，辉煌壮丽！金色的黎明，金色的曙光，金色的太阳，照耀在狄耳刻（Dirce）的溪流上——在你的注视下，阿尔戈斯的军队落荒而逃，他们的白色盾牌、盔甲和缰绳熠熠闪亮！胜利女神向着的底比斯和她的战车微笑，与我们同庆胜利。既然战事已毕，就让我们将其抛诸脑后！让我们到各个神庙歌舞通宵！看，狄奥尼索斯载歌载舞，他心醉神迷，踏响了底比斯的大地，愿他成为我们的领袖！

　　　　索福克勒斯，《安提戈涅》（*Antigone*），100-109，147-154

来底比斯观光，即使没有太高的期待，你也可能会大失所望。那座曾经不可一世的古城，几乎没留下什么遗迹。正相反，原本屹立着殿宇楼阁的陡峭山脊上，只有一个不起眼的农业小镇，显得土里土气。房子白墙橙瓦，只是瓦上积了尘土，墙壁也脱落斑驳，就这样一直延伸到溪谷，形成了蔓延交错的市区。其间狭窄单向的街巷，错综复杂，令人望而生畏。

不过，偶尔你也可能会交上好运，与掩藏在某个角落里的历史不期而遇——譬如，蔓草下掩着一块地基，原本是古代的一扇大门；几块残垣断壁，曾是一座青铜时代的宫殿；或是密密匝匝的屋舍上面，树木茂盛的高地，掩映着阿波罗·伊斯墨诺斯（Apollo Ismenus）神庙的遗迹。爬上山冈，站到松林之间，暖阳透过枝叶洒在身上，树脂的清香沁人心脾。在当下的熙攘喧闹之中，这古老的宁静，依旧令人沉醉。

狄奥尼索斯的诞生

富有神话色彩的底比斯是狄奥尼索斯的第一座也是最重要的一座城市，因为狄奥尼索斯就诞生在这儿，尽管无论是孕育还是生产都困难重重。

公主塞默勒（Princess Semele）在阿索波斯河（River Asopos）宽衣沐浴，要洗去从献祭的牛身上溅来的血迹，宙斯偷看到她赤身裸体、楚楚动人，色心又起。他意欲勾引公主，化身成了一个英俊的年轻人，很快他就成了塞默勒的榻上常客。虽然总是偷偷摸摸，但还是被妻子赫拉发现。赫拉便开始了复仇。

赫拉也是个乔装打扮的高手，她装扮成一位老妇人，取得了塞默勒的信任。等到塞默勒和她谈及情人时，她故作怀疑：塞默勒知道这个年轻人是谁吗？他有没有跟塞默勒说过自己的什么事情？也该了解了解他——何况塞默勒已经怀上了他的孩子。于是，当天晚上，塞默勒缠着自己热切的情人，非要他照她说的做。宙斯天真地一口答应下来，不过等到塞默勒要求他显露真身的时候，宙斯惊恐万分。因为宙斯的真身就是那炽热的闪电，被他劈中必死无疑。可他已经许下了诺言。

塞默勒楚楚动人、无与伦比，宙斯最后看了一眼，便炸成了一道硫火，瞬间吞噬了整间屋子。不过，就在塞默勒化为青烟前的那一刹那，宙斯将手猛然伸进她的子宫，救出了她腹中的孩子。接着，宙斯切开了自己的大腿，将胎儿塞了进去，直到足月才生出来。这个儿子就是狄奥尼索斯（后来狄奥尼索斯从哈得斯那里将塞默勒救了回来，将她送至奥林匹斯山上）。保萨尼阿斯游历至底比斯，便去看了塞默勒曾住过的房子。因为太过神圣，所以没人进去过。

小狄奥尼索斯头戴常春藤花冠从宙斯的大腿中出生，一位女神（可能是赫拉）正要将他接过来（公元前5世纪末到公元前4世纪初，雅典大酒杯上的红色人像作品）。

狄奥尼索斯从底比斯流亡

尽管狄奥尼索斯是由枯瑞忒斯在克里特岛［他在岛上被称为扎格柔斯（Zagreus）］抚养长大，但赫拉命令提坦用玩具和摇铃引诱了宙斯的爱子，将其肢体撕扯尽断，炖在锅中，然后吃掉。提坦们心狠手辣，残忍地一一照办。只是不知怎的，那颗依然跳动的心脏留了下来。宙斯以牙还牙，一通电闪雷鸣，击溃了提坦诸神，而雅典娜则救回了那颗心，将它塞进了一个石膏娃娃，让狄奥尼索斯重获新生，获得了"两生"的称号（另有人说，扎格柔斯是位旧神，也曾粉身碎骨，塞默勒怀上狄奥尼索斯不久，宙斯就把扎格柔斯幸存的心脏放进了还是胎儿的狄奥尼索斯体内）。接下来，狄奥尼索斯便由仙女们在多岩石的尼斯山丘（Nysa）抚养长大。这是一座难以捉摸的山，被亚非人民视为己有，Nysa加上前缀Dios（意为"宙斯的"），或许就是狄奥尼索斯这个名字的由来。

和阿波罗一样，狄奥尼索斯也能附身，也会预言，不过他秉性阴郁、粗俗。他的力量源于奔放涌动的天性，通过酒、药或是戏剧来扭曲感知，从而让他狂热的信徒（和敌人）以他们无法想象的方式行事。葡萄和美酒属于他。狄奥尼索斯为神之初（或许是受不了赫拉的骚扰），一路东行，远至印度，广辟葡萄园，将葡萄栽培的技术传授给人类。他的身旁，几乎总有蒂亚苏斯（thiasos）的陪伴，那是一群狂欢者：萨堤尔（半人半羊）、赛利纳斯（silenoi，半人半马）、仙女、迈那得斯（maenad，狄奥尼索斯的女随从）和一众女人，而一旦被他附体，这些人就变得穷凶极恶、无所不为。他们在狂热之中，开始了撕牲的仪式，将祭品的肢体活活撕裂。

有时，人类也会成为狄奥尼索斯的牺牲品。在色雷斯，他让心怀敌意的国王莱克格斯发了疯，误把儿子认作葡萄树，砍下了他的手和脚。众神受惊，降下了饥荒和莱克格斯的死亡。国王在山坡上被吃人的马撕成了碎片。

狄奥尼索斯对底比斯的怒火

狄奥尼索斯最后回到了底比斯，却发现尽管有些人对他欣然拥护，他的表兄——国王彭透斯（Pentheus）却决意要禁止对他的崇拜。狄奥尼索斯让全底比斯的女人都发了疯，让她们在西塞隆山（Mount Cithaeron）附近徘徊，成了狄奥尼索斯的追随者。与此同时，他故意让自己被抓，随后轻松脱身，催眠了彭透斯，让神志不清的他去偷窥迈那得斯。等到彭透斯爬上高高的树梢，那些女人［包括他的母亲阿加弗（Agavë）和两位姨妈——伊诺（Ino）和奥托诺厄（Autonoë）］看到了他，把他误认为动物并发动了攻击。欧里庇得斯在《酒神的女信徒们》中的描绘令人毛骨悚然：

> 她们全都伸出手去，酒神的众信女们，将松树连根推倒。他爬得那么高，摔得那么远，他的尖叫似乎永远不会停止。接下来便是杀戮之仪。他的母亲走上前来，意欲杀他，彭透斯扯下了束发的丝带，想要让母亲认出自己，好能饶过他的性命。他尖叫着，满心恐慌地伸出手去摸索母亲的双颊。……然而阿加弗的口中吐出了白沫。她的双眼迷离不定，理智荡然无存。她已经被附了体，任凭他厉声尖叫，她也充耳不闻。她一只脚重重地踩在彭透斯的胸口，抓住了他的左手肘……猛地瓣下了他的手臂。她绝不可能有如此大的力气，是附体的神给了她如此的伟力。然后，伊诺蹲伏下来，凑近了他，撕扯他身上的肉。奥托诺厄也来了，这群女信徒一拥而上，仿佛嗜血的巨兽，凶残狂暴，将他生生撕成了碎片。一时哗声惊天，震耳欲聋：彭透斯的惨叫不休不止，直至所有的呼号尖叫都止住了，酒神的女信徒们胜利地咆哮。

身披豹皮，酒神的女信徒将一位男性受害者撕成碎片——
或许就是彭透斯［酒碗上的红色人物画像，据说是多里斯
（Douris）所绘，约公元前480年］。

在父亲卡德摩斯的抚慰之下，阿加弗才恢复了理智。然而狄奥尼索斯的
怒火还没有平息。他将卡德摩斯逐出底比斯，将其流放在外，最后还把卡德
摩斯和他的妻子变成了蛇，让卡德摩斯这位亲手修建了底比斯城的伟大英雄
落得如此屈辱的下场。

卡德摩斯和种出来的战士

卡德摩斯是欧罗巴（Europa）的哥哥。宙斯化身为牛，驮着欧罗巴去
了克里特岛，生下了米诺斯（Minos），克诺索斯之王。牛在卡德摩斯的一
生中也起了重要的作用。为了寻找欧罗巴，卡德摩斯去了德尔斐请示神谕。
神谕告诉他不要再找欧罗巴了，去找一头身体两侧长着月牙印记的牛，在它
精疲力竭、倒地不起的地方，建一座城。

那头牛倒在了底比斯。满心欢喜的卡德摩斯将它献给了雅典娜。然后他
便派自己的随从去取水。然而，当地的泉水有龙看守，一阵厮杀之后，卡德
摩斯的手下死伤无数，不过卡德摩斯终于杀死了巨龙。在他还惊魂未定之际，

雅典娜现身了，命令他敲下龙的牙齿，并像播种一样将龙牙撒在大地上。他听从了雅典娜的命令。刹那间，从地下长出了全副武装的战士。不过，这些种出来的战士［地生人（*Spartoi*）］嗜杀成性，一生出来就互相残杀，最终只剩下了五个。他们宣誓效忠卡德摩斯，并帮他建起了护卫底比斯的高墙，号称卡德米亚堡垒。底比斯历史上，很多人都自称是这些战士的后代。

众神喜爱卡德摩斯，他娶了阿瑞斯与阿佛洛狄忒之女哈耳摩尼亚为妻。他们的婚礼在底比斯举办，众神都前来观礼，为新娘带来了丰厚的礼物。不过，卡德摩斯却不喜欢做国王，后来把王位传给了他的孙子彭透斯——结果，正如我们所知，如此不幸。

宙斯、安菲翁和七门之城

过了几代人之后，卫城之下的镇子才竖起了城墙。一位当地的河流女神安提俄珀被（化身为萨堤尔的）宙斯引诱（在宙斯的诸多化身之中，这是最不文雅的一种），生下了一对双胞胎。她的叔父、凶残的吕科斯（Lycus）发现之后，在西塞隆山将此事公之于众，并让他的妻子狄耳刻决定如何惩罚安提俄珀。最后，安提俄珀逃了出去，逃进了山，狄耳刻紧追不放。安提俄珀在山里遇到了两位高大的牧牛人，起先两位牧牛人不愿帮她。就在千钧一发之际，他们身边的老人道出了实情：这两位牧牛人便是安提俄珀丢失已久的儿子——安菲翁（Amphion）和仄忒斯（Zethus），老人一直将他们视同己出，抚养至今。听了老人的话，兄弟俩救下了安提俄珀，将狄耳刻的头发绑在一头横冲直撞的牛的角上。狄耳刻没能幸存下来。她残破的身体落下的地方涌出了一股泉水，至今仍以她为名。

报仇心切，兄弟俩杀掉了吕科斯，这位代替卡德摩斯的重孙拉伊俄斯（Laius）摄政的国王。拉伊俄斯逃亡在外时，兄弟俩加固了底比斯的防御城墙。仄忒斯徒手搬来巨石，安菲翁的方法则要轻松不少。他弹奏里拉琴的技艺如此精湛，就连岩石也为之所动，它们心甘情愿地移动到城墙下，各就各位，严丝合缝。不久，堤垒造就，城垛修毕，坚固的城墙之间修建了由七座塔楼戍卫的城门。

后来，安菲翁的妻子尼俄柏吹嘘自己生的孩子比女神勒托还多，阿波罗和阿耳忒弥斯便将他们的孩子杀光。有人说，安菲翁万分悲痛，自杀身亡。然而，据罗马人希吉努斯（Hyginus）说，安菲翁怒目圆睁，跑去德尔斐，破坏阿波罗的神庙，被阿波罗所杀。仄忒斯同样不幸。他的独生子死去之后——可能是出于意外，或许是他的母亲所致——他也结束了自己的生命。直到公元2世纪，埋葬安菲翁和仄忒斯遗体的坟墓还被人小心守护，人们认为这些泥土带有魔力。

拉伊俄斯和神谕

安菲翁和仄忒斯已死，拉伊俄斯便回到了底比斯，坐上了属于他的王座。他并非友善之人。据后来的资料显示，在埃利斯流亡期间，他绑架并强奸了国王珀罗普斯的儿子克律西波斯（Chrysippus），这是希腊神话记载的人类首起同性强奸案件。众神不仅惩罚他受苦受难，还包括他的子孙后代。

拉伊俄斯和妻子伊俄卡斯忒（Jocasta）无子无女，所以国王去了附近的德尔斐，去问一问如何是好。神谕令人毛骨悚然。祭司说，眼下无子无女倒是最好，因为拉伊俄斯所生之子命中注定会杀父娶母。从德尔斐回来之后，拉伊俄斯明智地避免与伊俄卡斯忒亲近，然而沮丧的伊俄卡斯忒灌醉了拉伊俄斯，与他强行发生了关系。直到确认她怀孕之后，拉伊俄斯才告诉了她神谕所示。孩子出生之后，他们试图骗过命运女神，便用钉子钉穿婴儿的脚踝，让仆人把孩子丢进西塞隆山中等死。不过，这个婴儿活了下来。出于同情，这个仆人把孩子交给了一位好心的科林斯牧羊人。牧羊人收养了他，治好了他脚上的伤。凛冬将至，牧羊人赶着羊群回到了科林斯，将婴儿送给了国王波吕波斯（Polybus）和王后墨洛珀［Merope，另一种说法是珀里玻亚（Periboea）］。两人因为膝下无子，便收养了他，并因他脚踝受伤，所以为他取名俄狄浦斯（"肿脚"）。

俄狄浦斯一直以为波吕波斯和墨洛珀是自己的亲生父母，不过待他长大成人之后，宴会上一位醉醺醺的客人讥笑他，说他是个野种，不是波吕波斯的儿子。尽管波吕波斯再三保证，生性好奇的俄狄浦斯还是动身出发，要探明真相，去询问一切知识的源头——德尔斐神谕。女祭司并未言明真相，而是告诉了他一条噩耗：他命中注定要杀父娶母。

俄狄浦斯下定决心，再也不要回到自己深爱的科林斯。他转向东行，翻山越岭，直到途径一处岔路口。在索福克勒斯的《俄狄浦斯王》剧中，俄狄浦斯讲述了当他犹豫不决、不知该走哪条路时，一辆骡车从底比斯方向的路上向他飞驰而来。骡车上坐着一位忧心忡忡的老者，待到他们靠近之后：

> 车外前排的人和那位老者都强迫我离开马路。车夫对我推推搡搡，盛怒之下，我挥拳打去。那位老者看到了我，从我身边经过时，瞅准机会，从车上用他分叉的刺棒朝我脸上抽了下来。我以牙还牙，不对！我加倍奉还！我毫不迟疑。我一棍子打在他的后背上，将他打翻在地。然后，我把他们都杀了。

那位老者就是拉伊俄斯。预言的第一部分就这样成真了。不过，俄狄浦斯犯了个大错：还有一位幸存者。

俄狄浦斯和斯芬克斯之谜

俄狄浦斯发现底比斯一片混乱。作为众神惩罚的一部分，这片土地正遭受着斯芬克斯（"扼杀者"）的侵扰。斯芬克斯长着狮子的身体、鹰的翅膀，以及美女的头和乳房。坐在菲迦山（Mount Phaga）里高高的峭壁之上（另有一说，是坐在一根石柱之上），斯芬克斯向过往的行人发问，让他们猜一道谜语。如果他们猜不对——他们从未猜对过——她就猛扑下来，将他们扼杀，再生生吃掉。

俄狄浦斯向她走来，斯芬克斯便问："什么动物走起路来，早晨是四条腿，中午是两条腿，傍晚是三条腿？"足智多谋的俄狄浦斯不假思索地说出了正确答案："人。"人生之晨，尚为婴儿，匍匐爬行，手脚并用；等到长大成人，便直立行走；待到年老之时，需用拐杖扶持。气急败坏的斯芬克斯坠崖而死。

保萨尼阿斯讲述了这则神话在当地流传的另一个版本。据说，斯芬克斯是拉伊俄斯的（人类）女儿。只有她和底比斯王位的真正继承者才知道卡德摩斯的秘密，知道当年祭司让他寻找体侧长着月牙印记的牛的事情。如果有人想要坐上王位，斯芬克斯便会让他证明自己的合法地位，要他说出秘密。但凡说不出来的人，一律杀死。俄狄浦斯说出了这个秘密，因为他在梦中获悉了事实真相。

底比斯人把俄狄浦斯当作救世主，因为旧王已死，便拥立他为新王，让他娶了拉伊俄斯的遗孀——王后伊俄卡斯忒。两人生下了四个孩子：两个儿子厄忒俄克勒斯（Eteocles）和波吕尼刻斯（Polyneices），以及两个女儿安提戈涅（Antigone）和伊斯梅内（Ismene）。底比斯日益富饶强大。然而，一场灾难突如其来。在《俄狄浦斯王》中，一位祭司汇报：

> 土地颗粒无收，苞谷未熟即烂，牧场上牛羊饥饿而死。妇女们经历了痛苦的分娩过程，却只产下死胎。如今，热病之神带来了一切瘟疫之中最致死的一种作为惩罚，降临到了我们的城邦。就这样底比斯城人口锐减，而那黑色的殿宇、哈得斯的冥府之中，恸哭和哀号之声越来越响。

俄狄浦斯派人去德尔斐寻求解救的办法，得到的答复是："找出杀死拉伊俄斯的凶手。"俄狄浦斯立即展开调查，浑然不知自己正是凶手。他传来了拉伊俄斯遇害时唯一的幸存者，听取他的证词。索福克勒斯写道：调查被科林斯赶来的信使打断，信使带来了噩耗：国王波吕波斯已死。一时之间，俄狄浦斯感到无比的宽慰——波吕波斯（他仍相信）是他的父亲，神谕说他会杀父，而波吕波斯死于自然原因。那么，神谕所说，自然相信不得！

然而，这位信使原来就是当年救下婴儿俄狄浦斯，并将他带到科林斯的那位牧羊人；而拉伊俄斯随从中唯一的幸存者，恰是当年负责丢弃婴儿的仆人。他们的证词让可怕的事实浮出了水面。伊俄卡斯忒发现她和俄狄浦斯犯下了人类所不容的禁忌，惊恐万分，悬梁自尽。看到死去的伊俄卡斯忒，俄狄浦斯：

> 从她的衣服上取下了黄金饰针，高高举起，狠狠地扎进了自己的双眼……就这样他接连刺向了自己的双眼。每一次，从他的眼珠里都迸出鲜血，吞没了他的脸颊，不是血点，不是缓缓滴下——不！是喷发，无法抑制的黑血如洪水喷涌而出，滚滚流下。

在《俄狄浦斯在科罗诺》(*Oedipus at Colonus*)中，索福克勒斯讲述了俄狄浦斯自我放逐之后，一直流浪到了雅典城外复仇三女神的树林。忒修斯友好地接待了他。就在这儿，他走向了神秘的死亡，据说是在科罗诺被大地所吞没。在古代，科罗诺一直将俄狄浦斯作为英雄崇拜。

尽管俄狄浦斯自我惩罚的故事广为流传，但这或许只是索福克勒斯的杜撰。荷马讲述了不同的故事。在《奥德赛》中，"美貌的埃皮卡斯特"(Epicasta，荷马这么称伊俄卡斯忒)在不明真相的情况下嫁给了自己的儿子，等到众神"很快便公之于众"后，悬梁自缢；在《伊利亚特》中，俄狄浦斯并未刺瞎双眼自我流放，而是继续统治下去，直至在底比斯遭受攻击时，勇敢地战死沙场。为了向他表示敬意，人们为他举办了盛大的葬礼运动会。索福克勒斯之所以对神话进行修改，是为了对比目明时，他对真相的视而不见，而目盲之后却能洞悉事实。从这一点来说，底比斯还有一位令人难忘的神话人物，恰和俄狄浦斯互为对照，那就是预言家提瑞西阿斯(Teiresias)。

提瑞西阿斯

提瑞西阿斯早年的经历都发生在阿卡狄亚的库勒涅山。一日，他被两条交媾的蛇绊了一跤，于是用手杖去打，这惹恼了赫拉，把他变成了女人。过了七年淫乱的生活后，提瑞西阿斯又遇见了两条蛇，也似那样纠缠在一起，又举杖就打，这回宙斯把他变回了男人。后来，宙斯与赫拉争辩是男人还是女人更为享受性爱之乐。宙斯提议去问一问提瑞西阿斯。他的回答——女人之乐九倍于男人——激怒了赫拉，于是把他变成了盲人。作为补偿，宙斯让他活了七代人之久，并给了他预言的能力。

关于提瑞西阿斯如何变成了盲人，还有其他的说法：或是因为泄漏了太多不该说的，遭到了神明的报复；或是因为雅典娜的怒火，那时他还不能预言未来，误打误撞看到了雅典娜洗浴时赤身裸体的样子。雅典娜后来可怜他，便让自己的蛇儿子厄里克托尼俄斯（Erichthonius）舔了舔他的眼皮，赋予了他预言的能力。还有另外一种说法，说是阿佛洛狄忒把提瑞西阿斯变成了一位老妇人，因为在一场选美竞赛中，他没把第一名颁给这位女神。

提瑞西阿斯最早出现在《奥德赛》中，那是奥德修斯下至冥府向他的灵魂咨询。不过，他的故事大多还是和底比斯神话紧密联系在一起。在历史上，卡德美亚山（Cadmeian Hill）上就建有提瑞西阿斯的"观测台"，据说他在此倾听鸟儿啁啾便可推测未来。而在靠近哈利拉图斯城（Haliartus）的地方，有一口泉水，据说提瑞西阿斯喝了一口这儿的水，便死去了。在希腊悲剧中，提瑞西阿斯经常警告误入歧途的英雄，提醒他们犯下的错误，不管是《酒神的女信徒们》中的彭透斯，还是《俄狄浦斯王》中的俄狄浦斯，又或是《安提戈涅》中的克瑞翁（Creon）。

安提戈涅和十四将攻打底比斯

厄忒俄克勒斯和波吕尼刻斯这对兄弟，因为任由他们的父亲受苦而遭到了俄狄浦斯的诅咒，结果在争斗中双双丧生。克瑞翁就是在这场风波中接过了惨淡的统治。两兄弟最初还同意轮流执掌底比斯，但轮到波吕尼刻斯接手政权的时候，厄忒俄克勒斯却不愿交出手中的王位。一怒之下，波吕尼刻斯到阿尔戈斯寻求庇护，娶了国王阿德拉斯托斯（Adrastus）之女，并说服岳父，协助他夺回他应得的王位。

率同另外六位大将，波吕尼刻斯进军攻打底比斯。就在底比斯城即将沦陷之际，提瑞西阿斯突然宣称只要有王室成员愿意献出生命，众神就会拯救底比斯。克瑞翁的儿子墨诺叩斯（Menoeceus）献出了自己的生命，顷刻之间，底比斯的命运改变了。攻城的大将之一卡帕纽斯（Capaneus）正要爬上底比斯的墙头，却被宙斯一个霹雳击中。最后，双方死伤无数，波吕尼刻斯和厄忒俄克勒斯定下了一对一的决斗。在这场殊死决斗中，两人都痛下杀手，结果兄弟俩双双战死，前来进攻的军队掉头逃窜。底比斯城获救，但一切并未平息。

克瑞翁执掌了政权之后，贯彻了侄子厄忒俄克勒斯早先的意愿，不许安葬死去的敌人——这是对众神不成文律法的公然抗拒。不顾亲妹妹伊斯梅内的反对，安提戈涅违抗了这道法令，她或许是将哥哥波吕尼刻斯的尸首拖到了火葬厄忒俄克勒斯的柴堆旁，另堆了一处，将其焚化；或许就是用足够多的土埋葬了哥哥的尸首，以解脱他的灵魂。据索福克勒斯的版本所说，克瑞翁随后下令将安提戈涅关进洞穴等死。然而他的儿子海蒙（Haemon，安提戈涅的未婚夫）不能容忍如此野蛮的行径，前去搭救安提戈涅。没过多久，克瑞翁——在提瑞西阿斯指出了他的错误之后——也赶去了山洞。可惜安提戈涅已经自缢身亡，海蒙看到克瑞翁，拔剑便刺，但是未能刺中。接着，海蒙掉转剑头，刺向了自己。等到克瑞翁得知自己的妻子欧律狄刻也自缢而亡之后，他一定希望底比斯的伤心事就此终结。然而，却事与愿违。

不久之后，忒修斯对克瑞翁的渎神行径感到愤怒，从雅典率军压城，底比斯人不得不允许安葬死去的进攻者。更糟糕的还在后面。过了一代之后，七位将军的儿子们又发起了对底比斯的进攻。提瑞西阿斯知道这些所谓的"后辈英雄"注定会取得胜利，便建议底比斯人趁着夜色弃城而逃。第二天一早，入侵者破城而入，将城中的屋舍洗劫一空，把底比斯夷为平地。

如今，爱看戏的人对安提戈涅的故事都耳熟能详，不过大部分的剧情都是索福克勒斯杜撰出来的。在这个故事更早的版本中，安提戈涅安葬了波吕尼刻斯。克瑞翁命令海蒙去杀死安提戈涅，以此来考验他的忠诚。海蒙假装执行了命令，其实是把安提戈涅交给了牧羊人，请他们小心保护。后来，他们的儿子回到底比斯参加运动会。克瑞翁看到了他身上的胎记，认出了他的身份，不顾赫拉克勒斯的求情，发誓要惩罚海蒙。谁料，海蒙杀掉了安提戈涅，自己也自杀了。克瑞翁后来把自己的女儿墨伽拉（Megara）嫁给了赫拉克勒斯。

赫拉克勒斯的诞生和疯狂

赫拉克勒斯也生于底比斯。他的母亲阿尔克墨涅（Alcmene）是迈锡尼的一位公主，她的丈夫安菲特律翁（Amphitryon）失手误杀了自己的岳父，两人便一同逃到了这里。来到底比斯不久，宙斯就趁安菲特律翁出征在外，夜访阿尔克墨涅——这个夜晚可非同寻常。为了延长他的享乐，宙斯一边伪装成安菲特律翁的模样，一边说服了太阳神赫利俄斯三天之后再升起，又说服了月亮女神塞勒涅在天上多停留一段时间。直到真正的安菲特律翁回来之后，阿尔克墨涅才识破宙斯的诡计。

一如既往，赫拉对宙斯的不忠非常生气，尤其是当阿尔克墨涅分娩之时，宙斯宣布当天所生之子，凡有迈锡尼王室血统者，必将统治她的专属领地——阿戈里德（Argolid）。宙斯笑得太早。赫拉可不傻，连忙先去梯林斯，让斯忒涅洛斯（Sthenelus）的儿子欧律斯透斯（Eurystheus）顺利早产。接着又去了底比斯，拖延了阿尔克墨涅的生产，直至入夜。最后，阿尔克墨涅生下了一对双胞胎。一个叫伊菲克勒斯（Iphicles），是安菲特律翁的儿子；另一个就是宙斯的儿子，他的名字要么是为了嘲笑，要么是为了平息女神的怒火，叫作赫拉克勒斯（"赫拉的名誉"）。

家人在一旁注视，他的妻子墨伽拉无助地
站在门后，发了狂的赫拉克勒斯正要把自
己的一个孩子摔到地上（公元前4世纪中
叶，意大利南部出土的酒碗）。

宙斯的计划落空，不过，他还是想方设法占了赫拉的便宜。赫拉经过底比斯的时候，他设法让阿尔克墨涅把小赫拉克勒斯独自留在了外面。赫拉被他的哭声吸引了过去，不知是谁家的孩子，还以为被遗弃了，慈母般的赫拉便抱起孩子，为他哺乳。不过赫拉克勒斯喝奶喝得太猛了，于是赫拉把赫拉克勒斯拽了下来，她的乳汁喷上了天穹，化作了银河。等到她认出赫拉克勒斯时，已经为时过晚，她的乳汁给了赫拉克勒斯永恒的生命。

　　尽管如此，赫拉还是一直设法迫害赫拉克勒斯。在他还是个婴儿的时候，赫拉派了两条大蛇钻进他的房间。伊菲克勒斯吓得厉声尖叫，惊醒了父母，他们冲进来时——却发现赫拉克勒斯已经若无其事地把两条大蛇掐死了——就用他那双力大无比的小手。长大成人后，赫拉克勒斯英勇地与毗邻的奥尔霍迈诺斯（Orchomenos）作战，赢得了底比斯国王克瑞翁的感激，并与国王的女儿墨伽拉携手步入了婚姻的殿堂。不久他们就自豪地生下了一群王储。

　　然而赫拉的怒火尚未平息，她让赫拉克勒斯一时发了疯。他错把自己的儿子和他哥哥伊菲克勒斯的儿子当成了自己的敌人——梯林斯的欧律斯透斯的儿子，开始残杀。欧里庇得斯在《疯狂的赫拉克勒斯》（*The Madness of Heracles*，剧中——赫拉克勒斯发疯的时间更晚）中描绘了这一惨剧：

　　　　他追着一个孩子，围着柱子疯狂地追赶，等到没有什么挡在中间了，便一箭射穿了孩子的心脏。男孩往后栽倒在地，鲜血喷洒在石柱上，他的生命也逐渐流失……然后，赫拉克勒斯又瞄准了自己的另一个孩子，男孩蹲在祭坛的后面，躲了起来。赫拉克勒斯满弓待发，可怜的孩子扑到了他的面前，苦苦哀求："我最亲爱的父亲，求求你！不要杀我！我不是欧律斯透斯的孩子，是你的孩子啊！"但赫拉克勒斯脸色阴沉，仿佛戈耳工（Gorgon）……棍子打下去，砸中了孩子漂亮的头颅，砸碎了头骨，好似铁匠锻铁一般。接着，他转身向自己的第三个儿子走去。没等他靠近，墨伽拉拉起孩子跑出了门外，紧紧关上了身后的大门。当时的赫拉克勒斯坚信自己正站在独眼巨人修建的（梯林斯）高墙之内。他砸倒了扭曲的大门，拉断了门柱和门梁，一箭射死了自己的妻儿。

　　最后，赫拉克勒斯恢复了理智。尽管通过仪式他涤清了所犯下的罪行，他还是要为家人的死付出代价。作为惩罚，他被送到了梯林斯，去侍奉欧律斯透斯，完成十二件苦差。

那喀索斯

　　底比斯附近还有一则带来死亡的爱情故事，赫拉也牵扯在内。听说宙斯在西塞隆山与仙女厮混，赫拉动身前来，要当面揭穿他的丑行。不过每逢她来到这座山，总会被喋喋不休的年轻女神厄科（Echo）纠缠不止。最后，赫拉实在对厄科的多嘴多舌忍无可忍，诅咒了这位可怜的女神，让她有口不能言，只能重复别人口中说出的最后几个字。

　　一天，厄科爱上了那喀索斯，一个冷酷无情却又美貌英俊的年轻猎手。那喀索斯在山间迷了路。为了能回家，他请厄科为他指路。可惜厄科口不能言，只会重复那喀索斯的话，二人越来越灰心丧气。那喀索斯气急败坏地赶走了厄科，瘫坐在一处水塘旁。不过，当他看向如镜的水面时，他发现有一张俊美无情的脸也在注视着他，那是他所见过的最美的脸庞。不过，无论何时，只要他伸手去摸，这张脸就立刻化成了碎片，然后又慢慢复原。那喀索斯看入了迷，连眼睛都无法从自己的倒影上移开，日复一日，就这样死去了。他躺过的地方长出了一株花，直至今日，还被叫作索斯（水仙）。至于

在塞浦路斯帕福斯的一幅罗马马赛克镶嵌画上，
那喀索斯在一处水塘边，痴情地凝视着自己的
倒影。

厄科，她也日渐憔悴，直至如今，只剩下了她的声音。

另一种说法是，潘神对厄科一直垂涎欲滴，嫉妒她甜美如乐的嗓音。厄科拒绝了他的挑逗，结果潘神就扯下了她的四肢。尽管厄科的身体被扯碎了，但她还能放声歌唱，听到什么声音就重复什么声音。就算到了今天，一听到厄科的声音，潘神还是会直冲上前，欲求找到她。

保萨尼阿斯不假思索地拒绝接受那喀索斯的传说。他描述了一个在底比斯附近的池塘，与死去的主人公同名。他解释说，那喀索斯有一位双胞胎妹妹。他们彼此深爱，穿着同样的衣服，梳着同样的发式，各个方面都完全相同。妹妹不幸死去，那喀索斯便沉迷于自己水中的倒影，因为这让他想起自己的妹妹。毕竟，保萨尼阿斯一语道出了神话之中违背逻辑之处："一个到了可以恋爱年纪的成年人，竟然分辨不出真人和倒影，真是何其荒谬！"

底比斯的前世今生

因为历史的原因，难以编写一份底比斯的考古记录。首先，古城之上建有新城，难以开展挖掘工作；其次，众所周知，神话也好，历史也罢，底比斯城不止一次被夷为平地。我们对于底比斯的了解，大多来自文学作品和偶然的幸运发现。

在青铜时代，底比斯是希腊大陆十分重要的城市之一，在卡德美亚山的西南侧，还有幸存下来的宫殿遗迹。考古学揭示了底比斯与当地市镇，如邻近的奥尔霍迈诺斯（同为富庶的中枢城市），以及克里特、埃及和小亚细亚西海岸的米利都（Miletus）有贸易往来和城邦之间的交往。与其他迈锡尼遗址一样，在公元前1200年的世纪之交，底比斯被蓄意摧毁了。

到了公元前6世纪，发达的农业带来了富庶，底比斯在维奥蒂亚地区（Boeotia）日益强大，引发了与毗邻的阿提卡地区之间的一连串矛盾，最先的冲突发生在交界处的普拉塔亚（Plataea）。遵循了"敌人的敌人就是朋友"这一原则，底比斯在波希战争中与波斯联手对抗雅典，希腊人获胜后，底比斯备受谴责。后来，到了公元前5世纪，底比斯再次与雅典的敌人结盟，这一次是斯巴达人。在伯罗奔尼撒战争中，首先采取的军事行动之一，就包括了底比斯围困普拉塔亚。尽管如此，公元前403年，底比斯还是慷慨地帮助雅典推翻了斯巴达人在战争末期强加于雅典的三十个暴君。

到了公元前4世纪，底比斯进入全盛时期——在公元前382年斯巴达敌军占领之后——政治家佩洛皮达斯（Pelopidas）和将军伊巴密浓达（Epaminondas）将底比斯打造成了希腊舞台上令人望而生畏的角色。公元前371年，伊巴密浓达凭借留克特拉（Leuctra）战役击败了斯巴达人，改变了伯罗奔尼撒半岛以及整个希腊的力量平衡，也为他赢得了"希腊解救者"

的美名。不过，公元前362年，在曼提尼亚（Mantinea）战役中，伊巴密浓达战死，标志着底比斯短暂的黄金时代的终结。

公元前338年，喀罗尼亚战役中，底比斯军队与其盟军（这一次雅典也在其内）被马其顿击败。底比斯久负盛名的圣团——一支全部由同性恋人组成的兵团，被屠杀殆尽，只剩一人。他们被葬在了一处公墓中——至今，公墓中的狮像纪念碑依然守卫着通往喀罗尼亚的道路。两年后，底比斯人误以为亚历山大大帝已死，武装反抗马其顿的统治。亚历山大对其进行了残酷的镇压。他将整座城市夷为平地，只留下了神庙和公元前5世纪底比斯最著名的才子品达的房子。

公元前316年，亚历山大的继承者——卡桑德将军（Cassander）重建了底比斯。又过了几十年，旅行家赫拉克利德斯（Heracleides）对它的描述是："富丽堂皇，水利方便，全希腊的城里，数它的花园最多。"然而，它也因为不守法纪而恶名昭著——底比斯的男人动不动就大打出手，一点小事就会杀人行凶。至于女人：

> 整个希腊，数她们最高挑、最漂亮、最优雅。她们戴着面纱，只露出双眼，个个穿白裙，踏紫履，炫耀着她们的双脚。她们把金发挽成顶髻，她们的嗓音令人陶醉——和那些男人可不一样，他们的声音粗哑又低沉。

公元前146年，罗马人吞并希腊之后，底比斯与本都的米特拉达梯结盟，遭到了罗马统帅苏拉的残酷打击。公元前86年，他洗劫了底比斯，重新规划了土地。从此，底比斯一蹶不振。等到保萨尼阿斯来此一游的时候，底比斯不比一个村子大多少。到了12世纪，因为丝织业发达，底比斯迎来了短暂的复苏。不过，生产中心移至西西里之后，底比斯再次陷入了衰落之中。尽管缺乏动人之处，现代的底比斯，相对来说总算回到了蒸蒸日上的正轨之上。

大事记&遗址

约公元前1300年　　底比斯盛极一时。

约公元前1200年　　底比斯毁于大火。

公元前480年　　底比斯人不情愿地与波斯人在温泉关作战。

公元前479年　　底比斯与波斯人在普拉塔亚并肩作战。

公元前457年　　底比斯与斯巴达人结盟。

公元前431年　　底比斯围攻普拉塔亚，引发了伯罗奔尼撒战争。

公元前403年　　底比斯帮助雅典人推翻了三十个暴君，恢复了民主。

公元前371年　　伊巴密浓达在留克特拉战胜了斯巴达人。

公元前362年　　伊巴密浓达在曼提尼亚阵亡。

公元前338年　　底比斯圣团在喀罗尼亚覆灭。

公元前336年　　亚历山大大帝将底比斯夷为平地。

公元前316年　　卡桑德重建底比斯。

公元前86年　　苏拉洗劫与米特拉达梯结盟的底比斯。

公元2世纪　　保萨尼阿斯发现，底比斯不比一个村子大多少。

1146年　　底比斯被诺曼人洗劫。

12世纪　　作为丝织业生产中心，底比斯再度繁荣。

　　从底比斯的数次浩劫中残存下来的建筑物都埋藏在新城之下，不过，令人神往的残迹也时有发现。**卡德米亚**（Cadmeia），这座底比斯青铜时代的宫殿，如今可以见到其错落散布的地基，距现代的集市不远。在那里，出土了B类线形文字泥板；卡斯泰利山上（Kastelli Hill）还有**集市**和**剧场**的遗迹；伊斯墨诺斯山上有**阿波罗·伊斯墨诺斯神庙**；在奥多斯·安菲翁诺斯还有断断续续的**厄勒克特拉大门**（Electra Gate）的遗迹。

　　博物馆（本书写作时已经无限期闭馆）号称藏有大的青铜时代的**圆筒印章**、**铭文**、**盔甲**、**加工过的象牙**，和一具公元前13世纪的红色黏土无釉**陶棺**，上面画有五位悲痛地撕扯头发的女人。

　　在19世纪初，底比斯平原上还有丰富的古迹。可惜，狂热的掠夺者和开发者让这一切都不复存在了。底比斯近旁有**喀罗尼亚**（为了纪念圣团而立的石狮纪念碑和岩石上的剧场）、**奥尔霍迈诺斯**（另一座精美的剧场，还有名为"弥倪阿斯的宝藏"的圆形石墓），北方有迈锡尼的**戈拉要塞**，南方还有**普拉塔亚**的狩猎场所和**留克特拉**战场。

第十一章

梯林斯和赫拉克勒斯的任务

赫拉克勒斯单枪匹马，古老的梯林斯举城迎战。不是梯林斯缺少勇士，也并非他们浪得虚名，只怪时运不济、财力中落、武力不强。虽然地广人稀，但这旷野依然捍卫着要塞，那是独眼巨人库克罗普斯挥汗所建。尽管如此，梯林斯还是召集了三百位英勇的士兵。或许他们未经军事训练，也没有利剑、投枪，但他们的头顶、肩上都披着狮皮，这与他们的血统正相当。他们手中挥动着松木长枪，无数的箭矢立在箭囊之中。他们唱着战歌，称颂赫拉克勒斯扫荡了世上的妖魔；远在森林覆盖的俄忒山上，天神听到了他们的歌唱。

斯塔提乌斯（Statius），
《底比斯战纪》（*Thebaid*），4章145行起

从阿尔戈斯东部通往纳夫普利翁的道路笔直而繁忙，路旁，梯林斯要塞的城墙低矮而灰暗。一眼看上去，平淡无奇，毫无魅力可言。平坦的土地堆满了瓶瓶罐罐和塑料袋，一道铁丝网后，梯林斯显得平静而从容。南侧是当地的监狱，路对面是成排的现代房舍，看起来一点也不起眼，车流的喧嚣徒增失望。

然而一走进这片遗址，沿着城墙走下去，厚重的砖石粗犷而温暖；爬上古时的坡道，穿过已毁的大门残迹，站到高堡之上，目光越过一片橘园，远望群山。群山向东一直绵延到纳夫普利翁，那儿的要塞傲立在美丽的小镇之上。回首阿尔戈斯，拉里萨山上城堡屹立；远眺大海，阿卡狄亚群山灰色的轮廓线在一片雾蓝色中起伏。眯起眼，近处的海岸线依稀可见；看得见码头桅杆攒集，泊着青铜时代的船只；隐约听得到船骨吱嘎、船体击浪的声音，码头上装卸工人的吆喝、简短的号令、水手断断续续的号声，那是从遥远的叙利亚或克里特岛传来的。想一想这片土地上流传的故事，想一想赫拉克勒斯，梯林斯便生动了起来。曾几何时，这座要塞也辉煌无比，这里不仅是迈锡尼最重要的商业中心之一，这里还上演着所有希腊神话中最瑰丽多彩的片段。

梯林斯和赫拉克勒斯的到来

阿尔戈斯国王阿克里西俄斯（Acrisius）有一个双胞胎兄弟普洛托斯（Proetus），两人自娘胎里就吵个不休。长大成人之后，这两人本应轮流执政，但是阿克里西俄斯拒绝交出王位。普洛托斯只好愤愤不平地逃去了东边的吕西亚，娶了国王的女儿安忒亚［Anteia，也被称为斯忒涅玻亚（Stheneboea）］。

有了强大的岳父撑腰，带着吕西亚军队和七位独眼巨人，普洛托斯回到了阿尔戈斯，与阿克里西俄斯争夺王位。因为难分胜负，所以兄弟二人将国土一分为二。阿克里西俄斯保有阿尔戈斯，普洛托斯取得了北方和东部，包括梯林斯港口。他让独眼巨人在此工作，开采石料，拉去建造坚不可摧的防御工事。如今，他们的杰作仍然令人赞叹不已：重达十四吨的巨石，长达七百五十米的城墙，有些地方八米厚的城墙竟然高达十米，这还只是原本高度的一半而已。

四代之后，梯林斯成了珀尔修斯的孙子、懦弱的欧律斯透斯的封地。他与自己的远房堂弟赫拉克勒斯截然相反。赫拉克勒斯在家乡底比斯做出了英勇事迹，欧律斯透斯却一无所成。因为要弥补自己犯下了杀死妻儿（赫拉让赫拉克勒斯突然发疯，已述）的罪行，赫拉克勒斯被判服侍欧律斯透斯十年，无论这位国王让他做什么，他都要照办无误。这一判决对赫拉克勒斯来说，不啻为奇耻大辱。

时至今日，众神（除了赫拉）依然十分喜爱赫拉克勒斯。为了帮助他抵御即将面临的危险，众神送给他全副武装，每一位神祇的礼物都各具特色。波塞冬的礼物是一队战马，阿波罗的是一张弓，赫尔墨斯的是一把剑，赫菲斯托斯的是一副打造精良的胸甲，雅典娜的是一袭战袍，而他的父亲宙斯则给了一面盾牌，盾面印花繁复细致，全是早期神话中的画面。从盾牌上伸出了十二条蛇的头，在他作战时，蛇头会用它们的尖牙利齿撕咬对方。就这样，赫拉克勒斯来到了梯林斯，听命于他的堂兄。

早期对于"赫拉克勒斯的苦役"的数量与内容莫衷一是，不过到了希腊化时期，便有了约定俗成的十二件苦役的说法。这些苦差事让这位英雄从梯林斯出发，踏上了遥远、神奇而危险的土地。

1.涅墨亚巨狮

第一桩苦役是杀死一头巨狮，剥下它的皮。这头怪兽是月亮女神塞勒涅的孩子，住在山洞里，在涅墨亚（位于梯林斯和科林斯之间）为害一方。它的皮毛刀枪不入，已经将附近的村子、牧群都摧毁殆尽。欧律斯透斯心想，赫拉克勒斯一定不是对手，脸上露出了轻松的笑容。

沿着被巨狮践踏破坏后的斑斑血迹，赫拉克勒斯找到了它的巢穴，朝着里面射出了如雨的箭矢。然而，即使是阿波罗的箭矢也无法伤害巨狮分毫，纷纷从它的身上弹落在地。巨狮被激怒，咆哮着，扑到赫拉克勒斯身上，尖

披着涅墨亚巨狮的皮，挥舞着一根有节的棍棒。雅典酒杯碎片上的赫拉克勒斯。

利的爪子抓得胸甲作响。没有什么手段可以再施展，只剩下纯粹的力量抗衡。赫拉克勒斯丢下了武器，双臂紧锁狮子的咽喉，他的铁臂毫不留情，直至这头猛兽断了气、身体发软、倒落在地。

然后，赫拉克勒斯拎着尸体回到了梯林斯的家中，用狮子的利爪剥去了它的皮。他把狮子大张的嘴巴套在头上，仿佛头盔，肩上披着刀枪不入的狮皮，手提橄榄木棍，去找欧律斯透斯。国王心惊肉跳。他战战兢兢地命令铁匠们打造了一个青铜的双耳细颈椭圆瓮，将之埋在土中，以便赫拉克勒斯再来时，可以躲进去。自此之后，他再给赫拉克勒斯下命令，都只敢派传令官去传令。

2.海德拉（Hydra）

梯林斯西边紧邻着勒拿（Lerna）水泽，可怕的海德拉就生活在那里。海德拉长着狗的身体，有九颗蛇头（其中包括一颗不死之头），呼出毒气，近者暴毙。赫拉克勒斯的下一个苦差事就是杀掉海德拉。这件差事看来困难重重，他便叫来自己的侄子伊奥劳斯（Iolaus）帮忙，两人沿着海岸线一路寻来。到了沼泽，赫拉克勒斯朝着海德拉射出了熊熊燃烧的箭矢——然而毫无用处。接着，他深吸了一口气，冲过泥沼，挥剑砍向扭动的蛇颈，砍下了蛇头。可他这边砍着，那边立刻就成倍地长出新蛇头，尖嘴獠牙地向他咬来，喉咙深处还喷出致命的恶臭。赫拉克勒斯大吃一惊，撤了下来，一时不知如何是好。

就在这时，最疼爱他的女神雅典娜来到他身旁，轻声嘱咐：只有在蛇头刚被砍下、脖子还在流血的时候，将其烧灼，才能阻止长出新头来。赫拉克勒斯再次涉水走进恶臭的泥沼，这回伊奥劳斯拿着熊熊的火把与他并肩作战。赫拉克勒斯挥动金剑每砍掉一个脑袋，伊奥劳斯就将火把猛然插入那皮肉绽开、还冒着热气的脖颈。终于，海德拉只剩下了最后那颗不死的头颅。赫拉克勒斯最后一剑斩落了蛇头，将其飞速埋进土里，压上巨石，让它再也不能为害人间。接下来，赫拉克勒斯把身上每一支箭的箭头都浸在了海德拉化脓的胆囊里，他知道，这其中的毒性无人能敌。他又一次凯旋而归。

3.刻律涅牝鹿

赫拉克勒斯的第三件任务是去抓一只有魔力的野鹿，它住在科林斯西面的刻律涅群山之中。铜蹄金角，群鹿之中，它的身形最为敏捷。阿耳忒弥斯把它的姐妹套上了战车，它却成功逃脱。不过这头鹿仍属于阿耳忒弥斯，所以赫拉克勒斯也不敢伤害它。

抓鹿的任务成了对耐心的考验。整整一年，赫拉克勒斯追着牝鹿，一路向北，穿过伊斯特里亚半岛，穿过色雷斯，直到极北乐土。只有飞驰的牝鹿金角上一闪一闪反射着的微弱日光，才让赫拉克勒斯知道自己没有追错方向。最后，这只牝鹿终于累倒在地，精疲力竭的赫拉克勒斯在一棵树下找到了它。赫拉克勒斯用尽最后一点力气，用网套住了这头鹿。后来，赫拉克勒斯把它扛在肩头，原路折返，回到了梯林斯。向瑟瑟发抖的欧律斯透斯汇报完毕，赫拉克勒斯就将这头鹿放回了山林。它的铜蹄踏出火花，一阵风似地消失在了群山之中。

赫拉克勒斯把厄律曼托斯山的野猪带到了惊恐万分的欧律斯透斯面前，欧律斯透斯躲在他的青铜双耳瓮中，雅典娜在一旁注视着（公元前6世纪的雅典花瓶绘画）。

4.厄律曼托斯山的野猪和肯陶洛斯

赫拉克勒斯的下一个任务相对来说容易一些：要他去抓另一只肆虐横行的野兽。这回，是一头凶残无比的野猪，就在阿卡狄亚西北的厄律曼托斯山上。赫拉克勒斯把它赶进了一个大雪堆，野猪被困在了雪堆里，动弹不得。按照老样子，赫拉克勒斯把哼哼唧唧的野猪扛在肩上，带回了梯林斯。

然而，这次任务还带来了一场悲剧。赫拉克勒斯在去厄律曼托斯山的路上，一位名叫福鲁斯（Pholus）的肯陶洛斯（Centaur，半人马怪）款待了他。多年之前，狄俄尼索斯就预言了这次会面，并给了福鲁斯一袋美酒，让他等到赫拉克勒斯来访之际，再把它打开。一时，酒香四溢，远近的肯陶洛斯全被吸引了过来。酒气让他们如痴如醉，谁都忍不住要来尝一尝，他们拿着树干、巨石，一窝蜂地冲向了福鲁斯的洞穴。赫拉克勒斯忍无可忍，射出了如雨的毒箭。不一时，地上便躺满了痛苦扭动的肯陶洛斯。余下的肯陶洛斯撒蹄狂奔、纷纷躲了起来。睿智的喀戎（Cheiron）也中箭不起。尽管他拥有不死之身，可箭毒给他带了永恒的痛苦。最后，他知道无法摆脱厄运，说服宙斯让他和提坦普罗米修斯交换位置。普罗米修斯因为盗火予人而受罚，每日清晨，都会有一只鹰飞来，啄出他的肝脏，翌日黎明之前再长回原样。福鲁斯也未能逃过此劫。看到毒箭威力之大，他十分好奇，拿起一支箭仔细研究，结果一不小心失手掉落，箭锋擦伤了腿。顷刻之间，他就颓然卧地，撒手人寰。

5.奥吉厄斯的牛舍

为了完成第五件任务，赫拉克勒斯回到了伯罗奔尼撒半岛的东北部，这回是去清理奥吉厄斯的牲口棚——更准确地说，是这位埃利斯国王的牛舍。奥吉厄斯的畜群庞大，五百头种牛，另有十二头公牛护卫着牛群，所以排出的粪便也多得惊人。尽管奥吉厄斯试图清理（虽然并不怎么尽力），可无论如何，他也没法将遍布牧场和耕地的牛粪清理干净，就连周边方圆几里都是粪臭冲天。

这回伊奥劳斯也在，赫拉克勒斯（披着他那独一无二的狮皮）刚和奥吉厄斯谈妥了条件——如果赫拉克勒斯能够在一天之内完成工作，就可以拿到牛群的十分之一作为报酬，与此同时，一头护卫牛群的公牛把他当作了狮子，冲着他撞了过来。说时迟那时快，赫拉克勒斯一把将公牛扭倒在地，牢牢钳住了牛角，直到这头牛俯首帖耳为止。

接着，两人便开始工作了。他们并没有直接去打扫牛舍，而是想到了一个不用污臭满身的办法：他们改变了当地的两条河，阿尔斐俄斯河和佩纽斯河（Peneius）的流向，让河水冲刷耕地和牧场，冲去了所有的粪便秽物，让大地恢复了干净和芬芳。可是，奥吉厄斯说他们作弊，并且在他听说赫拉克

斯廷法利斯湖怪鸟拍打着翅膀飞出沼泽，赫拉克勒斯瞄准了目标（手持弹弓而非常用弓箭，阿提卡花瓶黑色人物画，公元前约560年至前530年）。

勒斯是奉了欧律斯透斯的命令前来之后，便拒绝支付约定的酬劳。赫拉克勒斯向奥吉厄斯宣战，（据说）为了庆祝战胜了奥吉厄斯，他举办了第一次奥林匹克运动会。

6.斯廷法利斯湖怪鸟

接下来，赫拉克勒斯去了斯廷法利斯湖（Stymphalia），就在涅墨亚北面不远。在一片水泽之中，生活着一群长着铜喙铜羽的恶鸟，它们能将锋利的羽毛射向捕食者，还冲着捕食者排出刺鼻的粪便。这次，赫拉克勒斯奉命将它们从这片水泽赶走，不过颇为棘手的是，因为沼泽相连，若要涉水过去，一定会深陷其中、动弹不得；而水泽里芦苇丛生，划船也是寸步难行。

赫拉克勒斯又一次心生妙计。他手里拿着摇铃，摇得沸反盈天，惊得鸟儿四起，在水泽中吱嘎乱叫，不知所措地飞来飞去。机不可失，赫拉克勒斯张弓放箭，不一时，就将这些鸟儿射落下来。余下的鸟儿成群结队地往东北飞去，一直飞到了黑海，在阿瑞斯的岛上栖息下来。如今的斯廷法利斯湖上还听得到粗粝的叫声，当然不是鸟叫，而是数不清的蛙鸣，它们和扭动的水蛇一起，生活在那幽深之处。

7.克里特公牛

至此为止，赫拉克勒斯完成的六件苦役都离梯林斯不远，而往后的六件皆路途遥远。这下一件苦役就要远渡重洋。赫拉克勒斯必须出海去克里特岛，带回一头白色的公牛。克诺索斯国王米诺斯曾许诺要将其献给波塞冬，后来出尔反尔，招来了滔天的浩劫，整个岛屿毁于一旦。赫拉克勒斯和白牛搏斗了一番之后，终于把牛摔倒在地，五花大绑之后装船运回了梯林斯。在阿尔戈斯近旁的赫拉神坛，欧律斯透斯将这头牛献给了赫拉。不过，白牛逃脱了，横冲直撞、跨越希腊，最后回到了雅典附近的故乡马拉松。后来，白牛在那里被忒修斯制服。

8.狄俄墨得斯的牝马

接下来，欧律斯透斯把赫拉克勒斯派到了遥远的北方色雷斯，从臭名昭著、心狠手辣的狄俄墨得斯（Diomedes）那里偷走他的牝马。那是四匹喷火的牝马，拴在青铜铸就的马厩中，以人肉为食。赫拉克勒斯这回还带了几位伙伴——等到牝马得手、色雷斯人追来，保证有备无患。

赫拉克勒斯把偷来的马交给自己的马夫阿布德罗斯（Abderus）之后，便回头去迎战追兵。不过，凭他一人之力远远不够，而战斗必然会带来伤亡。所以，赫拉克勒斯又故技重施，用上了清洗奥吉厄斯牛舍的那一招。他挖渠引海，让翻涌的海水吞没了驻扎在平原低地上的狄俄墨得斯大军。色雷斯撤退了。赫拉克勒斯找出狄俄墨得斯，一拳把他打昏在地，拖着他回到了拴马的地方。

可他到处都找不到阿布德罗斯。牝马满嘴的血腥道出了真相，是它们吃掉了阿布德罗斯。它们看上去还是饥肠辘辘。悲痛欲绝的赫拉克勒斯把狄俄墨得斯丢在了这些牝马的面前，不一会儿这几匹马便吃饱喝足了。趁此良机，赫拉克勒斯给它们套上笼头，赶回了梯林斯。欧律斯透斯明智地把它们送到遥远的奥林匹斯山，才放走了它们。

9.希波吕忒的腰带

欧律斯透斯这回把赫拉克勒斯派向了已知世界的尽头：东北边的黑海之滨、亚马逊女战士的家园，要他去偷亚马逊女王希波吕忒的战斗腰带。这一趟又要漂洋过海，赫拉克勒斯召集了一支英雄集结的队伍，其中包括了雅典的忒修斯，以及阿喀琉斯的父亲珀琉斯。

他们一路历尽艰辛，终于抵达了两岸住着亚马逊人的瑟摩敦河（River Thermodon）。有人说，希波吕忒允许赫拉克勒斯谒见，并被他强健的体魄深深吸引，自愿解下战斗腰带送给了他。

另外的说法则为我们描述了一个悲剧结局。亚马逊人以为希波吕忒被诱拐，便全副武装、骑上战马，向赫拉克勒斯和他的船只发起了进攻。希腊人进行了还击，众多亚马逊人死在了混战之中，希波吕忒也命丧黄泉。还有一个版本称，亚马逊人交出战斗腰带，是为了换回他们的公主——被赫拉克勒斯抓住的墨拉尼珀（Melanippe）。还有人说，是忒修斯抓住了希波吕忒，把腰带给了赫拉克勒斯。作为释放女王的条件，带走了亚马逊人的公主安提俄珀为奴（忒修斯爱上了她）。这么多的英雄和女战士，总会滋生爱情的可能，难怪这段历险激发了无数古典神话作家的想象。

回到梯林斯之后，赫拉克勒斯将战斗腰带交给了欧律斯透斯。欧律斯透斯将之送给了自己的女儿阿德墨忒（Admete）——尽管，后来的版本称她陪着赫拉克勒斯去了黑海。她显然十分特立独行。她是阿尔戈斯赫拉神庙的女祭司，后来却带着女神的雕像跑去了萨摩斯岛。等到有船前来，要把雕像运回的时候，赫拉让雕像变得沉重无比，根本无法开船。结果阿德墨忒和雕像都留在了岛上。

10.革律翁的牛

这回，赫拉克勒斯又追寻着落日，来到了遥远的西方，这与死亡相连的土地。在大陆的尽头、临近大海的地方，有一座红色的岛屿，名叫厄律忒亚（Erythreia）。岛上住着革律翁（Geryon，一个有三个头、三具相连的身体和六只手的可怕怪物），他的牛群，肥美健壮。这回，赫拉克勒斯就是要把这群牛偷走，带回梯林斯。

在地中海流入大西洋之处，赫拉克勒斯放了两块巨石，在古代被称为"赫拉克勒斯之柱"。如今我们把它们分别叫作休达（Ceuta，靠近非洲一侧的）和直布罗陀（Gibraltar，欧洲一侧）。就在那儿，赫拉克勒斯凝神望着汹涌的波涛，思忖着如何才能跨过大海。赫利俄斯给了他一只船一样大的金酒碗。赫拉克勒斯挂起狮皮作帆，一帆风顺来到了目的地。等到革律翁六只手挥舞着武器穿过牧场向他猛扑过来时，他早已杀掉了牧人和牧犬〔双头犬俄耳托斯（Orthus）〕。赫拉克勒斯毫无惧色，搭弓放箭，射死了革律翁。然后，他赶着牛群上了金碗，扬帆起航回到了欧洲。

而接下来，返回梯林斯的旅程给了神话作家——和那些想要与赫拉克勒斯扯上点关系的城市——尽情发挥的舞台。传说他途经西班牙、法国南部，翻过阿尔卑斯山，沿着意大利西海岸一路向南（经过了后来的罗马），经过西西里，向北折返到了东海岸，穿过伊庇鲁斯、色雷斯和锡西厄，终于到了梯林斯南部附近。

11.赫斯珀里得斯的苹果

没过多久，赫拉克勒斯就再次向着落日出发。这一回，他要从由百头巨龙拉冬（Ladon）把守、赫斯珀里得斯（Hesperides）姐妹（"夜晚的女儿"）照看的魔法花园中摘取赫拉的金苹果。赫拉克勒斯受到警告，不要亲自去摘苹果，而是要得到阿特拉斯的帮助（因为与奥林匹斯山众神为敌，提坦阿特拉斯被罚以肩擎天）。从远处射死了拉冬之后，赫拉克勒斯轻松地说服了阿特拉斯。赫拉克勒斯帮他扛起苍天，阿特拉斯溜进苹果园去摘金苹果。

不过阿特拉斯可不想再被压在天底下。没想到，赫拉克勒斯竟然同意让阿特拉斯把金苹果送回梯林斯——不过，他让阿特拉斯先暂且替他扛一下，

赫拉克勒斯把三头狗刻耳柏洛斯带到（依然怯懦地躲在自己的铜瓮中的）欧律斯透斯面前（黑色人物花瓶画，约公元前530年，发现于意大利伊特鲁里亚的切尔韦泰里）。

他好往肩膀上放块垫子来缓解压力。阿特拉斯同意了——当然，他立刻就追悔莫及。赫拉克勒斯一腾出身，便拿走了所有的金苹果，把无可奈何的阿特拉斯留在身后，大步流星，凯旋而去。

这次，他在完成最后的任务之前，又兜了个大圈子，向西沿着海岸线到了宙斯在埃及锡瓦的神谕所（后来这座神庙将赫拉克勒斯的后人亚历山大大帝认定为神），建立了埃及的底比斯城（以赫拉克勒斯的希腊故乡命名，如今称为卢克索）。

12. 捉住刻耳柏洛斯

欧律斯透斯绞尽脑汁，想出了最后一件要交给赫拉克勒斯去完成的苦役，这才是件要命的差事：把冥府的看门狗——刻耳柏洛斯，蛇鬃蟒尾的三头犬带回梯林斯。在雅典娜的保护下，赫拉克勒斯从斯巴达南部泰纳伦海角的洞窟沿着地下河，（威胁喀戎载他）渡过冥河斯堤克斯（River Styx），来到了哈得斯和珀尔塞福涅的法庭。赫拉克勒斯在此为自己陈情。哈得斯竟然深表同情，同意让赫拉克勒斯暂时带走刻耳柏洛斯，只要赫拉克勒斯制服这头猛兽的时候，别对它造成终身的伤害。

赫拉克勒斯和这头猛兽扭起来。刻耳柏洛斯反扑，用它的尾巴狠狠地抽了过来——当然，无济于事，赫拉克勒斯的狮皮可是刀枪不入。筋疲力尽的刻耳柏洛斯只好乖乖地被牵上了阳光普照的大地，强烈的阳光让它一时难以适应，眯起了眼睛、蜷作一团，过了半天才服服帖帖地跟在赫拉克勒斯身后，回到了梯林斯。

所有的苦役都完成了。赫拉克勒斯的奴役终于结束。不过，更多的苦难还在后面。

谋杀和更多的奴役

年轻的王子伊菲托斯上了别人的当，控告赫拉克勒斯偷走了他心爱的马群。他到了梯林斯，赫拉克勒斯将他带到最高的塔上环视整个平原，问他看不看得到自己的马群。他看不到。不过，尽管他大大方方地道了歉，赫拉克勒斯还是按捺不住自己的怒火，举起伊菲托斯，将其摔死——渎神之举，必须赎罪。

绝望之下，赫拉克勒斯逃到了德尔斐，然而祭司拒绝了他的谒见。怒火再次吞噬了他，他在神庙中大发雷霆，大肆破坏，直到抓起了阿波罗神庙中神圣的三脚祭坛。就在这时，阿波罗亲自出手，两人为了这座神圣的祭坛扭打起来。直到宙斯插手调停，放出霹雳，这轰隆的雷鸣和刺眼的闪电才让赫拉克勒斯恢复了理智。

作为惩罚，宙斯让赫拉克勒斯又受了一年奴役，侍奉吕底亚王后翁法勒（Omphale）。这回，这位血气方刚的英雄所要经历的奴役，跟他在欧律斯透斯手下的经历相比，可以说是小巫见大巫。翁法勒王后让他打扮成女人：不仅没收了他的棍子和狮皮，还让他穿上女人的衣服，戴上珠宝首饰，涂脂抹粉，来帮她和她的侍女纺线织布。

赫拉克勒斯之死

赫拉克勒斯终于重获自由，回到了希腊，在多次征战——出征埃利斯、皮洛斯和特洛伊——之后，娶了德伊阿妮拉（Deineira），卡吕冬的墨勒阿革耳（Meleager）的妹妹，后来她无意中杀死了赫拉克勒斯。离开卡吕冬之后，赫拉克勒斯和德伊阿妮拉很快到了咆哮奔流的埃弗诺河（River Evenos），高高的瓦尔祖夏山（Vardousia）融化的雪水汇入这里。一名叫作涅索斯（Nessus）的肯陶洛斯迎了上来，声称自己是神指定的船夫，同意让德伊阿妮拉坐船过河，而赫拉克勒斯只能自己游过去。其实，涅索斯心怀鬼胎，意欲强奸德伊阿妮拉。

到达彼岸之后，涅索斯带着德伊阿妮拉飞驰而去。德伊阿妮拉吓坏了，紧紧地趴在他的背上。不过，尽管涅索斯已经逃出很远，赫拉克勒斯还是一箭射中了他。涅索斯临死之际，对德伊阿妮拉悄声说，留一些他的血，如果今后她怀疑赫拉克勒斯不忠，就往他的束腰外衣上涂一些。这会让他的外衣富有魔法：赫拉克勒斯就永远不会背叛她。

多年以后，赫拉克勒斯从战场回到了特拉基斯（Trachis）的家（德尔斐以北），还带回了一个漂亮的女奴伊俄勒（Iole）做他的情人。这时候，德伊阿妮拉想起了涅索斯的话，便把肯陶洛斯的血涂在一件新上衣上，在赫拉克勒斯的庆功宴上送给了他。然而，肯陶洛斯的血中混入了海德拉的胆汁，因为赫拉克勒斯曾将他的箭头浸入其中。赫拉克勒斯的皮肤鼓起了水疱，就算把上衣脱掉，也为时已晚。他跳进了附近的一个池塘，却让毒性发挥得更快［自那以后，这片池水便翻涌出沸腾的硫黄，人们把此处称为塞莫皮莱（Thermopylae），也就是"温泉关"］。

赫拉克勒斯强忍剧痛，爬上了俄忒山。到达山顶之后，他命令自己的儿子希洛士（Hyllus）——也有人说，是他的朋友菲罗克忒忒斯（Philoctetes）——用橡树和橄榄枝生起火堆，将其烧死。只是，还没等到火焰烧起，宙斯就放出霹雳结束了他的痛苦，并将他的灵魂接到了奥林匹斯山。在那里，赫拉克勒斯娶了青春女神赫柏，从此长生不死。而在特拉基斯，德伊阿妮拉自缢身亡。

欧律斯透斯和赫拉克勒斯的孩子们

赫拉克勒斯一死，欧律斯透斯就开始发泄心中对堂弟由来已久的积怨，对他的孩子们下手报复。一段时间以来，赫拉克勒斯的母亲阿尔克墨涅就住在梯林斯，和赫拉克勒斯多次冒险旅途中所生的儿子们生活在一起。如今，欧律斯透斯发誓要把他们——也包括赫拉克勒斯的其他孩子——全部赶出希腊。雅典国王忒修斯听到消息，知道赫拉克勒斯的儿子们受到如此不公的对待后，便让他们来阿提卡，为他们提供庇护。没过多久，赫拉克勒斯的儿子们就召集了一支军队。

欧律斯透斯虽然不惯于行军打仗，还是从梯林斯率兵出发了。就在科林斯地峡北边的海边，两军遭遇。惨烈的战斗打响了，怯懦的欧律斯透斯夹起尾巴掉头逃跑，催促车队仓皇往南，沿途一直跑到了斯基戎山崖（Scironian Rocks）。然而，就在这儿，赫拉克勒斯的儿子们追了上来，将他拖下战车，砍掉了他的脑袋。他们把脑袋带给了阿尔克墨涅。阿尔克墨涅摘下胸针，挖出了欧律斯透斯的眼睛。

现在，梯林斯没了国王，邻邦米底亚的统治者阿特柔斯（Atreus）和梯厄斯忒斯（Thyestes）将其吞并。两兄弟统治迈锡尼之后，梯林斯成了阿戈里德的重要港口。

梯林斯的前世今生

早在公元前6000年中期，梯林斯就有人居住了。后来大海离多石的地表岩层越来越近，岩层拔地而起，高达近二十八米。不过，海岸线又渐渐退后。直到公元前2000年，大海退到了距岩层1千米之外（如今，已经有大约两倍那么远了）。

梯林斯强大而富庶的第一个时期是在公元前3000年中期，卫城之内和城墙之外较大的范围内，都有精心修建的屋舍痕迹。最引人注意的建筑当数卫城最高处（高堡）的一座圆屋——这个名字可能不太出众，不过圆屋直径达二十八米，令人叹为观止。高堡虽然只剩遗迹，仍可看出其高度惊人，想必从远处也清晰可见，尤其是从海上。为何会修建这样一座建筑，至今未解：是防御用的碉堡、神庙、宫殿，还是粮仓？公元前3000年，梯林斯城（包括圆屋在内）大部分被焚毁，直到公元前1400年才恢复了往日的盛况。高堡的四周又建起了"独眼巨人的"城墙，还建成了一座雄伟壮丽的宫殿，一间间宴会厅粉刷的墙壁上都画着精美的壁画。

富庶的阿戈里德是梯林斯最主要的港口，也是繁荣的贸易中心。有证据表明，满载粮食、织物和贵重金属的商船，从埃及经由叙利亚、克里特，远道而来。到了公元前13世纪末，低堡周围也修起了"独眼巨人的"城墙。

宫殿又经重建，地板上装饰着海豚图案，粉刷过的墙上绘有壁画：画中的女子个个梳着精美的发式，列队前行；青年男子驾着战车、带着猎狗，正在捕猎一只熊。城镇的规模与日俱增，修建了水库来控制和分流附近的河流，而这条河流以前很容易淹没该地区的北部。不过，到了公元前1200年，一场地震摧毁了大部分的城镇和城堡。

重建宫殿对迈锡尼人来说并不多见，然而，公元前12世纪梯林斯被重建。在地震中倒塌的建筑被清理一空，在高堡的位置重新建造了一座宏伟的城堡，城镇面积也扩大到约二十四公顷。然而，梯林斯的繁荣又一次戛然而止——究竟为何，仍未知晓——到了公元前1060年左右，城市的大部分地区都已废弃。

虽然高堡所在的部分地区仍有人居住，但梯林斯再也不曾恢复往日的地位。公元前494年，塞佩亚（Sepeia）一役，斯巴达打败了阿尔戈斯，梯林斯为浩劫中逃出的奴隶提供了庇护。公元前479年，梯林斯派出四百名重甲步兵参加了普拉塔亚战役，这是近邻迈锡尼所派军队的五倍。多少是因为这一英勇之举，让罗马诗人斯塔提乌斯浮想联翩，在其史诗《底比斯战纪》（本章开始引文便出自此诗）中，描写了梯林斯的部队热切地投入到七将攻打底比斯的远征。

公元前468年，阿尔戈斯吞并了梯林斯。部分居民迁入阿尔戈斯，另有一些往东迁移，建立了哈利依斯［Halieis，如今的波多河丽（Porto Heli）］。等到保萨尼阿斯来到梯林斯，目之所及，只剩一片荒芜。不过，他依然对之赞叹不已：

> 独眼巨人所建高墙，仍岿然屹立，那未经雕琢的巨石，每一块都是庞然大物。哪怕是最小的一块，两头骡子来拉，也纹丝不动。

他又说：

> 希腊人偏爱国外的景色，更胜本国的景点。大名鼎鼎的史学家们对埃及金字塔的描述，可谓面面俱到，可是对米尼亚斯（位于邻近底比斯的奥尔霍迈诺斯）或是梯林斯的城墙，就连只言片语也无人提及。然而，这两处也毫不逊色，同样非同凡响。

多亏了这些城墙，梯林斯从未遗失。1876年，海因里希·谢里曼（Heinrich Schliemann）对梯林斯进行了现场挖掘。自此之后，由希腊考古部门和德国考古学院进行的挖掘工作一直在进行。

大事记&遗址

公元前约5500年	开始有人定居。
公元前约2500年	第一个繁荣时期。高堡处修建圆屋。
公元前约2200年	梯林斯城大部分毁于大火。
公元前约1400年	高堡的宫殿外修建起了城墙。
公元前约1225年	低堡外也建起了城墙；高堡重建宫殿；修建水库。
公元前1200年	大地震造成了破坏，后来大部分的城镇和部分高堡得以重建。
公元前约1060年	梯林斯城基本被遗弃。
公元前494年	梯林斯为阿尔戈斯奴隶提供庇护。
公元前479年	梯林斯派出四名重甲步兵参加普拉塔亚战役。
公元前468年	梯林斯战败，被阿尔戈斯吞并，人口减少。
1876年	谢里曼开始了发掘工作。

　　第一眼看上去，梯林斯其貌不扬，沿着公路，距阿尔戈斯八千米，距纳夫普利翁四千米。从停车场出来，有一条向南的路，沿着东城墙直到一处陡峭的坡道。坡道之上便是**纪念门**（如今已毁），还可以看得到折门留下的柱洞。走过纪念门，就到了高堡。过了庭院往左，便是一排令人叹为观止的**画廊**——六个拱顶的房间，与外墙相连——继续往上，便是立柱式山门的**地基**。山门朝向一个庭院。沿着一段长廊，拾级而上，（左边）又有一个**壁画廊**；穿过（右侧）有立柱的庭院，经过几间前厅，便到了**中央大厅**，最早的圆屋便建在此处（如今已荡然无存）。右手边有一间稍小一点的大厅，或许是女人们的住所。左边便是精美的**后门**，一条秘密**台阶**通往一个小门。低堡的建筑不多，也不易辨识。墙外，走过两个通道，可以进到地下**蓄水池**。

　　梯林斯和附近米底亚山顶的要塞，以及与之相连的丹德拉迈锡尼公墓（**米底亚和丹德拉**都值得一游）中的考古成果，大多收藏在**纳夫普利翁的文物博物馆**。其中包括：令人震惊的全副**迈锡尼盔甲**、野猪獠牙头盔、**湿壁画**以及室内**地板**的残片。其他文物（包括湿壁画）都收藏在雅典的国家文物博物馆。作为从1829年到1834年间希腊独立后的第一个首都，纳夫普利翁是一座魅力无穷、富有意大利风情的滨海城市，有山顶城堡、宜人的海滨、一座岛上要塞、精美的威尼斯建筑、琳琅满目的商店，还有全希腊最好的冷饮店（罗马冰淇淋老店Antica Gelateria di Roma）。

第十二章

伊奥尔科斯和皮利翁山：
半人马怪、婚礼和黄金舰队的航行

皮利翁山和那山间的生活，永不令人生厌。白蜡树林令人振奋，在和风中茁壮生长。将其做成矛杆，笔直挺拔，矛头永不会折。皮利翁山上的洞窟也毫不乏味——它们是如此美丽——还有清泉和泉水旁的女肯陶洛斯们，除却马身，她们和女神并无二致。看到她们的马身，仿佛看到了亚马逊女战士。她们马儿一般的身体，让她们的美貌更添光彩……她们如此貌美迷人！

大斐罗斯屈拉特（Philostratus the Elder），
《想象》（Imagines），2.3

虽说还是清晨，天已炎热，四处雾霭氤氲。在迪米尼（Dimini）低矮的山丘下，如今沃洛斯港（Volos）的城区已延伸到了平原上，郊区黑色的松林、苍翠的橘园参差错落。呼啸而过的汽车和偶然响起的警报，从远处的高速公路传来，隐约又低沉，烘托着路旁农舍里小公鸡的啼鸣，恰似一支协奏曲。

从我们所在的观测位置看去，曾几何时，大海要近得多。3500年前，朝阳初升，帕加塞湾的入口处碧波荡漾，波光粼粼；远处，高耸的树木、芬芳的香草落下斑驳的影子，点缀着隐约可见、连绵起伏的皮利翁山。曾经，希腊人认为，肯陶洛斯便住在这里，就在遍布草木的海角上高高的洞穴中。半人马怪聪明而羞涩，他们在砾石遍布的小径上飞驰，与野山羊一般灵敏自信。人们也相信，山下的码头驶出过一艘白帆船，那就是扬帆起航的阿尔戈号，驶过雾气蒙蒙的海洋，驶向世界的尽头。时至如今，即使肯陶洛斯和阿尔戈号早已不在，只剩下这座熙熙攘攘、依旧蓬勃发展的城市沃洛斯，也就是神话中的伊奥尔科斯，它依然魅力十足，充满了奇珍异宝和不期而遇的惊喜。

肯陶洛斯

皮利翁山上的半人马怪都是伊克西翁（Ixion）的儿子肯陶洛斯杂交生下的子女。伊克西翁想要娶狄亚（Dia）公主为妻，便邀请公主的父亲带她来宫殿相见，然后骗他踏上隐蔽的圈套，跌入陷阱，被活活烤死。不知为何，宙斯放了伊克西翁，还邀请他去奥林匹斯山赴宴。

宴会上，伊克西翁居心叵测，妄图勾引赫拉，却被宙斯识破。为了引他露出丑态，宙斯把一朵云变成了赫拉的模样，于是伊克西翁便和这个言听计从的替身做起了爱。伊克西翁被捉奸在床，赫尔墨斯将他拿下，一顿鞭打之后，将他捆在了不停滚动的火轮之上，熊熊烈火，永世不止。与此同时，宙斯趁机和狄亚生了个儿子——佩里托俄斯（Peirithous）。后来，他当上了拉庇泰人（Lapiths）的王。

那个云变出的幻象名叫涅斐勒（Nephele），也生下了一个儿子——肯陶洛斯。肯陶洛斯异于常人。伊奥尔科斯附近有一群吃草的母马，这让他情欲勃发，于是他和每一匹马做爱，生下了半人马怪。他们上半身是人，下半身是马，一旦被激怒，或是喝醉了酒，便会野性大发、凶残无比。

半人马怪中有一位，名叫喀戎，却并非来自肯陶洛斯的血脉。他永生不老，年事已高，是仙女菲吕拉（Philyra）被化身为马的克洛诺斯强暴后所生。与其他半人马怪相比，喀戎的长相也不同——他拥有完整的人身，只有马的躯干和后腿。喀戎精通医术，也是半人马怪中最聪明睿智的一位。在皮利翁山上宜人的林间空地，许多大英雄都曾受他教导（包括忒修斯、珀尔修斯、阿喀琉斯和伊阿宋）。

手中拿着一根树枝，上面挂着一只野兔，半人马怪喀戎对一位年轻的门徒在说些什么（阿提卡红色人物花瓶图案，约公元前520年）。

埃宋、珀利阿斯和穿一只系带鞋的人

埃宋是伊奥尔科斯城缔造者克瑞透斯（Cretheus）之子，是伊奥尔科斯城合法的国王。然而，埃宋同母异父的哥哥珀利阿斯比他先一步继承王位。他们的母亲提洛还是个小姑娘的时候，就离开了色萨利，因为她的父亲萨尔摩纽斯（Salmoneus）要去统治南方的埃利斯。可惜，萨尔摩纽斯傲慢自大，总以为自己和宙斯不相上下。他投出燃烧的木头，仿佛那是雷霆霹雳；他还驾着战车，载上铜鼓，在街巷中奔驰，声若雷鸣。于是，宙斯放了道霹雳，让萨尔摩纽斯化作了青烟。

提洛被后妈辱骂，在河边闷闷不乐。波塞冬看到了她，于是发生了一系列不可避免的事。波塞冬掀起巨浪，卷走了提洛，九个月之后，她生下了一对双胞胎——珀利阿斯和涅琉斯。羞愧的提洛把两个儿子弃于山脚等死，不过，一位牧人发现了他们，并将他们抚养成人。等到两个孩子发现了自己的身世，便救出提洛，让她回到了伊奥尔科斯。提洛嫁给了国王克瑞透斯，生下了埃宋——后来，埃宋有了自己的儿子，把他送到了皮利翁山上，接受喀戎的教导。埃宋的儿子在外学习期间，年迈的克瑞透斯去世了，直到这时，珀利阿斯才露出了真面目。他把埃宋投进监狱，驱逐涅琉斯（他逃到伯罗奔尼撒半岛的西南部，建立了皮洛斯），夺取了王位。然而，珀利阿斯却放不下心来。他活得战战兢兢，因为德尔斐的神谕说，他会死在一个穿一只系带鞋的人手中。

与此同时，在皮利翁山上，埃宋的儿子学会了精湛的医术，取了伊阿宋（"治愈者"）这个名字。如今，他已二十出头，迫切地想要帮自己的父亲夺回王位，便直奔伊奥尔科斯而去。回来的路上途经阿瑙洛斯河（River Anaurus），正值河水泛滥。伊阿宋正要从一处浅滩涉水过河，来了一位老妇人，请求伊阿宋背她过河。伊阿宋毫不迟疑，背起老妇人便趟进了汹涌的河水。等到两人平安过河，老妇人才现出了真身：原来她是赫拉化身而成。因为伊阿宋慷慨相助，作为回报，赫拉答应助他一臂之力。

伊阿宋大受鼓舞，大步流星向伊奥尔科斯赶去。品达在诗中描写：

> 他仪表堂堂，手执双矛，魁梧的身材，穿着双层束腰外套，那是故乡的传统，衣着紧身又合体。他还披着豹皮，以防那冰冷的雨水。不曾剪过的长发披在身后，如瀑布倾泻而下。他步履轻快，要去证明自己不可动摇的决心，直到他来到集市，站在熙熙攘攘的众人中。

人们纷纷猜测伊阿宋是否是天神，珀利阿斯驾着精美的骡车也来了，他一看到这位年轻人的双脚，心中惊恐万分。伊阿宋过河时，湍急的水流冲走了他的一只系带鞋。珀利阿斯的报应到了。

伊阿宋要求珀利阿斯将王位还给埃宋。珀利阿斯假意答应，不过他让伊阿宋先"平息死者的怒火"。他说，伊奥尔科斯被佛里克索斯（Phrixus）的鬼魂侵扰已久。佛里克索斯是当地的王子，曾骑在一只神秘的金绵羊背上，向东逃亡。神谕曾命令珀利阿斯将金羊毛和佛里克索斯不幸的鬼魂都带回希腊，好让佛里克索斯魂归故里，永得安息。如果伊阿宋完成了这项任务，珀利阿斯就交出王权。

佛里克索斯和赫勒（一段题外话）

佛里克索斯与伊奥尔科斯的王室关系密切。他和姐姐赫勒（Helle）是维奥蒂亚国王阿塔玛斯（Athamas，萨尔摩纽斯的弟弟）与云女神涅斐勒所生。不过，阿塔玛斯始乱终弃，另娶了伊诺（卡德摩斯的女儿，底比斯公主）为妻，也生下了两个孩子：勒阿尔库斯（Learches）和墨利刻耳忒斯（Melicertes）。

因为嫉妒，伊诺计划杀掉佛里克索斯和赫勒。她命令当地的妇女，在播种前把谷种烤熟，这样就无法发芽，自然也就不会有收成。阿塔玛斯派出信使去德尔斐问询原因。不过，伊诺贿赂了信使，他们回来之后，宣称是因为众神发了怒。要想平息他们的怒气，必须献出赫勒和佛里克索斯（他的姑姑——伊奥尔科斯国王克瑞透斯的妻子，谎称佛里克索斯奸污了她）。

二人被带到了山林之中。不过，没等献祭开始，他们的母亲涅斐勒便施以援手。她派出了一只长着翅膀的金毛羊来救他们。姐弟俩爬到了羊背上，金毛羊展翅而飞。一路向东，飞越爱琴海时，赫勒有些困倦，没抓牢羊毛，失手跌入海中。为了纪念她，希腊人将她跌下的海峡称为赫勒斯庞特（赫勒之海，如今的达达尼尔海峡）。金毛羊继续背着佛里克索斯，飞到了最遥远的黑海之滨。这里，斐色斯河（River Phasis）灌溉了肥沃的平原，北方倚着白雪皑皑的高加索山脉。赫利俄斯的儿子、迷人的仙女喀耳刻的哥哥、国王埃厄忒斯（Aeëtes），统治着科尔基斯（Colchis，现在的格鲁吉亚）。他热情地欢迎了佛里克索斯，两人将羊作为祭品献给了诸神，将金羊毛高高挂在树上，并放了一条不眠不休的巨蟒守在一旁。

再说希腊，阿塔玛斯和伊诺被赫拉变成了疯子。阿塔玛斯把自己的儿子勒阿尔库斯当成了一头白鹿，一箭射死。伊诺想要救下墨利刻耳忒斯，和他一起徒劳地跳入了海中，化为了琉喀忒亚（Leucothea，白女神）。如有水手在海上遇难，她便会现身相救。荷马描写了她优美的脚踝。

阿尔戈号的冒险之旅启程

为了前往科尔基斯，伊阿宋定制了一艘船，并用建造者阿尔戈斯（Argus）的名字，将其命名为阿尔戈号。造船的木材来自皮利翁山上的松树，雅典娜在船头装上了一块会说话的木板，那是从多多纳的神橡木上砍下的。伊阿宋召集的船员（阿尔戈英雄或"阿尔戈水手"），都是与他年龄相当的勇士。大部分资料都认为其中包括了从斯巴达来的卡斯托耳（Castor）和波吕丢刻斯（Polydeuces），从卡呂冬来的墨勒阿革耳，北风之神的儿子仄忒斯（Zetes）和卡拉伊斯（Calaïs），梯林斯国王欧律斯透斯的弟弟伊菲托斯，珀利阿斯的儿子阿卡斯图斯（Acastus），以及俄耳甫斯和赫拉克勒斯。尽管，赫拉克勒斯才是他们中最英勇的一位，但他依然接受了伊阿宋的船长身份。

阿尔戈号首先来到利姆诺斯岛，然而，迎接他们的是一支来势汹汹的大军。不过，等到领军的女王许普西皮勒（Hypsipyle，"高门"）对他们说出原因之后，双方就不再紧张了。利姆诺斯岛上的男人长期忽视自己的伴侣，抱怨她们体臭，跑去大陆上拈花惹草。结果，据女王说，妇女就将这些男人流放了（其实，是将他们都杀死了）。阿尔戈英雄们发现女主人们果然体带香气，便情不自禁与她们同枕共眠。后来，利姆诺斯岛上新生儿的呜咽声响成一片，就连伊阿宋也不愿离开。到了最后，还是赫拉克勒斯把他们全拖回了阿尔戈号。

穿过赫勒斯庞特海峡，他们驶向普罗庞提斯海（Propontis Sea）南岸，靠岸后，库齐库斯（Cyzicus）国王热情地欢迎他们参加他的婚宴。之后，阿尔戈号英雄们再次远航。他们绕过宽阔的海角，迎上了暴风雨，不得不停船靠岸。在黑暗之中，他们被人袭击，一场血腥的战斗之后，前来袭击的人死伤大半。待到雨过天晴之后，他们才知道到底发生了什么。原来，库齐库斯坐落在地峡之上，他们只是驶到了较远的海岸。这些攻击者几日之前还和他们把酒言欢，新婚的国王如今倒在了血泊之中，痛苦的新娘自缢身亡。酿下大错的英雄们痛心疾首地回到了船上，划船东去。

擅长拳击的国王、哈比（Harpy）和撞岩

阿尔戈号上的英雄并非每一个都抵达了科尔基斯。赫拉克勒斯的桨断了之后，他们靠了岸，好让他去拔棵树，重造一支船桨。然而，动身出发的时候，赫拉克勒斯的朋友（或爱人）、去打水的海拉斯（Hylas）却迟迟没能回来。赫拉克勒斯前去寻找，找遍了乡野都没找到。赫拉克勒斯不愿丢下海拉斯，但阿尔戈号众英雄也不想错过顺风，便留下赫拉克勒斯启航了。海拉斯从此不见踪迹——原来，一位仙女爱上了他，将他拖入自己的池塘，永远陪在她身边。

尽管赫拉克勒斯缺席，阿尔戈英雄们还是击败了野人国王阿密科斯（Amycus）。阿密科斯擅长拳击，对于每一位来访者，他都毫不留情地与之一决高下。阿尔戈英雄击败了阿密科斯之后，便踏上了新的旅程。他们安全地通过了变幻莫测的博斯普鲁斯海峡，到达了黑海东岸的撒尔米德索斯［Salmydessus，如今的基伊科伊（Kiyiköy），中世纪时称为"美狄亚"］。菲尼亚斯（Phineas）就住在这儿，他曾经是底比斯先知，因为泄露了天机，受到众神的惩罚。他不仅双目失明，还不断地被哈比，令人讨厌的鸟身女妖骚扰。只要菲尼亚斯想要吃饭，她们就从天上直冲下来，尖叫着拍动着翅膀去抢夺他的食物，抢不到，就在上面拉满粪便。

伊阿宋前来向他寻求建议的时候，菲尼亚斯宣称，只有阿尔戈英雄帮他赶走哈比，他才会提供帮助。于是，他们准备了一顿令人垂涎欲滴的盛宴。一转眼的工夫，这些哈比便从天而降。北风的儿子——身手敏捷的仄忒斯和卡拉伊斯——擎剑飞上了天空，一时剑光飞舞。哈比吓得胆战心惊，一路尖叫着往西逃去，仄忒斯和卡拉伊斯穷追不舍，直到爱奥尼亚海，两兄弟才掉头［附近的岛屿因而得名"施托费斯兹"（Strophades），意为"转身地"］飞回阿尔戈号。

欣喜的菲尼亚斯先是饱餐了一顿，接着为伊阿宋提了个好建议：撞岩所在的海峡是阿尔戈号的必经之路，这条海峡两侧耸立着高高的峭壁。因为没有牢

牢地扎根在大地之上，每逢有船只经过，峭壁便会挤向中间，就像一对铙钹，将过往船只和船上的水手一同挤得粉碎。菲尼亚斯建议他们在通过之前先放只鸽子，看看它飞不飞得过去。如果它活了下来，阿尔戈号也会安然无恙。

等他们到了撞岩，晨雾泛起蓝色，他们放出了鸽子。顷刻之间，冰冷的海水翻涌起浪花，两道峭壁紧紧合在了一起——不过，鸽子只掉了几根尾羽便挣脱出来，重获自由。说时迟，那时快，阿尔戈英雄们奋力划桨，阿尔戈号全速前进。不一会儿，峭壁的巨影便森然逼来，笼罩在他们上方，起先还岿然不动，旋即越来越快，向他们夹击而来。一阵可怕的轰隆作响之后，两座峭壁撞到了一起——不过为时已晚，并未对阿尔戈号造成损害。除了船尾的几块壳板，这艘船几乎毫发无损，这是船员们齐心协力的功劳，还有，雅典娜也助了他们一臂之力。因为女神曾应允伊阿宋，会救他于危难之中。如今，撞岩已经根基牢固，再也不会移动了，而阿尔戈号又向科尔基斯飞速驶去。

最终，阿尔戈号小心翼翼地驶进了斐色斯宽广的河口。翌日清晨，正如罗德岛的阿波罗尼奥斯所述，伊阿宋和同伴们向王宫进发了：

> 他们下了船，将船藏进高高的苇间，登上河岸，向着大陆进
> 发，这里叫作喀耳刻平原。这儿柳树成行，树梢结绳，一具具尸体
> 被吊在树上。

埃厄忒斯和家人在王宫内接见他们，他们解释了自己所为何来。埃厄忒斯勃然大怒，差一点就要蹦起来杀掉他们。不过，他强忍怒火，没有这样做，而是和他们做起了交易，交给伊阿宋一件在他看来绝对会让这些希腊人有去无回的任务。

埃厄忒斯有两头长着铜蹄、口能喷火的牛。每天早晨，埃厄忒斯都会给它们套上牛轭，犁过整整四公顷的田地，然后种下龙牙——等到全副武装、怒火熊熊的战士从犁沟中长出来之后，埃厄忒斯便和这支地生军徒手相搏，直到夜幕降、所有的战士死去。倘若伊阿宋可以替他完成这件事，以此证明自己的能力，埃厄忒斯便会把金羊毛交给他。尽管伊阿宋害怕这会让他送了命，还是接受了挑战。

伊阿宋和美狄亚

不过阿佛洛狄忒站在伊阿宋一边，并且早已施展了魔法。埃厄忒斯的女儿美狄亚是个女巫，拥有打败敌人的力量。不过，美狄亚如今已经陷入爱河。赫西俄德说她望着伊阿宋"满目羞涩"；阿波罗尼奥斯写道：她"掀起了面纱，偷偷地从侧面望着伊阿宋，心中燃起了炽热的火焰，让她倍感苦

痛；等到伊阿宋转身离开，她的魂魄也随之而去，在他的身后飘荡，恍若一梦"。品达曾回顾真正的希腊魔法，他在一段文字中写道，阿佛洛狄忒教给伊阿宋神秘的咒语，让他用来追求美狄亚：

> 这位女王的神箭，最最要命，她就是生在塞浦路斯的阿佛洛狄忒。她的四副车轮上绑着一只歪脖啄木鸟（这是人类第一次见到这种狂暴的鸟），她教会了聪明的伊阿宋咒语，哄得美狄亚忘了父母，一心向往希腊，受了劝说女神的蛊惑。

既不愿忤逆父母，又要救出伊阿宋，美狄亚悄悄溜去了冥界女神赫卡忒的神庙，调制了一种魔力药膏。众神指引伊阿宋来到这儿，见到了美狄亚。美狄亚连忙告诉他该怎么办：他必须在午夜时分向赫卡忒献祭一头绵羊，然后将药膏敷在身体和武器上，这样就能刀枪不入。等到犁沟里长出了全副武装的战士，再丢一块鹅卵石到他们中间，这样一来，他们就会自相残杀，不会攻击伊阿宋了。

伊阿宋听着美狄亚的嘱咐，也对她心生爱意。他许下诺言，要是活下来，一定带上美狄亚回伊奥尔科斯，娶她为妻，让她成为令所有女人都眼红

画面上的伊阿宋出奇的瘦弱，在雅典娜的鼓励下，他从嘶嘶吐信的蟒蛇看守下，偷走了金羊毛（阿提卡红色人物画瓶饰，约公元前470年至前460年）。

的新娘，全希腊人的女神。美狄亚满心欢喜地答应下来，品达含蓄地写道："他们两相情愿，愿成好合。"

多亏了美狄亚的药膏和嘱咐，伊阿宋毫发无损地完成了埃厄忒斯的任务，然而国王却拒绝遵守约定，反而打算加害阿尔戈众英雄。美狄亚发现了他的险恶用心。阿波罗尼奥斯生动地描述了她赤着脚从王宫一路跑来，穿过狭窄的小巷，一手拉住面纱，生怕被人认出；一手提着裙子，以便跑得更快。终于跑到了阿尔戈号，她忙催促水手们全力把船划进圣林，偷走金羊毛。

伊阿宋和美狄亚跳上了岸，来到橡树旁，他们看见晨曦中，金羊毛熠熠闪亮，也看见了那条不眠不休的巨蟒，睁着圆圆的、黄色的双眼。现在，这双眼正盯着他们，高高昂起了头，流着口水，露出了毒牙。美狄亚毫无惧色，轻声唱起了一支醉人的摇篮曲，又往巨蛇的头上撒了一把安眠药。它的眼皮变得沉重，合了起来，脖子也耷拉到了地上——它睡着了。伊阿宋和美狄亚一把拿过金羊毛，跑回了阿尔戈号。全体船员立即启航，此时天刚破晓，他们运桨如飞，阿尔戈号如飞矢一般划过如镜般安详的黑海。

手足相残和归航

有所警惕的埃厄忒斯跑到海边，命令舰队追击这群抢走金羊毛、掳走他女儿的海盗。终于，在黑海西岸，舰队渐渐赶上了阿尔戈号，眼看科尔基斯人就要拿下阿尔戈号了。走投无路的美狄亚抓起了她的弟弟阿普绪耳托斯（Apsyrtus，被她偷偷带上了船），杀死之后，肢解了尸体，抛入大海。埃厄忒斯看到海面上七零八落的手、脚、断臂、头颅随波起伏，连忙命令手下停船，将遗骸一一捞起。他把这些遗骸葬在了海边，修建了一座城，将其命名为托米（Tomi，"temno"意为"我切开"），以纪念惨遭肢解的儿子。

古代的作家们对阿尔戈英雄的回家之旅有颇多争议。有人认为他们的航线北至多瑙河，南至隆河，西面远至死亡之地。他们的探险之旅与奥德修斯返回绮色佳的旅途可相互印证。阿尔戈英雄们同样拜访了喀耳刻，她为他们洗去了谋杀阿普绪耳托斯的罪孽；也到了塞壬之岩，由于俄耳甫斯的歌声比妖女们的蛊惑还要动听，一船人得以幸免于难；还有克里特岛，他们打败了青铜巨人塔洛斯（Talos），拔出塔洛斯膝上的铜栓，滚烫的铅液喷涌而出，仿佛鲜血一样。流尽后，塔洛斯轰然倒下，死在了海滩上。

回到伊奥尔科斯，伊阿宋将金羊毛（上面还栖息着佛里克索斯的魂灵）拿给了珀利阿斯，然而珀利阿斯却拒绝让出王位。美狄亚又一次施展了她的法术。有人说，埃宋早已死去——因为珀利阿斯让他相信，伊阿宋没能完成任务，他便喝下了牛血，自杀身亡。另有人说他还活着，只是已垂垂老矣，体弱不堪，美狄亚施法让他恢复了青春。美狄亚唱着咒语，先是割开了埃宋的喉咙，接着将他的尸体浸在沸腾的大锅中，再倒进了充满魔力的混合物。接着，一个英俊的年轻人就从中走了出来，体格健壮，青春焕发。那些说埃宋死了的人，说美狄亚放进锅里的是一只老山羊。

珀利阿斯的女儿们也迫切地想要父亲重获青春，便央求美狄亚。美狄亚答应她们，只要她们割开珀利阿斯的喉咙，她就会施展魔法。姑娘们照办了，然而美狄亚却洋洋得意地拒绝履行诺言。人们谴责这位异域公主害死了国王，一致要求放逐伊阿宋和美狄亚。他们去了遥远的科林斯，在那里，他们的恋情惨烈地结束。在伊奥尔科斯，珀利阿斯的儿子阿卡斯图斯（他也是阿尔戈众英雄之一）继承了王位。

珀琉斯和忒提斯的婚礼

珀琉斯也是阿尔戈诸英雄中的一位，他本是一位王子，来自比帕加塞湾还要往南的弗西亚（Phthia）。阿卡斯图斯的妻子克瑞提伊丝（Cretheis）爱上了他，却碰了一鼻子灰，便诬陷珀琉斯强奸。阿卡斯图斯并没有立刻行刑，而是带他到皮利翁山打猎，希望借机杀掉他。一番激烈的捕猎之后，两人都收获颇丰。到了傍晚时分，为了挑起争端，阿卡斯图斯声称珀琉斯的猎物都是他的。珀琉斯表示抗议。他早已割下了猎物的舌头，并将它们拿出来作为证据。吃了一顿尴尬的饭菜之后，珀琉斯沉沉睡去。待到珀琉斯一觉醒来，阿卡斯图斯已经不见踪迹，还拿走了他的武器，现在一群肯陶洛斯把他团团围住，急不可耐地要报昨日惨遭屠戮之仇。还好，喀戎及时赶到，驱散了肯陶洛斯。

喀戎知道，宙斯希望珀琉斯娶海中仙女忒提斯为妻（宙斯没对忒提斯下手的唯一原因就是，忒提斯的儿子注定要胜过他的父亲）。不过，忒提斯却不乐意下嫁凡人。后来，忒提斯在洞中晒着日光浴，珀琉斯找到了她。忒提斯奋力反抗，把自己变成了一团火，又变成了水、蟒蛇、雄狮和乌贼。无论怎样，珀琉斯都紧紧抱住她，从不松开，直到忒提斯放弃反抗。

他们的婚礼就在喀戎居住的洞穴附近举行。这是场盛大的婚礼。缪斯献唱，海中仙女跳舞，好奇的肯陶洛斯前来观礼。不过正当婚礼方盛之时，突然袭来一阵寒意。一个黑衣人大步走过林间空地，来者正是不和女神厄里斯（Eris）——珀琉斯忘记邀请她了。现在，她前来报复。她从长袍下取出了一颗金苹果，把它滚进了舞池。然后，一言不发地离开了。

金苹果上刻着一行字："送给最美的女人。"现在好了，每个女人，不管是仙女还是女神，都说这是给自己的，欢声笑语变成了唇枪舌剑。直到多年以后，这个苹果才终于有了归宿，因为宙斯命令帕里斯在艾达峰上作出裁决，而这一裁决最终招致了特洛伊的毁灭。

肯陶洛斯和拉庇泰人之间的战斗成了陶立克柱式雕带上的主题。
雅典帕台农神庙南侧陇间壁，公元前5世纪。

肯陶洛斯和拉庇泰人的战争

皮利翁山上另一个山洞里举办的另一场婚礼，给肯陶洛斯带来了可怕的灾难，那是佩里托俄斯（宙斯和伊克西翁的妻子狄亚所生之子）、拉庇泰人的统治者，与希波达墨娅（"驯马师"）的婚礼。佩里托俄斯是雅典国王忒修斯的好朋友，两人一起经历了众多冒险，比如在卡吕冬的野猪狩猎，所以忒修斯不出所料地做了佩里托俄斯的伴郎。许多神祇参加了婚礼，还有当地的诸多显贵和佩里托俄斯的肯陶洛斯远亲。

婚宴之上人人贪杯畅饮 —— 这对饮食一向简朴的肯陶洛斯来说，可是场灾难。很快，他们就烂醉如泥，兽性大发。其中一个竟然企图诱拐希波达墨娅，另外的肯陶洛斯则向其他宾客的妻子扑了上去。忒修斯和拉庇泰人忙来帮助佩里托俄斯。肯陶洛斯拔起大树作为武器，搬起巨石砸向款待他们的东道主。这场斗殴死伤惨重，不过拉庇泰人最后战胜了肯陶洛斯。

后来，肯陶洛斯被周围的人排挤孤立，便永远离开了皮利翁山。有些往西，到了高高的品都斯山脉；另一些，包括喀戎在内，长途跋涉，南迁至伯罗奔尼撒半岛。然而，在那里，不幸再次降临到这些为数不多的肯陶洛斯身上。赫拉克勒斯路过这里，前来拜访福鲁斯。两人饮酒言欢，酒一倒出皮囊，香气就让肯陶洛斯们神魂颠倒、一哄而上。赫拉克勒斯没有办法，只好射出毒箭以求自保。肯陶洛斯无一幸免。

阿尔刻提斯

但凡在伊奥尔科斯或附近举行的婚礼，似乎都难逃厄运。多年之前，往内陆方向，距伊奥尔科斯只有几千米远的斐莱，国王阿德墨托斯（Admetus）前去向珀利阿斯的女儿阿尔刻提斯（Alcestis）求婚。珀利阿斯交给了他一个看似不可能完成的考验：套上一头狮子和一头熊，让它们拉着战车在伊奥尔科斯的战车竞赛场中跑上几圈。多亏了阿波罗和赫拉克勒斯的帮助，阿德墨托斯成功通过了考验，然而，情急之下他忘记了先去向阿耳忒弥斯献祭。等到他上了婚床，才发现床上盘踞着一窝蛇。惊恐万分之下，他向阿波罗祈祷，希望能平息阿耳忒弥斯的怒火。阿波罗对他青睐有加，允诺了他的请求。并且，阿波罗还答应，等到阿德墨托斯要死的时候，倘若他的家人中有人愿意替他献出生命，他也可以免于一死。

不久之后，引导死者的魂灵去往冥界的赫尔墨斯便来到了斐莱，宣告阿德墨托斯死之将至。阿德墨托斯极度恐慌，想要为自己找个替死鬼，然而，只有阿尔刻提斯同意了。在痛苦的哀歌中，王后自杀身亡，阿德墨托斯虽然活了下来，却在孤苦之中日日悔恨自责。欧里庇得斯的《阿尔刻提斯》（Alcestis）讲述了赫拉克勒斯愿意施以援手。在葬礼上，赫拉克勒斯从死神手中救回了阿尔刻提斯，用面纱掩住了她的容颜，带她回到了阿德墨托斯身旁。赫拉克勒斯没有说出她的身份，便让阿德墨托斯娶她为妻。阿德墨托斯十分愤怒，直到真相大白。死神送回了阿尔刻提斯，爱情获胜，终于有了一个神话故事结局圆满，皆大欢喜。

伊奥尔科斯的前世今生

沃洛斯附近迪米尼的迈锡尼遗址直到20世纪末才进行了第一次发掘。几条重要的公路都通向这座城市、这座宫殿——这是色萨利唯一一座宫殿。很快，人们就意识到这处遗址的重要之处了。遗址中出土了从叙利亚和小亚细亚进口的贵重物品，证明了迪米尼强大的贸易纽带，也让考古学家们确认了这里正是神话中的伊奥尔科斯。迪米尼的历史还要悠久。早在公元前5000年初，新石器时代晚期，帕加塞湾北部沿海一处入海口的山头便屹立着一座富庶的古城。有迹象表明，他们与历史更加悠久的塞斯克罗（Sesklo）之间有所往来。塞斯克罗在几千米之外的西面，始建于公元前6500年左右，以农业为主。鼎盛之时，居民达到了3000人之多。迪米尼或许就是塞斯克罗在沿海地带的殖民地。四百年来，两座城市同步发展，直至公元前4400年左右，塞斯克罗被遗弃。

到了新石器时代末，迪米尼一派繁荣景象，开放的公共场所表明了活跃的公众生活。城墙环抱之中，石砌的地基上，连着走廊的泥砖房子多达五十多座。这儿的陶窑可以烧出高达850摄氏度的高温。后来，人口渐少，直到公元前3000年左右，只剩下一大家人住在此地，不久之后便成了一座弃城。到了公元前第二个千年，这儿变成了一处公墓。

直到公元前14世纪，这里才再度有人居住。在东南方的山脚下，建起了迈锡尼的宫殿。在新石器时代的原址之内，有一座圆形石墓，再往西，还发现了另一座圆形石墓。宫殿中央大厅的四墙和地板都涂上了白色的灰泥，与两翼（北边住人，南边是工作间和贮藏室）用走廊相连。公元前13世纪末毁于一旦（可能因为意外），取而代之的，是一座双子宫殿，宫墙以黏土堆积而成，入口处有一处堆起的黏土祭坛。公元前1200年左右，这座宫殿也被大火焚毁。在这两个阶段，并无城墙保护，所以易受攻击，尤其是来自海上的攻击。

这一次，再没有人回到迪米尼定居了。如今，海岸线已经向南移动了几千米，后来的定居点［包括德米特里阿斯（Demetrias），公元前4世纪末由"围攻者"德米特里（Demetrius the Besieger）所建］离如今的沃洛斯更近，或是就在如今的沃洛斯，而如今的迪米尼则成了沃洛斯的近郊。

1886年，考古学家开始对被称为"拉米欧斯皮托"（Lamiospito，"闹鬼之屋"）的圆形石墓进行发掘。就连美国的报纸也十分热情地对此进行报道，声称这儿挖出的黄金首饰尽管"不比针头大几分，但其工艺之精湛、造型之精美，已让人别无所求"。他们还说，这些发现"更让人相信，当地的居民以航海为业"。就在六年之后，历史学家们写道："在帕加塞湾宁静的水边，（迈锡尼人）学会了航海的第一课。此后，他们才驶向远方，开启了冒险的旅程，阿尔戈英雄的神话就承载着对他们的纪念。"

如今的沃洛斯是一个兴旺的海港，码头上泊着令它引以为荣的纪念物：依照伊阿宋的神话重建的阿尔戈号。另外，全新的"阿尔戈博物馆"修建计划也已启动。

大事记&遗迹

约公元前6850年	塞斯克罗建成。
约公元前4800年	迪米尼建成。
约公元前4400年	塞斯克罗被遗弃。
公元前15世纪	首批迈锡尼人定居。
公元前14世纪	迪米尼建起了第一座迈锡尼宫殿和"拉米欧斯皮托"圆形石墓。
公元前13世纪	第二座迈锡尼宫殿建成。
约公元前1200年	迪米尼被遗弃。
1886年	发现"拉米欧斯皮托"。
1997年	迪米尼的迈锡尼城市和宫殿首次被发掘。

迪米尼坐落在沃洛斯的城郊，从繁忙的E92公路，一路清晰的路标带着我们进了城。透过围栏，可以看到这处迈锡尼遗址（挖掘工作正在开展，并未向公众开放）。不过，**新石器时期的迪米尼**同样不枉此行，六层低矮的城墙、窄窄的巷道和屋舍，值得一看。西北方向是（坍塌的）迈锡尼**"拉米欧斯皮托"圆形石墓**。从这儿，一条西向的小路通往第二座圆形石墓（不开放）。

从迪米尼往西，一条乡间小路可以到达**塞斯克罗**。塞斯克罗坐落在绵延起伏的丘陵之中，分外美丽。多亏了语音向导，这一大片石头、陶土和泥砖房屋的遗址才更容易辨识了。

再往内陆方向前进，就到了**斐莱**，这儿有**宙斯·塔里厄斯（Thaulios）神庙**的地基遗迹和**希珀瑞亚泉**。就在今天的韦莱斯蒂诺，挖掘工作仍在进行，这儿还有一处**柱廊**、几段**城墙**、几座**塔楼**，和一座**赫拉克勒斯神庙**。

沃洛斯文物博物馆收藏着新石器时期和青铜时代的墓葬品（包括**黄金首饰**和迷人的**陶土双马战车**）。这些墓葬品被安放在复原的坟墓之内。陶器残片上绘着**一艘迈锡尼船**。最令人惊艳的藏品，或许是公元前3世纪到前2世纪的**彩绘墓碑**，鲜艳的色彩被神奇地保存至今，展示了一幅幅生离死别的画面。其中一幅包含了一段辛酸痛苦的铭文，写给米诺斯和拉达曼迪斯（Rhadamanthus），冥府的判官之一，用来提醒阿德墨托斯的到访者，悼念他的亡妻阿尔刻提斯：

> 米诺斯和拉达曼迪斯！若你曾判过别的女人品行端庄，请一定也要这样评判阿里斯托玛科斯（Aristomachus）的女儿。渡她去那永乐之岛，因她貌美又虔诚。她在克里特的提利索斯长大，但如今，她已长眠于这片土地。命运让你不朽，阿基迪克（Archidice）。

第十三章

科林斯和虚情假意的海誓山盟

对于科林斯，我将知无不言。但我会讲述西西弗斯（Sisyphus），那巧言善骗的神；讲述美狄亚，她违逆了父亲的意愿，嫁了心上人……［还有柏勒洛丰］在科林斯，执权杖，坐拥宫殿、皇宅。他也曾历尽艰辛，试图力挽蛇发女怪戈耳工的后代，［生翼的飞马］珀加索斯。直到雅典娜，处子女神，带给他套马的笼头，上面系着黄金的额革。梦想终于成真。

柏勒洛丰在夜色中安睡，他相信，借着昏暗，那处子女神对他的谆谆相嘱。拿起魔法笼头，他赶忙爬起身来，满心欢喜地跑去找到科林斯的御用先知，向他说出了一切……先知命他立刻按照梦中建议行事：向大地的撼动者波塞冬献祭一头粗腿的公牛；立刻为骏马之神雅典娜修建一座祭坛。众神之力，轻轻松松就可以让人的期望落空、让誓言变得无力。于是，伟大的柏勒洛丰兴奋地抓住了飞马，为它套上了笼头。然后，身披铜甲，他翻身上马……

品达，《奥林匹亚颂》，自13行始，自72行始

镇子还在沉寂之中，狭窄的街道上，载着旅客的汽车还未轰隆作响地驶来。一片静谧之中，阳光已经洒满了科林斯古城。影子懒洋洋地移动着。阿波罗神庙沐浴在一片金色的光芒之中。从海边延伸过来的小路铺砌如新，而佩瑞涅泉（Peirene）旁宽阔的台阶通向那熙熙攘攘的集市，让人欣然前往。在阿克罗科林斯的遗址之后，一道耀眼的灰色岩壁从肥沃的平原上兀然凸起。山岩之巅，嶙峋的墙壁围成环状，那是中世纪的一座棱堡留下的残垣断壁。断壁合围着一块高地，那里曾是太阳神赫利俄斯的圣地。不过，即便在古代，赫利俄斯也没有什么声名和权势。只是，如今——在高高的卫城之上，那些断壁残垣早已被太阳晒暖了——他的竞争对手的神庙地基，在摇曳的灌木丛中纵横可见。那是爱、性与欲望的女神，阿佛洛狄忒的神庙。

普罗米修斯、潘多拉和瓮

科林斯（早期的文献中称其为依菲拉）的诸多神话皆源于欲望，尤其是潘多拉的欲望和随之而来的灾难。故事起源于距此往西约二十千米的西锡安：为了平息神与人之间的一场争执，狡猾的提坦普罗米修斯献出了祭品。他杀了一头牛，将内脏塞进皮里，骨头包在白花花的脂肪里，请宙斯选出自己喜欢的一份。宙斯选了大的一份——就是里面包着骨头的那份。等到宙斯发现自己选错了，顿时火冒三丈。这让他看上去缺乏判断力，因此他开了个先例：从此以后，人类在献祭之时，都要将脂肪和骨头烧掉，只许以肉做供品。后来普罗米修斯从天上盗取火种送给人类，更是大大地冒犯了宙斯，宙斯便严惩了普罗米修斯。他将普罗米修斯拴在了岩石之上，有一只秃鹫每日来啄食他会自我修复的肝脏，还创造了一个具有欺骗性的形体：一个"野性的美人"，外表迷人，内心险恶——潘多拉，第一个女人。

赫西俄德描述了赫菲斯托斯如何塑成：

> 用土为她塑出了端庄少女的身姿；灰色眼睛的雅典娜给了她长袍和腰带；神圣的诱惑女神和美惠三女神给了她黄金项链；四季女神将春天的鲜花编作花冠，戴在她的秀发之上。赫尔墨斯让她的胸中生出了谎言、劝诱和诡诈，并为姑娘取名潘多拉（"全才"），因为众神给了她这么多才能，好让她成为人类的祸根。

宙斯将她许配给了厄庇墨透斯（Epimetheus），普罗米修斯的蠢弟弟，还送了一份婚庆贺礼：一口大瓮（储物罐）。宙斯告诉潘多拉，不要将其打开。可想而知，她并没有照办，等到她发现了里面装的是什么，为时已晚：里面是长翅膀的小精灵，他们是苦恼和悲伤的化身。刹那间，她们一窝蜂飞出了大瓮。"只有希望留在了瓮边，没能飞出来。由于聚云者、持埃癸斯神盾（Aegis）的宙斯的意愿，她被盖子挡住了。万种灾难涌向了人类。大地之上，满目疮痍；大海之中，也是如此。"

对此，神话中科林斯的缔造者——国王西西弗斯打心眼里赞同。

西西弗斯的神话

西西弗斯来自色雷斯，和哥哥萨尔摩纽斯旅行来到了伯罗奔尼撒半岛。兄弟俩都十分傲慢，彼此怨恨，而且西西弗斯勾引了哥哥的女儿提洛，因为他听先知说，他俩结合生下的儿子会杀死萨尔摩纽斯。提洛发现了预言，对西西弗斯感到心灰意冷，杀光了为他所生的孩子。最后，西西弗斯也放弃了这个打算（在另一个神话中，正如我们所见，提洛嫁给了克瑞透斯、伊奥尔科斯的统治者，为他生了埃宋，也就是伊阿宋的父亲——而伊阿宋的妻子美狄亚，将为科林斯的神话抹上浓重的一笔）。

西西弗斯的诡计可不只是手足相残。他还想要骗过死亡。宙斯化身为飞鹰诱拐了当地的仙女埃伊纳，将她带至一座岛上，如今这座岛就被冠以她的名字。西西弗斯（站在科林斯的卫城阿克罗科林斯上，目睹了一切）对埃伊纳的父亲——河神阿索波斯（Asopus）说，只要阿索波斯为阿克罗科林斯造一口井，就告诉他女儿的下落。很快，佩瑞涅泉（与下方城市同名）便欢畅地流淌开来，而宙斯的罪行也被揭露。

接到宙斯的命令，死神来到科林斯，要为西西弗斯套上枷锁。不过，西西弗斯技高一筹。他请死神示范如何戴枷锁才最好，结果死神把自己锁进了枷锁，囚禁了起来。死神力量尽消，谁也不会死了——不过，这可不是件好事。战斗中伤残的战士、老朽和病重之人，都请求死去。最后，众神派来阿瑞斯救出死神，结束了西西弗斯的性命。即使是这样，西西弗斯还是不愿意平静地离开。就在死前，他让妻子将他的尸体放在科林斯的集市上。因为只有已经安葬的死者才能进入冥府，所以等到阿瑞斯带着西西弗斯的灵魂下到冥府时，西西弗斯（理所当然地）争辩说，他不该进冥府。正相反，他该回到地面，去教训自己的妻子，责怪她不恭敬，并为自己安排后事。他的诡计又成功了，等回到科林斯的家中，他就赖着不走了。宙斯可不上他的当。他派赫尔墨斯押着西西弗斯回了冥府，为他的阴谋诡计接受无尽的惩罚：罚他将巨石推上陡峭的山坡，然而，每当快到山顶的时候，巨石就会轰然滚回山底。

不过，西西弗斯倒也并非十恶不赦。有一次，他在海边发现了自己的外甥墨利刻耳忒斯的尸体，他的妈妈伊诺被赫拉逼疯了，和他一同跳进了大海，她的尸体被一只海豚送上了岸。西西弗斯在靠近科林斯的伊斯米亚安葬了墨利刻耳忒斯，为了纪念他，西西弗斯举办了葬礼运动会——两年一度的伊斯米亚运动会。在古代，这是波塞冬的盛会。

柏勒洛丰和珀加索斯

西西弗斯留下了几个儿子，有婚内所生，也有私生子。据说，奥德修斯也是他的私生子，而格劳科斯则是婚内所生，他的儿子就是柏勒洛丰。有关柏勒洛丰的故事，各种版本互相矛盾、莫衷一是。在大部分故事（除了荷马的版本）中，他是美杜莎血中所生的飞马珀加索斯的主人。珀加索斯在阿克罗科林斯的佩瑞涅泉旁吃草，多亏了雅典娜和波塞冬的帮助，他才成功制服了这匹神奇的飞马，为它套上了笼头（参见本章开头品达的记述）。幸亏他制服了这匹飞马，因为很快，珀加索斯就救了他一命。

因为失手杀了人，柏勒洛丰被流放到了梯林斯。在那里，年轻的王后安忒亚［有时也称史特诺波娃（Sthenoboea）］爱上了他。柏勒洛丰拒绝了安忒亚的挑逗，引来了她的报复。据荷马所述：

> 她对国王撒了谎："杀了柏勒洛丰，或者让他去死吧。他想强迫我和他睡觉。"国王听了之后火冒三丈。不过，他是个虔诚的人，所以并没有杀掉柏勒洛丰，而是把柏勒洛丰送去了吕西亚，并在一块密封的泥板中写上了毁灭性的记号，足以让他送命。国王让他把泥板拿给安忒亚的父亲，到时他就活不成了。

柏勒洛丰对这封信的内容一无所知，骑着珀加索斯就往东出发了。到了吕西亚，国王伊俄巴忒斯（Iobates）为了满足安忒亚的要求，派柏勒洛丰去完成一件要命的差事：去杀死喀迈拉，长着三个脑袋的喷火怪兽：一个是狮子脑袋，后背上长着第二个山羊脑袋，尾巴上长着第三个蛇脑袋。柏勒洛丰骑着珀加索斯飞上了天，飞到了喀迈拉的烈焰烧不到的地方，射下了如雨的箭矢。据另一个版本所说，他将一支铅头的长矛刺进了狮头的口中，铅头遇热融化，灌入了喀迈拉的喉咙，令它窒息而死。随后，柏勒洛丰便回到了伊俄巴忒斯面前。

国王十分为难。为什么众神会庇护一个犯了错的人呢？他的疑虑越来越重，因为派他去与凶残的部族（包括亚马逊人在内）作战，他总是屡战屡胜。最后，伊俄巴忒斯拿出了安忒亚的密信，与柏勒洛丰当面对质。柏勒洛丰戳穿了对他的诬陷，伊俄巴忒斯将小女儿嫁给了他。

然而故事并没有就此幸福美满地结束。柏勒洛丰被胜利冲昏了头脑，一心想要骑着珀加索斯飞上奥林匹斯山，这可是众神不容的罪过。宙斯马上派出了牛虻，围着珀加索斯左叮右咬。飞马直往上蹿。柏勒洛丰重重地摔落在

骑在（没有翅膀的）珀加索斯身上，柏勒洛丰对喀迈拉发起了攻击。米洛斯出土赤陶浮雕（约公元前460年）。

地上，据荷马所述："众神讨厌他，他独自一人在阿雷俄斯（Aleios）平原上游荡，满心痛苦，避人眼目。"至于珀加索斯，在漫长的旅途之后，在它的马蹄所踏之处，涌出众多汨汨的泉水［珀加索斯的珀加（pegai）就是"泉水"之意］。最终它到达了奥林匹斯山，为宙斯运送雷霆，后来化身为星座。

美狄亚，科林斯女王

从伊奥尔科斯出发找回金羊毛的伊阿宋，还有他的妻子美狄亚的故事，也都在科林斯上演。在流传最广的版本中，他们夫妻二人刚回希腊不久，美狄亚便一手谋划，让伊阿宋的叔叔、轻信的珀利阿斯死在了自己女儿的手上。随后，夫妻二人和两个儿子被放逐到了科林斯。

然而，到了科林斯之后，国王克瑞翁要把自己的女儿格劳刻（Glauce）嫁给伊阿宋。对于如今流离失所的英雄来说，这似乎是个再好不过的机会。不久，这就成了全城的谈资——欧里庇得斯在其悲剧《美狄亚》中，描写了佩瑞涅泉旁，老人们一边玩十五子棋，一边对此说长道短。怒不可遏的美狄亚决心报复，她送给格劳刻一件长裙，上面涂满了毒药，让她肌肤寸裂，中毒而死。克瑞翁赶来救她，也中毒身亡。美狄亚还残杀了自己的孩子。伊阿宋跑出来救孩子，可惜为时已晚，美狄亚驾着爷爷赫利俄斯借给她的巨蟒战车升上了天空，连埋葬死去儿子的机会都没留给伊阿宋。美狄亚要亲手将孩子埋在赫拉的圣地、科林斯湾远端派拉霍拉（Perachora）的海岬——那是她为保护雅典国王埃勾斯所造。

不过，在科林斯民间，还流传着一些更古老的神话，将美狄亚和他们的过去更为紧密地联系在一起。在其中的一个神话里，美狄亚（像提洛一样）成了连环儿童杀手。据保萨尼阿斯记载，此间的人们尚未有国王之位：

> 科林斯人从伊奥尔科斯请来了美狄亚，并赐予她王位。多亏了她，伊阿宋才统治了科林斯。美狄亚一生下孩子，便带着他们到了赫拉的圣地，将他们埋葬，相信只要葬身于此，便可以永生不朽。结果，美狄亚发现这只是一场空，而与此同时，她的所作所为被伊阿宋发现了。美狄亚恳求伊阿宋宽恕，伊阿宋断然拒绝，坐船回了伊奥尔科斯。所以，美狄亚也坐船离开了科林斯，把王国交给了西西弗斯。

两种神话中，美狄亚的动机判若云泥，再次让我们看到了希腊神话的善变。的确，两种相互矛盾的版本同时存在。保萨尼阿斯在科林斯还看到了格劳刻之泉，公主跳进了泉水，以为可以洗去美狄亚下的毒。附近还有一处纪念美狄亚儿子的纪念碑，上书他们并非为母亲所杀（这个版本大概出自欧里庇得斯），而是"因为他们送给格劳刻礼物，所以才被科林斯人用石块砸死。因为科林斯人非法屠杀的暴行，这些男孩让科林斯新生的孩子全都死去，直到人们遵从了祭司的命令，每年为他们献上祭品，并竖起了一尊象征着恐惧女神的女性雕像，才算罢休。这个版本最令人毛骨悚然，至今仍广为流传"。

科林斯的前世今生

因为地理位置得天独厚，科林斯是希腊大陆非常富饶的城市之一。坐落在地峡的正南方，科林斯坐拥两座海港，其一通往科林斯湾和西方；另一座则通向东方。到了公元前8世纪，科林斯开始信心十足地开辟海外殖民地，其中包括科孚岛上的克基拉（Corcyra），以及西西里的锡拉库扎（Syracuse）。到了公元前7世纪中期，颇有远见的君主库普塞鲁斯（Cypselus）进一步扩大了科林斯的贸易基地。在他和儿子佩里安德（Periander）的统治之下，阿波罗神庙、佩瑞涅泉，以及狄奥尔克斯（Diolcus）——一段用来将船只拖运过地峡而铺设的道路开始修建。在同一时期，科林斯还完善了新型战舰的设计：三桨船。

科林斯的艺术也非常繁荣——"原始科林斯式的"陶器成为当时最精美的作品，而科林斯与近旁西锡安的艺术流派可以说在整个希腊世界最具开创性。在佩里安德统治时期，据说宫廷诗人阿里翁在从意大利南部回到科林斯的路上，奇迹般地虎口脱险。当时，船上的水手想要偷他的财物，便把他丢下了海，不过一只海豚救了他，将他平安送上了岸。到了科林斯，阿里翁认出了那些谋杀未遂的水手，他们被处以死刑。

到了公元前5世纪，科林斯与雅典之间的经济竞争成为伯罗奔尼撒战争（公元前431—前404年）的诱因之一。公元前415年，雅典向西西里发起了一次袭击，虽然并未成功，但也把科林斯的殖民地锡拉库扎卷进了冲突。公元前395年，距这场战争结束尚未满十年，科林斯就与雅典站到了一起，共同抵抗斯巴达，不过盟军之内的内讧和争执不休，而战争的结局又不明朗，大大削弱了科林斯的力量，直到马其顿的势力扩张至此，科林斯才又重振雄风。然而，公元前146年，为了抵抗罗马插足希腊而结成的亚该亚同盟（Achaean League）被罗马将军卢西乌斯·穆米乌斯（Lucius Mummius）击溃，科林斯作为联盟的领导者，遭到卢西乌斯无情地打击报复。卢西乌斯将城内的艺术品洗劫一空，将科林斯城摧毁大半，大肆屠杀居民，将幸存者变为奴隶。

整整一个世纪之久，科林斯城被弃之不用，直到公元前46年，尤利乌斯·恺撒将之作为退伍士兵的新殖民地。科林斯又一次繁荣起来，很快恢复了奢华优雅的生活作风。公元前5世纪和前4世纪，这座城市曾因其交际花而闻名于世；如今，阿克罗科林斯阿佛洛狄忒神庙的富庶，让斯特拉博叹为观止：庙内住有千名圣妓，都是有钱的男人（和女人）进献而来。使徒保罗（大约于公元51年在科林斯住了十八个月）写给科林斯的基督教徒一封信，探讨真爱的意义，恐怕绝非偶然：

> 爱是恒久忍耐，又有恩慈；爱是不嫉妒，爱是不自夸，不张狂。
> 不做害羞的事，不求自己的益处。不轻易发怒，不计算人的恶。不喜
> 欢不义，只喜欢真理；凡事包容，凡事相信，凡事盼望，凡事忍耐。

包括尼禄和哈德良在内的罗马皇帝都常到科林斯来，并对其加以美化，不过从公元4世纪中叶开始，连番地震（或许也包括哥特人阿拉里克的洗劫）让科林斯走上了下坡路。第一个千年之交，科林斯经历了短暂的复兴，之后在1147年被十字军攻陷。虽然仍有人居住，但1858年的地震对科林斯造成了更大的破坏，此后，人们决定迁居海边。正因如此，古代科林斯的遗址并不像（比如说）古雅典那样让人狂热。尽管众多古典时期的建筑都被掩埋在了新建的房屋之下，余下的遗迹仍足以让人领略这座也曾喧嚣繁华的城市的风土人情。

科林斯
大事记&遗迹

? 公元前 6500 年	出现早期居民（科林斯之名始于前希腊时期）。
公元前 8 世纪／前 7 世纪	科林斯开始建立殖民地，包括锡拉库扎。
公元前 658—前 628 年	库普塞鲁斯将科林斯变成了一个经济强国。
公元前 581 年	举办首届伊斯米亚运动会。
公元前 480—前 479 年	科林斯加入希波战争。
公元前 433 年	科林斯与雅典争夺科林斯殖民地克基拉。
公元前 431—前 404 年	科林斯加入伯罗奔尼撒战争，对抗斯巴达。
公元前 395—前 387 年	科林斯和其盟友（包括雅典在内）发起对斯巴达的战争。
公元前 338 年	马其顿的腓力二世为对抗波斯发起了科林斯联盟。
公元前 243 年	科林斯加入了亚该亚联盟，对抗斯巴达和（随后的）罗马。
公元前 146 年	罗马将军卢西乌斯·穆米乌斯摧毁了科林斯。
公元前 46 年	尤利乌斯·恺撒重建科林斯，将其作为退伍军人的殖民地。
约公元 51 年	保罗与柯林斯的基督徒生活在一起。
公元 68 年	尼禄在伊斯米亚运动会上一展歌喉，并宣布希腊解放。
公元 2 世纪至 3 世纪	进一步的扩张和修缮。
公元 4 世纪中期	首次大地震。此后直到公元 6 世纪，科林斯接连发生大地震。
1147 年	十字军洗劫科林斯。
1858 年	科林斯迁往海岸附近。

遗址入口有一条小道，从建于公元 1 世纪的**屋大维娅神庙**前经过，通向令人赞叹的**广场**。北面耸立着公元前 6 世纪的**阿波罗神庙**，立着七根陶立克柱，有几根顶端还残留着柱上楣构。近旁就是**格劳刻泉**。广场远端，是静谧的**佩瑞涅泉**（不得进入），至今保留着希罗德·阿提库斯（公元 2 世纪）修建时的原貌。围墙之外，入口处附近，是保存完好的**音乐厅**（不得进入）。马路的对面，还有一条小道，通往残存的露天圆形**剧场**。

一条陡斜的公路通向**阿克罗科林斯**，其**法兰克围墙**令人惊叹。墙内有**阿佛洛狄忒神庙**，以及**佩瑞涅泉上游的遗址**。往日的辉煌几已不见，不过往北，远眺希腊中部；向南，望向伯罗奔尼撒半岛，景致颇为壮观。

在科林斯周围，还有**西锡安**和**伊斯米亚**（伊斯米亚运动会所在地）的遗址，以及**剧院、波塞冬神庙**，和保存不善的**运动场**。

继续向前，可以去看看**喀迈拉**，距安塔利亚西南八十千米处的海滩上，由地下天然气点燃的大火。靠近特洛斯（因该英雄葬身此处而得名）的费特希耶有一处**坟墓**，安放着**柏勒洛丰和珀加索斯的雕像**。

第十四章

阿尔戈斯：赫拉之地，英雄的家园

阿尔戈斯的人们在欢庆赫拉的节日，节日中的重头戏，就是看那公牛拉着车，将女祭司送入神庙。可是，这群公牛还没从田间归来。时间紧迫，她的两个儿子，克勒奥庇斯和庇同，搯起车轭，拉起车，母亲坐在其上，走了五英里，终于到了赫拉的神庙。

他们的努力让母亲心花怒放。她站在神像之前祈祷，既然克勒奥庇斯和庇同为她增添荣耀，女神赫拉应赐予他们属于男人的无上奖赏。祈祷完毕，人们献上祭品，一同欢宴。至于年轻人，他们在神庙中睡下，不再醒来。他们的生命就此终结。阿尔戈斯人为他们立起雕像，在德尔斐供奉，让世人皆知他们是最好的男儿。

希罗多德，《历史》，1.31

坐在剧院里石砌看台的最后一排往下望，阿尔戈斯城——老城和新城——尽收眼底，令人目眩。灰白色的一排排石头看台上，点缀着浅绿的草丛，一道道向远处延伸的线条上裂痕遍布，那是数百年来冬雨的杰作。两旁，高大的树木列成倾斜的方阵，将我们的视线依次引向剧院的乐池和舞台，然后掠过古罗马的公共浴室，红色的砖墙，跨过一条现代所建、通往广场的道路，越过绿色的平原和纳夫普利翁海湾，最后落在了远方蓝色的山间。如今的阿尔戈斯是一场混凝土的灾难，平淡无奇、索然无味，一条条单向街道忙忙碌碌、交织错乱，唯有这远山令人瞩目。在古代也是如此。因为跨过伊那科斯（Inachus）尘土遍布的河床，越过田野和葡萄园，阿尔戈斯土地上最为神圣的圣坛就坐落在这远山之中一处低矮的高原之上。那块圣地属于"牛眼女神"赫拉，在她的护佑之下，阿尔戈斯繁荣昌盛。

赫拉和阿尔戈斯的赫拉神庙

赫拉的声名在阿尔戈斯（伯罗奔尼撒半岛东北地区，因阿尔戈斯而得名）的土地上，也并非处处喜闻乐见。没错，就是在这里（不过，也有人说是在克诺索斯），赫拉第一次被人追求——被她的弟弟宙斯追求。战胜克洛诺斯、夺取了奥林匹斯山之后，宙斯在阿尔戈斯以东的索那克斯山（Mount Thornax）找到了赫拉，向她发起了求婚攻势。然而，赫拉却不乐意，断然回绝了他。后来，一场暴雨过后，赫拉在赫耳弥俄涅（Hermione）的海湾发现了一只毛羽凌乱、瑟瑟发抖的杜鹃，便轻柔地将它抱起，放进衣内贴着乳房，小心抱在怀中。刹那之间，电光石火闪过，杜鹃变成了宙斯，强奸了赫拉。满心羞愧的赫拉只好接受。赫拉嫁给了宙斯，不过每年她都会在纳夫普利翁的一处泉水沐浴，恢复处女之身。

即使是在赫拉的圣地，阿尔戈斯的赫耳弥俄涅，宙斯也让赫拉头疼不已。宙斯积习难改，神魂颠倒地迷上了当地的一位姑娘：赫拉的女祭司、河神伊那科斯的女儿——伊俄（Io）。伊俄很快便委身于他。等到赫拉听说了这件事，宙斯试图掩盖自己的不忠：他把已经有身孕的伊俄变成了奶牛。不过赫拉可不会上当。她说这牛是她的，便牵去了自己的圣地，拴在一棵橄榄树下，并派了一名守卫——阿尔戈斯·潘诺普忒斯（Argos Panoptes，"无所不见"），大地所生的百眼巨人，一百只眼睛轮流闭上休息。潘诺普忒斯睡觉的时候，有些眼睛也是睁着的，时刻保持警惕。

宙斯不甘心让伊俄就这样一直做一头牛，派了赫尔墨斯去偷牛。赫尔墨斯乔装打扮成了牧羊人，讨得潘诺普忒斯的欢心。他吹起牧笛，吹出柔和的音乐，乐曲轻松、催人入睡，潘诺普忒斯的眼睛一只接一只地合上了，并且，破天荒地连最后一只眼睛也闭上了。赫尔墨斯乘机砍下了潘诺普忒斯的

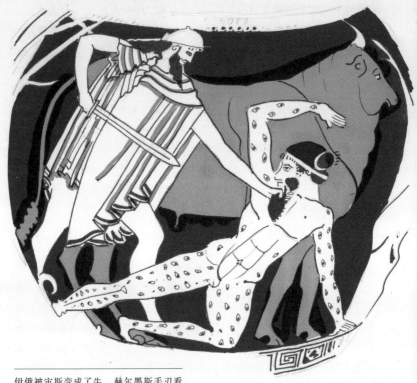

伊俄被宙斯变成了牛，赫尔墨斯手刃看
守伊俄的百眼巨人阿尔戈斯·潘诺普忒斯
（公元前5世纪，阿提卡红色人物花瓶）。

头，解开了伊俄颈上的缰绳。

　　赫拉看到了发生的一切，放出一只牛虻叮着伊俄不放，可怜的伊俄只
得上蹿下跳，一路逃亡。多年之后，伊俄跑到了埃及，宙斯才为她恢复了人
形。最后，她生下了宙斯的儿子，并嫁给了国王，后来（据希腊人所称）被
奉为伊西斯。至于阿尔戈斯·潘诺普忒斯，赫拉以他之名命名了自己的土地，
将其百眼移到了她最青睐的鸟儿——孔雀的尾羽之上。自此之后，这些眼
睛便一直在那里。许多希腊的看门狗（包括奥德修斯在绮色佳的那只）都被
称为阿尔戈斯，作为对他的纪念。

达那俄斯

　　自从伊俄被驱逐出阿尔戈斯之后，阿尔戈斯便不断有人被驱逐出城，也
有人从其他地方被驱逐至此。后来，有一艘船从埃及驶来，那是伊俄的后

代，从埃及又逃了回来。埃及国王埃古普托斯（Aegyptus，伊俄的曾曾孙）生下了五十个儿子，他希望他们能够和自己的对手、双胞胎弟弟达那俄斯（Danaus）所生的五十个女儿结婚。可达那俄斯和他的女儿们却并不愿意，他们担心这是个阴谋，是埃古普托斯要借机杀掉他们。所以，史无前例地，他们造了一艘船，漂洋过海，逃到了阿尔戈斯。

到了阿尔戈斯［埃斯库罗斯将这个故事写成了戏剧《哀求者》（*Suppliants*）］，他们哀求国王佩拉斯戈斯·革拉诺尔（Pelasgos Gelanor，"笑者"）为他们提供庇护。佩拉斯戈斯将这件事交给了阿尔戈斯公民，他们投票决定是否保护这些姑娘。保萨尼阿斯写道，他们还投票拥立达那俄斯为王，因为一个预兆：城中百姓尚在争辩之时，突然听说从山上来了一头狼，咬死了牧场里的一头牛，百姓们觉得这是在预示外来的达那俄斯应当取代当地的佩拉斯戈斯。这是阿波罗·吕开亚（Apollo Lycaeus，狼神）送出的征兆，他们修建了阿波罗的圣地，一直保存至罗马时期。

等到埃古普托斯的五十个儿子一路追来，阿尔戈斯人却不愿意出城迎战。达那俄斯想出了一个阴险的计划。他假意逢迎，为他们举办婚礼，并将婚礼全都安排在同一天。入夜之后，达那俄斯的女儿们一个个拔下头上的发针，刺进了自己新婚丈夫的心脏，将他们杀死——除了许珀耳涅斯特拉（Hypermnestra），她的丈夫林叩斯（Lynceus）尊重了她的请求，并没和她同睡。

许珀耳涅斯特拉的四十九个姐妹都被免除了罪责，涤清了罪孽，另嫁了新夫。尽管她们曾经犯下弑夫之罪，追求者还是络绎不绝。为了避免纠纷，达那俄斯安排了一场赛跑：获胜者可以优先选择新娘，亚军其次，余者类推。这个办法行之有效，他们组建了家庭，生下的子孙后代便是亚该亚人（Danaans）。这个名称，在荷马史诗中常被用来代指希腊人。

然而，并非事事都能皆大欢喜。有人说，林叩斯谋害了岳父达那俄斯，当了阿尔戈斯的国王。到了冥府之后，达那俄斯的女儿们为自己犯下的罪行受到了惩罚，她们不得不拿着破罐子去接水，再倒进一个漏水的大锅。这件永远也做不完的家务活，对于这些不够格的妻子来说，正是最好的惩罚。

阿尔戈斯王子珀尔修斯

林叩斯和许珀耳涅斯特拉的孙子、阿尔戈斯国王阿克里西俄斯，也害怕自己会命丧家人的手中。他从德尔斐的祭司那里得到了警告，他将被自己的外孙杀死。他唯一的女儿达那厄尚无子女，为了以防万一，阿克里西俄斯将达那厄囚禁在一间铜屋里，只在墙上开了一扇窗子。然而，就是这扇窗让国王功亏一篑。宙斯从窗外看到了达那厄，化身金雨，穿窗而入。这天降雨露让达那厄怀上身孕，生下了珀尔修斯。

阿克里西俄斯虽不相信达那厄，却也不忍心杀掉女儿，便将她和孩子锁进了一口木箱，丢进波涛之中。他们随波逐流，和先前的难民一样被洋流送到了塞里福斯岛（Seriphos）。岛上的渔民狄克提斯（Dictys，"网"）发现了他们，并将珀尔修斯视为己出，抚养成人。几年之后，狄克提斯的兄弟、国王波吕得克忒斯（Polydectes）对达那厄着了迷——为了满足自己的欲望，他想方设法要除掉珀尔修斯。他佯称自己要追求埃利斯公主希波达墨娅，要求塞里福斯岛每个有名望的人都要献上一匹马，作为他的求婚礼。珀尔修斯既没有马，也没有钱去买一匹马。于是，他请求波吕得克忒斯让他另做一件事以作抵偿，因此落入了波吕得克忒斯设下的陷阱。洋洋得意的波吕得克忒斯当即下令："把戈耳工美杜莎的头带来给我。"

珀尔修斯和美杜莎

戈耳工三姐妹长着翅膀，令人望而生畏，住在西方遥远的大洋彼端。她们的脑袋硕大无朋，长着野猪一般的獠牙和垂下的长舌，她们的头发是盘曲扭动的长蛇。只要看上一眼，任何活物都会被变成石头。赫西俄德写道："两条蛇探出头来，从发带上垂了下来。它们吐着信子，咬牙切齿，怒目圆睁。恐惧之神在它们的头上瑟瑟发抖。"三姐妹中有两位是不死之身，但美杜莎不是，波吕得克忒斯要的，就是她的头。他选了谁的头其实并没有什么关系，因为人人都知道，珀尔修斯是有去无回了。

雅典娜知道了这件事，便决心助珀尔修斯一臂之力。她先是说服众神，为珀尔修斯提供了完成任务所必需的装备：赫尔墨斯为他备好了带翼的拖鞋；宙斯送了一把坚硬的玉镰；哈得斯送了一张戴上就可以隐身的狗皮头盔；雅典娜则送了一面光可鉴人的盾牌。不过，珀尔修斯还差一件装备：一个可以密封的银袋（*kibisis*），用来装戈耳工的脑袋，以免邪恶的魔力漏出来。不过，这个银袋必须由他本人向赫斯珀里得斯姊妹去要才行，她们住在遥远的西方，落日的国度。

想要知道怎样才能到达那里，珀尔修斯先去拜访了格莉伊三姐妹（Graeae）。和戈耳工三姐妹一样，她们都是福耳库斯（Phorcys）的女儿，都丑得吓人。埃斯库罗斯说，她们是"三位姑娘，只是上了年纪，身体像天鹅一样，三人共用一只眼睛、一颗牙齿。太阳的光芒照不到她们身上，夜晚的月亮也同样照不到"。

珀尔修斯骗了格莉伊三姐妹，趁着她们一个人拿着眼睛要递给另一个人，另一个伸出皱巴巴的手还没拿到时便把眼睛一把抢下，这才问出了想要知道的信息。他立刻动身，一路向西，到了金苹果园，赫斯珀里得斯姊妹慷慨地给了

在雅典娜的鼓励下，珀尔修斯割下了美杜莎的头。美杜莎临死之际，
生下飞马珀加索斯，将其紧紧抱住。西西里，塞利农特，约公元前
550年所建神庙，"C"三槽板间平面壁画。

他银袋。接下来，脚下踏着赫尔墨斯的飞鞋，珀尔修斯飞向了戈耳工的巢穴。

　　快要到达的时候，珀尔修斯拉低了哈得斯的头盔。没人能看到他。珀
尔修斯手执镰刀，悄声靠近，将雅典娜的盾牌斜掩在身前——因为他知道，
虽然绝不可以直视戈耳工，但盾牌上的倒影却是毫无魔力。就这样，他一步
步靠近，近到群蛇在身旁嘶嘶吐信。他挥舞手中的镰刀，瞬间砍下了美杜莎
的头颅。珀尔修斯连忙将其装在银袋之中飞上了天空，大获全胜。赫西俄德
想象着刻画在一面盾牌上的情形：

　　　　他如一闪而过的思想，骤然飞起。背负的袋中，是那恐怖的怪
　　兽戈耳工的头颅，真是不可思议……仿佛仓皇而逃，达那厄的儿

子珀尔修斯，脚步匆匆，尽力奔跑；身后，戈耳工姐妹紧追不舍，伸出双手要把他抓住，她们面目可憎，没人愿意亲近。

戈耳工姐妹疾行如风，不过，珀尔修斯更胜一筹。不一会，他就甩开了两姐妹，乘风破浪，向着日出的东方疾驰而去。

珀尔修斯、安德洛墨达和回到阿尔戈斯

珀尔修斯经过埃塞俄比亚时，看到一位美貌的姑娘，赤裸着身子，被绑在海边的柱子上。珀尔修斯向她走去时，海浪泛起白沫，向两旁分开，一只怪兽从海中跃起，站在了她的面前。珀尔修斯动作敏捷，他让女孩闭上双眼，从天上俯冲下来，自己则扭过头去，将美杜莎的头颅从袋子中拎了出来。顷刻之间，怪兽化为了巨石。珀尔修斯小心翼翼地将美杜莎的头颅放回袋中，为姑娘松了绑，听姑娘说出了事情的原委。

她叫安德洛墨达，是国王刻甫斯（Cepheus）和王后卡西欧佩亚（Cassiopeia）之女。他们吹嘘自己的女儿比海中仙女还要美，惹恼了波塞冬，海神先是淹没了他们的土地，又派来怪兽大肆破坏。只有表明诚意，将安德洛墨达献祭给怪兽，才能平息波塞冬的怒意。在胜利的喜悦中，珀尔修斯宣布要娶安德洛墨达为妻，两人一同回到了塞里福斯岛。

波吕得克忒斯坐在拥挤的王宫大厅中，语带讥讽地询问珀尔修斯有没有完成任务。珀尔修斯一言不发，盯着波吕得克忒斯，拎出了美杜莎的头。魔力所至，立竿见影，谁也躲不掉。波吕得克忒斯和一众扈从全都似大理石像一般纹丝不动。达那厄和珀尔修斯大喜过望。珀尔修斯同意母亲与救了他们的渔夫成亲，随后，便带着安德洛墨达去了阿尔戈斯。

珀尔修斯的外祖父阿克里西俄斯住在色萨利的拉里萨，所以他们二人先绕道去见了外祖父一面。据保萨尼阿斯所说：

> 珀尔修斯正值年富力强，刚刚发明了掷铁饼的运动，兴奋不已。他向每个人展示，不幸的是，没有人注意到，阿克里西俄斯正好走进了铁饼飞过之路。神的预言应验了，即使他处处小心，那必将降临到他身上的也不会迟到。

珀尔修斯悲痛万分，回到了阿尔戈斯。当地流传的说法是，他将美杜莎的头埋在了一个土堆之下。也有人说，他将美杜莎的头送给了雅典娜，雅典娜将其安放在了自己的护具、周边蛇绕的羊皮神盾之上。在古代，美杜莎的头像常见于战士的护盾，用以震慑敌人，或是出现在马赛克壁画和

雕刻作品之中，用于辟邪。位于科孚的克基拉岛上，有一座建于公元前6世纪早期的阿耳忒弥斯神庙，神庙西侧三角墙的中央装饰就绘有一个正在奔跑的戈耳工。

因为不愿做阿尔戈斯的国王，珀尔修斯和自己的堂兄弟墨加彭忒斯（Megapenthes）交换了王国，从他手里接管了梯林斯和迈锡尼。

堤丢斯和狄俄墨得斯

后来，阿戈里德还燃起了两次战火，一次烧向了底比斯，另一次烧向了特洛伊。这两场战争都与英雄堤丢斯（Tydeus）家族有关。因为害得亲戚送了命，墨勒阿革耳的兄弟堤丢斯被逐出了卡吕冬，来到阿尔戈斯寻求庇护，而其不在时，他的父亲俄纽斯（Oineus）被废黜。阿尔戈斯国王阿德拉斯托斯（Adrastus）看出了堤丢斯的潜力，让他做了自己的女婿，并发誓助他回到自己的国土。波吕尼刻斯被哥哥厄忒俄克勒斯赶出底比斯，也来到了阿尔戈斯，阿德拉斯托斯也以同样的方式待他。

召集了一支大军之后，波吕尼刻斯便挥师攻打底比斯。堤丢斯也是军中的七将之一，不久便立下了赫赫战功，击败了五十个伏击他的底比斯人。不过，在他杀死了底比斯人墨兰尼波斯（Melanippus）之后，他贪婪地吃下了伏地身亡者的脑髓。没过多久，堤丢斯也死了。雅典娜看到了他的恶行，极为厌恶，打消了原本要赐予他永生的念头。

底比斯一战，让这些阿尔戈斯人长眠于此。不过，十年之后，他们的儿子在自己的战争中赢得了胜利，其中包括堤丢斯的儿子狄俄墨得斯。征服了底比斯之后，狄俄墨得斯继续向卡吕冬进军，终于将祖父俄纽斯重新扶上了王位，之后他回到阿尔戈斯，做了国王。狄俄墨得斯也曾追求过海伦，也参与了特洛伊战争，在卓越的希腊勇士中名声斐然，他是明智的顾问、值得信赖的队长，甚至在天神前来插手战事的时候，也敢与之奋战（打伤了阿佛洛狄忒的手腕、和阿波罗对抗），还参加了偷取特洛伊雅典娜护城神像的行动。他被选中藏身于特洛伊木马腹中，在屠城中立下了战功。

不过，狄俄墨得斯的回家之旅却并不愉快。因他在外，妻子经常不忠，她和当时的情人设法阻挠，不让他进入阿尔戈斯。狄俄墨得斯转而驶向了意大利，建立了众多城市（包括如今的布林迪西）并娶了当地国王的女儿为妻。有人说，他并未死去，而是神奇地消失了，他的同伴则变成了鸟儿。后来，他被奉为神明。

历经了几任糟糕的国王之后，阿尔戈斯被阿伽门农的儿子俄瑞斯忒斯吞并。从此之后，神话传说中再也听不到阿尔戈斯的威名了。

阿尔戈斯的前世今生

阿尔戈斯在希腊历史中的地位举足轻重。它是阿戈里德地区最强大的城市，地处科林斯和斯巴达之间，这也就意味着总会被卷入战争。在其历史上，曾有一位近似于神话的国王菲敦（Pheidon），据说是他将铸币、度量带到了希腊。不过，究竟有没有这样一位国王，如果有，生卒年月又是何时，都还不为人知晓。或许，他曾参加了公元前668年发生在阿戈里德西南、反抗斯巴达的希西亚（Hysiae）之战，这只是两个城邦之间愈演愈烈的对抗中的一场。或许，两邦冲突最为惨烈的一场战役，是公元前494年的塞佩亚之战。战争中，斯巴达人将战败的阿尔戈斯人驱赶到了阿尔戈斯附近的一处圣林，放火将他们活活烧死。阿尔戈斯城得以幸免，全凭女抒情诗人泰勒希拉（Telesilla）将武器发给了城中的女人和奴隶，她们在城墙上各就各位、严守不殆。斯巴达人担心，万一战败，那就是输给了女人，于是他们选择了战术撤退。在阿尔戈斯剧院附近，立有纪念泰勒希拉的雕像。

在波斯战争期间，阿尔戈斯极具争议地选择了中立。或许，是希望在希腊的劲敌战败后，可以赢来自己的富饶与强大。在伯罗奔尼撒战争中，阿尔戈斯城摇摆不定，先是和雅典结盟，后来（在政府更替之后）又倒向了斯巴达。在这一时期，波利克里托斯用黄金和象牙造了一尊巨大的赫拉坐像，献给了阿尔戈斯城赫拉神庙。到了公元前4世纪，阿尔戈斯城再次倒戈，协助底比斯在留克特拉（公元前371年）和曼提尼亚（公元前362年）打败了斯巴达。在后来的几十年中，它又向马其顿寻求帮助，抗击斯巴达。

公元前3世纪至前2世纪期间，阿尔戈斯城依旧时不时地被卷入战火。公元前272年，一位老妇扔了块屋瓦，正好击中伊庇鲁斯国王皮洛士（Pyrrhus of Epirus）的额头，皮洛士便葬身于此（他刚刚通读了市民广场上纪念达那俄斯的碑文，石碑上刻着一头撕咬公牛的狼，而这预示了他的死亡）。公元前146年，罗马吞并希腊，阿尔戈斯成了重要的地方性中心。公元前50年，涅墨亚运动会（Nemean Games）决定永久在此地举办（在过去的几个世纪里，运动会一直在涅墨亚和阿尔戈斯两地举办）。尽管公元396年阿拉里克洗劫了阿尔戈斯城，到了拜占庭统治时期，这里又恢复了繁荣和富饶。不过，阿尔戈斯在土耳其人的统治下深受其害。1397年，大部分阿尔戈斯人都沦为了奴隶，而余下的在1500年惨遭屠杀，城里的人换成了阿拉伯人。到了希腊独立战争期间（1821—1829年），阿尔戈斯差不多化为了一片废墟。如今，钢筋混凝土的城市，大部分都始建于20世纪60年代。

大事记 & 遗迹

公元前约4000年　阿尔戈斯城赫拉神庙地处新石器时代的定居遗址。

公元前约1600年　在已有的定居地周围修建了防御性城墙

公元前1350—前1200年　进一步加固了防御工事：迈锡尼时期阿尔戈斯城的巅峰。

？公元前约1200年　阿尔戈斯城被攻陷？

？公元前7世纪早期　菲敦在位？

公元前668年　在希西亚之战中战胜斯巴达。

公元前494年　在塞佩亚战役中被斯巴达击败。

公元前490—前479年　波斯人入侵，阿尔戈斯采取中立。

公元前431—前404年　阿尔戈斯在伯罗奔尼撒战争期间摇摆不定。

公元前272年　阿尔戈斯城受到伊庇鲁斯国王皮洛士的攻击。

公元前146年之后　阿尔戈斯在罗马帝国的统治下再度繁荣富强。

公元396年　哥特人阿拉里克洗劫阿尔戈斯城。

古时的阿尔戈斯城大部分都被掩埋在了新城之下。最重要的遗迹都在的黎波里路旁。其中包括（大路西侧）公元前4世纪末至前3世纪初的**剧院**。听众席的岩刻座位也得以幸存，只是原本两侧的座席还要更长，以护堤支撑，足以容下20000名观众。听众席上也曾有过一个顶棚，可以遮住部分区域。近处有一座规模较小的剧场（可以坐下大约2500人），建于公元前5世纪，在公元2世纪被改造成了**音乐厅**。与此毗邻的，是残存的**阿佛洛狄忒圣殿**遗迹。剧场前面是**罗马大浴场**，浴场西侧两层结构的房顶以下部分得以保存至今。大路东侧是**市民广场**。虽然只有地基残存了下来，但仍可见其规划布局巧妙，包括**泉水屋**、**议事厅**、一座**神庙**和一座**墓地**。

北面，阿斯皮斯山（Aspis Hill）上，站在**皮提亚·阿波罗神庙**和**雅典娜·奥克西德克斯**（"目光敏锐的"）**神庙**的地基上，可以远眺附近拉里萨山上的岩顶圣母修道院和中世纪的要塞（可以一睹迈锡尼和古典时期的砖石建筑遗迹）。

阿尔戈斯的**赫拉神庙**位于阿尔戈斯城东北约8000米的地方。那里景色壮丽。阶地层层相叠，"旧庙"便坐落在最高处。公元前423年，女祭司疏忽大意，神庙毁于一炬。阶地的中层，坐落着**新庙**（约公元前420—前410年），庙内有波利克里托斯的黄金象牙神像和一处柱廊。在最下层的阶地，还有一圈（建于公元前5世纪的）柱廊。这里还有一座迈锡尼地下圆顶坟墓。

阿尔戈斯的**文物博物馆**（目前已闭馆）收藏了从新石器早期（包括一尊约公元前3000年的**陶俑**）到罗马帝国时期的文物。其中的珍品包括公元前8世纪晚期的**青铜头盔和铠甲**；一件公元前7世纪的陶片，绘有奥德修斯刺瞎了**波吕斐摩斯**的独眼（这是希腊艺术作品中描绘神话故事的早期代表作之一）；一件公元前5世纪的花瓶，画有**忒修斯和弥诺陶洛斯**；还有**公元5世纪的马赛克画**，画着狄奥尼索斯和四季女神。

克勒奥庇斯和庇同的雕像藏于德尔斐博物馆。

　　第十四章　阿尔戈斯：赫拉之地，英雄的家园

第十五章

雅典：雅典娜的战利品，忒修斯的王国

你头戴紫罗兰花冠，光芒四射，众多的歌谣将你传唱，你是全希腊的守护女神——在那名扬四海的雅典，屹立着你神圣的卫城……

奥林匹斯山上的众神啊，都来此欢舞！到这城里神圣的中心，赐予我们无上的恩典。这儿飘着馥郁的香气，通往这儿的路上，人们常来常往！到这圣地雅典来，看看这儿精美典雅的建筑、四海闻名的市场！听听我们的歌声，歌唱缠绕着紫罗兰的花冠，那花朵才从春露里摘下。

品达，自64与63起 [塞西尔·莫里斯·鲍拉爵士（Bowra）译本]

雕像伸出的手中，或许曾托着带翼的胜利女神，这尊于1959年在比雷埃夫斯（Piraeus）发现的青铜像将雅典娜塑造成战士和城市守护者的形象（约公元前360至前340年）。

想要一睹卫城的壮观景色，一定要赶在人还不多、天还不热的时候，才会大饱眼福。一大早，在金色晨光的笼罩下，尚未有人来打扰这雄伟的圣地，帕台农神庙高大的立柱投下一道道长长的影子，在光滑、闪亮的岩石上荡漾；而在厄瑞克修姆神庙的门廊里，女像柱空洞的眼睛凝视远方，那温暖的日光正要照亮她们的面庞。

沿着四周走一走，往下望，可以看到集市广场（现代的混凝土建筑仿佛一块块疹子，长满了也曾农田遍布的阿提卡平原。古时的市场，粉色夹竹桃正在绽放，簇拥着树木丛生的矮丘，上面屹立着赫菲斯托斯的神庙；那边，是锥形的吕卡维多斯山（Mount Lycabettus）；还有潘忒里孔山（Mount Pentellicon）的山脊，帕台农神庙的大理石都采自那里；伊米托斯山上的蜂巢还在酿造甜美的蜂蜜。往南看去，越过狄俄尼索斯剧院，越过缪斯之山，海湾里泊着一艘艘大船。掠过埃伊纳岛上葱翳的山冈，远远地看去，伯罗奔尼撒半岛上的远山淡影在晨雾中若隐若现。站在卫城之上，太容易让人以为自己正处于一个巨大车轮的正中，群山、牧场和大海都在轮辐的怀抱之中。这里是和谐之地，这里是力量所在，难怪众神会为之疯狂地争斗。

雅典娜的诞生

雅典的名字来自它的守护神，宙斯的女儿、处女雅典娜（不过，利比亚人认为她长着大海一样蓝色的眼睛，所以断定她的父亲是波塞冬）。她的妈妈是墨提斯（Metis，"聪明"），最初为了躲避宙斯而不断变换身形。不过，也没能坚持多久。墨提斯怀上了孩子，大地女神盖亚预言，这个孩子是个女儿；不过，要是墨提斯给宙斯生个儿子，这个男孩将打败他的父亲。宙斯热衷于手中的权力，便效仿自己的父亲克洛诺斯，将墨提斯整个吞了下去。

不久，宙斯就开始头疼难忍，变得虚弱无力。最后，宙斯头疼欲裂，难以忍受。在利比亚的特里同湖畔，他痛苦的咆哮声之大，远在奥林匹斯山上也听得到。众神蜂拥而至，不过，只有赫尔墨斯才知道该怎么办。他让赫菲斯托斯带上斧子，劈开宙斯的头颅。斧刃寒光一闪，头颅开裂——从中跳出了已然长大成人的雅典娜，她全副武装，身披埃癸斯，群蛇环绕的羊皮神衣为她提供保护，在敌人的心中播下恐惧［另有人说埃癸斯是雅典娜剥下敌人——提坦艾克斯（Aex）或是巨人帕拉斯（Pallas）的皮制成，雅典娜的别名之一就来自巨人帕拉斯］。墨提斯被赫西俄德称为"比任何一位神祇或凡人都要聪明"，仍留在宙斯的腹中，时不时还会为宙斯出谋划策。

女神雅典娜

在献给阿佛洛狄忒的荷马诗颂中，有一段对于"目光清澈"的雅典娜性格脾气的总结：

> 黄金阿佛洛狄忒的浪漫情事让她扫兴，阿瑞斯的打斗战史最让她心动。她好战爱武，还喜欢那错综复杂的精工细作。她先是来到大地上，教会了人间的工匠铸造青铜的战车。又走进厅堂，指导肤若凝脂的少女，在每个人的心中播下对美术的领悟。

乍看起来，这两种截然相反的兴趣——对战争的热衷和对家庭和睦的热爱——似乎难以调和。不过（与阿瑞斯不同），雅典娜对冲突本身并不感兴趣。雅典娜喜爱的，其实是城市守护者［雅典娜·波利亚斯（Athene Polias）］的力量。在希腊世界，无论在哪里，只要有必要，她便会毫不迟疑地诉诸武力，并且乐此不疲。她的攻击残暴无情，有别名"普罗马科斯"（Promachus，"前线斗士"）为证，而她的另一个头衔奈基（Nike，"胜利女神"），也证明了她战无不胜。

城市得到了保护，复杂的男性工艺和与女性相关的家庭技能，譬如织布，也都由雅典娜掌管。不过，听说凡间的姑娘阿拉克尼（Arachne）吹嘘自己的织技比女神还要更胜一筹，雅典娜便幻化了身形要和她一较高下。阿拉克尼的作品细腻精美，让女神也刮目相看——可这姑娘非要说自己的技艺与神无关，并非神赐。雅典娜顿时火冒三丈，毁了那副织锦，现出了真身。阿拉克尼吓坏了，悬梁自尽，雅典娜将吊在绳上的她变成了蜘蛛。直到今天，她的技艺还让人赞叹不已。

作为墨提斯的女儿，雅典娜还是明眸的（glaukopis）智慧女神，她的化身是猫头鹰（希腊语作"glaux"）。雅典的货币上也印着猫头鹰的图案，还常常与橄榄枝的图案相伴。因为多亏了橄榄树，雅典才属于了雅典娜。

雅典娜和波塞冬争夺阿提卡

美丽富饶的雅典及其领土阿提卡，引来了雅典娜和波塞冬两位神祇的垂青。两人都声称这是自己的土地。因此，他们各自驾着战车，争相来到了雅典的卫城，在山岩上对峙了起来。波塞冬挥舞着自己的三叉戟，用力击向大地，海水登时从地下翻涌而上。作为回应，雅典娜种下了一株树苗，一株银叶的橄榄树，在风中簌簌作响。因为两位神祇争执不下，就要大打出手，惊动了宙斯前来阻止，宙斯先是放出霹雳，在两位神祇之间的土地上炸裂，然后亲自现身，命令两人法庭调解，让众神来裁判。雅典的国王刻克洛普斯

身披着群蛇环绕的埃癸斯，雅典娜与
波塞冬正面对抗。阿提卡花瓶黑色人
物画像，约公元前540至前530年。

（Cecrops）作为见证人，称赞雅典娜的礼物确有用处。结果，投票开始了，
一众男神把票都投给了波塞冬，而女神们则支持雅典娜。雅典娜的票数占了
上风，于是这块土地便判给了她。波塞冬勃然大怒，愤而离去，发动洪水淹
没了特里亚西亚平原。不过，日久天长，他也不再心有不甘，而雅典人也有
了强大的海军。

橄榄树在雅典的卫城之上，枝繁叶茂，渐渐遍布了整个阿提卡地区。这
里，曾把橄榄树视为圣树。公元前480年，入侵的波斯人烧毁了一棵神圣的
橄榄树，然而第二天一早，这棵橄榄树就长出了一枝长达四十五厘米的新
芽。据希罗多德记载，人们把这当作希腊终将获胜的预兆。品达写道：这棵
树"不可战胜，死而复生，纵使敌军长矛在手，也个个胆战心惊。啊，橄榄
树，在阿提卡的大地上茁壮生长，它用灰色的叶子，护着我们的祖国。长者
啊，还有青年，你们的手伤害不了它，因为那守护之神宙斯，一直悉心看
护，什么也难逃他的目光；而一旁，还有那灰色眼眸的雅典娜"。

公元前5世纪，雅典娜诞生的故事以及她与波塞冬争夺阿提卡的故事，被刻成了帕台农神庙三角墙上的浮雕永世纪念。

刻克洛普斯和厄里克托尼俄斯

刻克洛普斯是阿提卡国王中第一位建都雅典的［他的岳父阿克泰俄斯（Actaeus）曾建都别处］。他长着人类的头颅、手臂和躯干，因为是大地所生，所以除此之外皆为蛇身。刻克洛普斯睿智而有德，教给他的人民文学之道，还有婚丧之仪，并且他还虔诚地供奉宙斯。不过，他却不愿意献祭牺牲，只愿意在祭坛上焚烧糕点，雅典人在他们的祭仪中保留了这一传统。

刻克洛普斯的后继者是厄里克托尼俄斯。他也是半人半蛇，而且他的出生也非比寻常。容貌端庄的雅典娜在卫城上散步，被赫菲斯托斯看在眼里，心下升起淫念，意欲强奸。处女神雅典娜竭力阻止，不过精液还是留在了女神的大腿上。雅典娜用羊毛擦去并扔在地上，不久就忘记了。不过赫菲斯托斯的精子沉入大地，让盖亚受了孕。结果，她就生下了厄里克托尼俄斯（意为"羊毛和大地"）。

厄里克托尼俄斯这副模样吓得雅典娜将他锁进了一口箱子，交给刻克洛普斯的三个女儿保管，嘱咐她们千万不可以打开。不过，有两个姑娘还是按捺不住好奇，撬开了盖子，向里望去。等到她们看见了蛇孩，吓得魂飞魄散，连声尖叫，冲到了卫城的边上，扑身落地，送了命。只剩下刻克洛普斯的三女儿潘得罗索斯（Pandrosus，"浑身露珠"）。古时，人们在卫城上雅典娜的橄榄树和波塞冬的泉眼附近为她修了一座花园。

因为两个姑娘不听她的话，雅典娜怒不可遏，把正运去扩建卫城的岩石丢了下去。如今岩石还突兀地扎在地上，这就是吕卡维多斯山。厄里克托尼俄斯长大之后成了雅典的国王。直到古典时期，人们还略去了他身上人类的印迹，向他献上蜜糕，把他视为圣蛇崇拜。

潘狄翁、普洛克涅、菲洛墨拉和厄瑞克透斯

在雅典，流传着许多国王睿智、女儿却结局悲惨的神话故事。比如善良的潘狄翁（Pandion），厄里克托尼俄斯的继任者。他生了两个女儿，姐姐叫普洛克涅（Procne），嫁给了色雷斯国王忒柔斯（Tereus）。后来，普洛克涅的妹妹菲洛墨拉（Philomela）前来探望姐姐，却被忒柔斯强暴，还被割去了舌头。因为没法说话，可怜的菲洛墨拉把自己的遭遇绣进了一张织锦。普洛克涅明白了真相，便和菲洛墨拉一起杀死了忒柔斯的儿子依提斯（Itys），将其肢解并做成了菜，送上了忒柔斯的餐桌。宴会已尽，她们端进来一个盖住的浅盘，揭开来，里面放的是依提斯的头颅。忒柔斯挥动着大斧，在走廊

里追赶姐妹俩，直到众神前来干涉，将他们三个变成了鸟儿。普洛克涅变成了燕子，菲洛墨拉变成了声音甜美的夜莺，而忒柔斯则变成了尖嘴的鹰隼（一说戴胜）。

潘狄翁的下一任是厄瑞克透斯（和厄里克托尼俄斯一样，也是半人半蛇）。相传，雅典的许多重大节庆活动都由他开创。他在位时，一个神秘的雅典娜橄榄木雕像突然从天而降。不过，在与邻近的厄琉息斯作战时，厄瑞克透斯收到了一则神谕，告诉他只有将三个女儿之一献作祭品，雅典才能取得胜利。他听从了神谕，另外两个女儿也自杀了。确如神谕所言，厄瑞克透斯杀死了厄琉息斯国王，不过他的荣耀也只是昙花一现。他的手下败将是波塞冬的儿子，睚眦必报的海神用三叉戟刺穿了厄瑞克透斯。虽然这则传说令人胆寒，但在古典时期的雅典，却被作为为大众牺牲自我的典范，并广为流传。

科德鲁斯（Codrus）——雅典神话中的最后一任国王，也收到了类似的神谕。他发现入侵的斯巴达人相信，只要雅典国王毫发无伤，雅典一定会陷落，所以科德鲁斯牺牲了自己：

> 他打扮成乞丐，骗过了敌人，混出了城门，在雅典的城外拾起了柴火。敌营里走来两个人，询问城内的情况如何，他用镰刀杀了其中一个。另一个以为科德鲁斯不过是个乞丐，登时火冒三丈，拔剑砍倒了国王——雅典人派人去谈判，跟敌军说明了真相，请求归还国王安葬。伯罗奔尼撒人归还了尸体，他们觉得自己不可能攻下雅典，便撤军离开了阿提卡。

埃勾斯，忒修斯之父

雅典最伟大的英雄当属忒修斯。他的父亲、潘狄翁的儿子埃勾斯，多年没有子嗣，尝试了各种方法，甚至在雅典敬拜生育女神阿佛洛狄忒，却都是徒劳无功。他心下思忖，是不是因为自己的两个姐姐普洛克涅和菲洛墨拉犯下了谋杀的重罪，所以连累自己受了诅咒，于是他便去德尔斐求神谕。求得的神谕颇令人费解："不回到雅典，就不要解开那鼓鼓的酒囊。"

困惑不解的埃勾斯决定去找朋友特洛曾国王、珀罗普斯的儿子皮透斯（Pittheus）咨询一下。（据欧里庇得斯说）途中他在科林斯逗留了一段时间，那时美狄亚才发现自己被伊阿宋抛弃。美狄亚施展了个人魅力，说服（对美狄亚复仇计划一无所知的）埃勾斯同意为她在雅典提供庇护。

到了特洛曾，皮透斯轻而易举地明白了神谕所指：埃勾斯回到家之前不要有性行为。不过，皮透斯并没有对埃勾斯如实相告，而是让他喝了个酩酊大醉，接着指引自己的女儿埃特拉（Aethra）与他同床共寝。这是一个多事之夜。埃特拉和埃勾斯刚发生完关系，就涉水到了附近的希拉岛，献上祭品。就在那里，波塞冬（听从了这个并不符合雅典娜处女神形象的建议）强奸了埃特拉。第二天一早，埃勾斯把自己的宝剑和鞋藏在了一块大石头下面，对埃特拉说，如果他们一夜风流生下了儿子，等到他足够强壮、可以掀开这块石头时，便送他到雅典来继承家业。回到雅典之后，埃勾斯发现，美狄亚已来多时。埃勾斯被她的美貌迷住了，娶她为妻并生下了一个儿子，取名米德斯（Medus），并把他当作继承人抚养。

忒修斯的冒险

埃特拉也生下了一个儿子，给他取名忒修斯。皮透斯散布谣言，说波塞冬是男孩的父亲，所以忒修斯根本就不知道，在他出生这件事儿中还有埃勾斯的存在。不过，等到他长大成人，埃特拉带他来到那块岩石前。忒修斯轻而易举就抬起了巨石，那儿藏着埃勾斯为他准备用以证明身份的剑与鞋。埃特拉向他说明了事情的原委，叫他去雅典。可是，忒修斯并没有漂洋过海，

忒修斯手执普罗克汝斯忒斯的斧子，砍向在那张臭名昭著的床上痛苦挣扎的普罗克汝斯忒斯（阿提卡红色人像花瓶，约公元前425年）。

而是选择了陆路，来考验自己的男子气概。一路上，他铲除了许多乡间的恶匪（像赫拉克勒斯的历险一样，充满了英雄主义的壮举）。

在埃皮达鲁斯（Epidaurus），有一个独眼、跛脚的乞丐珀里斐忒斯（Periphetes），他是赫菲斯托斯之子，手执铜皮棍，攻击来往的行人。忒修斯佯装好奇，在珀里斐忒斯还没来得及动手杀他之前，想要看看包裹棍子的是不是真铜。珀里斐忒斯一瘸一拐地走来，递过了手中的武器。忒修斯接下，一棍子砸烂了乞丐的脑袋。然后，他就带着这根棍子继续上路了。

在科林斯地峡，住着西尼斯（Sinis），一个用松树杀死过往旅人的恶棍。他有两招：要么让旅人帮他抓住树梢，好让他把树干掰弯下来——到了最后关头，西尼斯就会把手一松，让松树把受害者送上西天；要么，他会制服旅人，将其绑在事先被他捆在一起的两棵松树上，然后他再砍断捆树的绳子——两棵松树各复其位，人瞬间被撕成两半。忒修斯（先是在搏斗中打败了西尼斯，而后）就用了后一招，让西尼斯自食恶果。从此，科林斯地峡平安无事。

忒修斯就快要走到高高的海崖之上，却发现去路被斯喀戎（Sciron）挡住了。斯喀戎身材高大，坐在一块岩石上，强迫过往的行人为他洗脚。等到他们俯身弯腰时，斯喀戎便将他们踢下悬崖，摔死在崖下嶙峋的岩石上，他们的尸体还会被一只候在那里的海龟吃掉。忒修斯以其人之道还治其人之身。那只海龟吃到的最后一次尸骨，正是斯喀戎本人的。

忒修斯到达阿提卡的时候，已近傍晚，攀过最后的山岭，他来到了一家路旁的小旅馆。店主普罗克汝斯忒斯（Procrustes）有一张铁床，对来的每一个客人，他都坚称这张床绝对合身：要是客人个子矮，他就把客人拉长；要是客人个子太高，他就把超出床沿的部分锯断（他其实有一大一小两张床：小个子睡大床，大个子睡小床）。忒修斯反客为主，又为希腊人除去了一个祸害。

到了雅典之后，忒修斯并没有立刻表明自己的真实身份。不过，美狄亚一看到他，就知道他是谁。为了不让这个外人抢走自己儿子的王位，美狄亚让埃勾斯相信忒修斯是敌人，备好了一杯毒酒。忒修斯端起酒杯之际，埃勾斯认出了他腰间的佩剑。埃勾斯立刻打翻了忒修斯唇边的毒酒，两个人看到洒落的酒腐蚀了地板，沸腾起泡。

于是，埃勾斯祭神设宴，向雅典昭告忒修斯为继承人，与此同时，美狄亚逃出了雅典，带着儿子逃向了遥远的东方。在那里（今天的伊朗），当地的人民以米德斯为名，改称米堤亚人（Medes）。据希罗多德所称，在此之前，他们一直被称为雅利安人（Aryans）。在古代，很多希腊人都称波斯人为米堤亚人。

忒修斯发现雅典因为争执而分成了两派。厄瑞克透斯家族的一支、帕拉斯的五十个儿子，妄图撼动埃勾斯的统治。阿提卡正处在内战的边缘。忒修斯巧妙斡旋，争取了短暂的和平。尽管，不久之后他就被迫卷入了战争，不得不杀光帕拉斯的儿子。不过，在此之前，忒修斯发觉了来自外部的威胁。之前他杀掉了克里特公牛，就是那头被赫拉克勒斯带回梯林斯、放掉之后在希腊大陆之上为害四方的公牛。如今，为了不再让雅典继续付给克诺索斯国王米诺斯贡赋，忒修斯带了十三个随从，驶向克里特。他的目标：杀掉牛头人身怪弥诺陶洛斯。

忒修斯，雅典国王

杀掉怪物之后，得胜而回的忒修斯发现雅典举国陷入了哀悼之中。原来，埃勾斯以为儿子已死，跳下了雅典卫城，也有人说是跳下了苏尼恩岬。如今，忒修斯成了国王，他设雅典为阿提卡的首都，并设立了众多政令法规，让雅典走向了富强——或者说，因为雅典人乐于为自己的宪法找一个古老的由来，于是他们就信以为真了。而公元前5世纪的诸多悲剧作品都将忒修斯描绘成了最早的民主主义者，却毫不介意他们的描述、年代是否准确。

忒修斯的一生中有两件事被认为意义重大，刻在了帕台农神庙的陶立克雕带上，其中之一是和亚马逊人的战斗。他与赫拉克勒斯一同前往泰尔梅河，去偷希波吕忒女王的腰带。忒修斯爱上了公主安提俄珀，带她回到了雅典的家中，生下了儿子希波吕托斯。不过，亚马逊人认为安提俄珀是被掳走，于是大举进犯阿提卡，占据了一处岩石地带，后来这个地方被称为阿瑞斯之山（阿勒奥珀格斯山），就在雅典卫城的西面。数月苦战之后，双方损失惨重，雅典人终于赶走了入侵者。安提俄珀也死在了这场战争中。

希波吕托斯，题外话

安提俄珀死后，忒修斯又娶了克里特公主菲德拉。忒修斯因为杀死了自己的堂兄弟帕拉斯的五十个儿子，一时被流放在外。流放期间，忒修斯带着菲德拉去特洛曾待了一年。他的儿子，希波吕托斯，也暂居此处。希波吕托斯崇信阿耳忒弥斯，誓要终身禁欲，摒弃肉体的欢愉，却因此惹恼了阿佛洛狄忒。不过，菲德拉早在进行厄琉息斯秘仪时见过希波吕托斯，那时就爱上了他。如今住得这么近，更让她春心荡漾——她是帕西法厄（Pasiphaë，她对米诺斯的牛怀有强烈的欲望）的女儿、阿里阿德涅（因为爱上了忒修斯而背叛了克里特）的妹妹，有着与生俱来的强烈欲望。彼时，忒修斯前往德尔斐去求神谕。菲德拉按捺不住对希波吕托斯的渴望，茶不思饭不想。她向希波吕托斯提出了非分的要求，被希波吕托斯断然拒绝。所以，等到忒修斯回来之后，她便污蔑希波吕托斯强奸。在欧里庇得斯颇为新颖的版本中，是菲德拉的保姆骗得女主人吐露了心中的爱意，转而告诉了希波吕托斯。大吃一惊的希波吕托斯威胁说，要去告诉忒修斯。菲德拉悬梁自尽，留下了一封信，指控希波吕托斯强奸。忒修斯读了信，诅咒自己的儿子，祈求波塞冬杀死希波吕托斯。等到希波吕托斯驾上了自己的战车，波塞冬从海里放出了一头公牛，拉车的马受了惊，将希波吕托斯拖曳而死。阿耳忒弥斯告诉了忒修斯事情的真相，可惜为时已晚。阿耳忒弥斯发誓要为他报仇，要杀死阿佛洛狄忒爱恋的美少年——阿多尼斯。

不过，对希波吕托斯来说，死亡还不意味着结束。阿耳忒弥斯说服了最好的医者——阿斯克勒庇俄斯，为他起死回生（如此蔑视自然法则，宙斯没有办法，只好杀死了阿斯克勒庇俄斯）。希波吕托斯重生之后，住在了意大利，在拉丁姆被奉为威耳比俄斯（Virbius），他是流放奴隶的保护者。显然，他吸取了洁身自好的教训——在当地，他的圣地阿里西亚（Aricia），是以他妻子的名字命名的。

忒修斯和佩里托俄斯

忒修斯最好的朋友佩里托俄斯，在和亚马逊人的战争中曾与他并肩作战。在另一件事中，他发挥了重要作用，让雅典人铭记在心，将其刻在了帕台农神庙之上：拉庇泰人与半人马怪在伊奥尔科斯的战争。拉庇泰人的国土与阿提卡北方边界接壤，作为他们的国王，佩里托俄斯曾是忒修斯的敌人——他们第一次相遇时，佩里托俄斯在马拉松攻击了忒修斯的牛群。不过，二人惺惺相惜，立誓结为莫逆之交。后来，忒修斯参加了佩里托俄斯的婚礼，半人马怪酒酣发狂，想要强奸拉庇泰女人，他们二人并肩作战，迎击半人马怪了。

他们二人也一同干过不值得称道的事情，结果招来了恶果。在斯巴达公主海伦还是个孩子的时候，两个人就曾垂涎于她。在欧罗塔斯河（River Eurotas）边，他们看到海伦在阿耳忒弥斯·奥西亚（Artemis Orthia）的祭坛献祭，便抢走了她，一路跑回阿提卡，然后两人抓阄决定她归谁所有。忒修斯赢了，将海伦藏在了阿提卡东北的阿斐德尼（Aphidnae）村子里，让自己的母亲埃特拉看着她。

佩里托俄斯不甘心，说他也要找个宙斯的女儿才行。所以，他们两个铤而走险：打算去冥府绑架珀耳塞福涅。两人从泰纳伦海角下到哈得斯的领地，要求哈得斯交出妻子。作为回应，哈得斯请他们在一张石凳上歇歇，自己去把妻子带来。这张石凳其实是"遗忘之座"，将两人的身体牢牢粘在了石头上，动弹不得。就这样他们在凳子上坐了四年，身体都已经麻痹了，直到赫拉克勒斯下到冥府，来带走刻耳柏洛斯。他把忒修斯从石头上掰了下来，直掰得皮开肉绽。他还想把佩里托俄斯也拽下来，可这时，大地震动，雷声隆隆，赫拉克勒斯明白这是诸神在禁止他解救佩里托俄斯，于是便将他永远留在了那里，接受命运的安排。

忒修斯之死和发现

忒修斯不在的时候，海伦的两个哥哥卡斯托耳和波吕丢刻斯［狄俄斯库里兄弟（Dioscuri）］，向阿提卡发起了进攻，等他们找到海伦［多亏了英雄阿卡德摩斯（Academus）的主意，他的圣林成了柏拉图的学院］，便把怒火都发泄到了雅典人身上。多亏了厄瑞克透斯的曾孙墨涅斯透斯（Menestheus）出色的外交才能才避免了一场灾难。他将两兄弟迎进了雅典，让他们做了荣誉市民，接纳他们入了厄琉息斯秘仪，并将他们和海伦一起送回了斯巴达。海伦带走了忒修斯的母亲埃特拉，作为仆人。

从冥府回来之后，忒修斯既没有盟友，也没有军队去推翻墨涅斯透斯的统治。他顺从了命运的安排，离开了雅典，再也没有回来。在斯基罗斯岛，斯波拉泽斯群岛（Sporades）最南端的岛屿，国王吕科墨得斯（Lycomedes）友好地接待了他。然而，吕科墨得斯其实暗藏杀机。他是墨涅斯透斯的盟友，最后，他把忒修斯推下了高高的山崖。

在古代，忒修斯一直为人忽视，并不是主要的英雄。不过，在公元前490年的马拉松之战中，雅典的重甲步兵声称，看到了忒修斯与他们并肩作战。十四年后，德尔斐的祭司命令雅典人寻找忒修斯的遗体，并把他运送回国。他们的将军西门（Cimon）攻占了斯基罗斯岛，仔细探查，寻找忒修斯的坟墓。他发现有一只雄鹰在啄地，在那里，他找到了一具巨大的骷髅，身旁埋着青铜的矛头和剑。在盛大的欢庆和隆重的仪式中，西门带着遗骨回到了雅典，并在那里为忒修斯兴建了一座庙宇。

雅典的前世今生

雅典自公元前5000年起便有人居住，市民广场和卫城周围还留有公元前4000年左右的定居遗迹。到了青铜时代末，雅典进入了兴盛时期。公元前1600年，卫城内开始修建宫殿，宫殿的围墙是"独眼巨人"之墙，坚固且陡峭。这座宫殿一直保存完好，直到公元10世纪，在大地震或是火灾中毁于一旦。后来这里就成了纪念历代国王的仪式中心，像厄瑞克透斯、刻克洛普斯，都被认为曾在此居住。

公元前7世纪，卫城是雅典的宗教中心：公元前632年，一次失败的政变之后，政治激进分子躲进了雅典娜·波利亚斯神庙。公元前6世纪初的政治改革［归于梭伦（Solon）］试图团结沿海、城郊和城市的不同民族。公元前6世纪下半叶，雅典成了庇西特拉图的天下，他虽为独裁者，却宽厚仁慈。他修建工坊，扩大了泛雅典娜女神节和厄琉息斯秘仪的影响，又发起了一个新的戏剧节，提高了雅典的声望。公元前510年，庇西特拉图的儿子希庇亚斯被驱逐出境，克利斯提尼（Cleisthenes）引入了民治主义（*isonomia*，法律面前人人平等），后来逐渐演化成了民主政体（*demokratia*，人民治理）。

到了公元前5世纪早期，雅典的存亡受到了波斯人的威胁。马拉松一役（公元前490年）的胜利暂时缓解了危机，然而公元前480年，雅典失守，神庙悉数被焚。几天之后，雅典海军（组建费用出自苏尼恩岬附近拉夫里翁银矿的收入）在萨拉米斯赢得胜利。公元前479年，在普拉塔亚击溃了波斯军队之后，雅典率领着由希腊诸城邦组成的盟军——提洛同盟，试图消除波斯的威胁。不久，提洛同盟就变成了雅典帝国。雅典的战舰在爱琴海四处巡航，到了公元前454年，同盟的金库也从提洛岛转移到了雅典。

在伯里克利（未获正式承认的君主）的统治之下，雅典奉行激进的扩张主义，因此导致了雅典帝国和以斯巴达为首的城邦同盟之间的冲突——伯罗奔尼撒战争。战争以雅典战败（公元前404年）而告终。这个世纪就这样不光彩地落幕了，尽管它曾孕育了众多的大哲学家、大作家和大艺术家，尽管雅典曾大放辉煌，这辉煌胜过了伯里克利的那句吹嘘："雅典，是全希腊的学校。"

不久，雅典就从战争中恢复了。到了公元前4世纪，雅典的上空响彻哲学辩论的声音：柏拉图建立了学院，亚里士多德建立了吕克昂学府，伊壁鸠鲁（Epicurus）建立了他的"花园"学校，而芝诺（Zeno）则在雅典的柱廊中教学，所以他的追随者才有了"柱廊派"的名字。公元前338年，喀罗尼亚战役中，雅典及其同盟不敌马其顿王国的腓力二世，不过相较而言，亚历山大大帝对雅典十分友善，即使在他死后的动乱中，大部分城市也并未受损。

后来，雅典与罗马为敌，支持本都的米特拉达梯六世。公元前86年，被苏拉洗劫。待到雅典重建，恢复了昔日容貌，因其历史和建筑而为人敬仰，变成了一座"大学"之城。公元2世纪时，由希罗德·阿提库斯、皇帝哈德良，这样富有的出资者出资保护。到了公元3世纪，雅典先被赫鲁利人劫掠，公元396年又被哥特人阿拉里克洗劫，后来逐渐式微。从公元9世纪到15世纪，与意大利之间的贸易为雅典积累了财富。1205年，十字军第四次东征之后，雅典成为公国。不过到了1458年，雅典又被纳入奥斯曼帝国，迎来了漫长的衰落。在此期间，帕台农神庙曾不时被征用作弹药库（1687年，在威尼斯人的无情轰炸中被炮火击中）和清真寺。后来，1801年，神庙上的雕像被额尔金勋爵（Lord Elgin）拆下掠走，至今仍在争议之中。

1834年，希腊独立之后，首都从纳夫普利翁迁至雅典，其时不比一个小村庄大多少。到了1896年，这座新古典时期的典雅城市举办了新近恢复的奥林匹克运动会。不过，在相继经历了1922年与土耳其的人口互换、二战和内战之后，雅典如雨后春笋一样蓬勃发展起来，尤其在20世纪50年代过半之后。2002年，雅典再次举办奥林匹克运动会，刺激了土木建设的新发展，城市中心也得到了提升。

─────────── 雅典 ───────────
大事记&遗迹

约公元前5000年	雅典最早出现人类活动。
约公元前3500年	卫城和市民广场地区出现定居点。
约公元前1600年	迈锡尼时期，卫城修建城墙与宫殿。
?约公元前1000年	迈锡尼时期的雅典毁于大火或地震。
约公元前650年	卫城修建雅典娜·波利亚斯神庙。
约公元前594年	梭伦改革。
公元前556年	更大规模的泛雅典娜运动会举办。
公元前534年	（城市酒神）戏剧节举办。
公元前507年	克利斯提尼改革，引入了民治主义。
公元前490年	波斯首次入侵；马拉松之战。
公元前480年	波斯再次入侵；神庙焚毁；萨拉米斯之战。
公元前478年	缔结提洛同盟（走向了雅典帝国）。
公元前476年	西门从斯基罗斯岛带回忒修斯的遗骨。
公元前449年	伯里克利开始大兴土木，帕台农神庙（公元前438年落成）便在其中。
公元前431—前404年	伯罗奔尼撒战争，以雅典战败而告终。
公元前393年	雅典重建了防御工事。
公元前338年	腓力二世在喀罗尼亚打败了雅典和希腊诸城邦。
公元前86年	苏拉洗劫雅典。
公元120年	哈德良继续大兴土木，包括奥林匹亚宙斯神庙的竣工。
约公元150年	希罗德·阿提库斯（即阿提卡的希罗德）为雅典添砖加瓦，其中包括修建音乐厅。
公元267年	赫鲁利人洗劫雅典。
公元396年	哥特人阿拉里克洗劫雅典。
公元529年	查士丁尼一世关闭哲学学校。
1205年	十字军第四次东征之后建立了雅典公国。

1458年	雅典变成了奥斯曼帝国的领土。
1687年	帕台农神庙在威尼斯轰炸中部分被毁。
1801年	托马斯·布鲁斯，第七代额尔金勋爵，获土耳其官方许可，带走帕台农神庙上任何刻有古代铭文或雕像的石头。
1834年	雅典成为新独立的希腊首都。
1896年	首届现代奥林匹克运动会在雅典举办。

　　雅典是考古学发掘的无尽宝藏。**卫城**是它的中心。陡峭的坡道穿过山门，山门一旁（右方）的**棱堡**上矗立着典雅的**雅典娜·奈基神庙**。灰色的厄琉息斯石灰岩仿佛是这块圣地的门槛。卫城有两座主神庙：一是**帕台农神庙**，菲狄亚斯的黄金象牙雅典娜雕像就曾安放于此；另一座是**厄瑞克修姆神庙**（或称**雅典娜·波利亚斯神庙**），神庙内有几间不同风格的小祈祷室，支撑门廊顶盖的是（一组）六个女像柱。在古代，这些女像柱的宗教意义比帕台农神庙还有过之。更早的雅典娜·波利亚斯神庙在公元前480年被波斯人焚毁，其地基位于帕台农神庙和如今的厄瑞克修姆神庙之间。

　　卫城博物馆令人惊艳，它位于丢尼修·艾里奥吉托大街（Dionysiou Areopagitou）南侧。沿着街道往西，我们来到了**哈德良拱门**和**奥林比亚宙斯神庙**，从那里看卫城，美不胜收。

　　狄俄尼索斯剧院和**希罗德·阿提库斯音乐厅**（仍在供演出使用）建在卫城南面的坡地上。卫城西面便是**阿勒奥珀格斯山**（阿瑞斯之山），对身体瘦弱的人来说，爬上去并非易事，因为那里坡陡路滑。下方是**市民广场**，东边是**阿塔罗斯柱廊**（Stoa of Attalus，由美国考古学院重建，如今用作市民广场博物馆），西面是**赫菲斯托斯神庙**（有时会被误称为忒修斯神庙）。再往东，是**罗马市民广场和风之塔**。

　　从市民广场往西，可以走到**凯拉米克斯**（陶工区），古典时期雅典的公墓之一，该区周围还保留了部分古代城墙的遗迹。**圣门**之外，一条路直通厄琉息斯，另一条通往柏拉图的学院。对于疲惫的旅人来说，凯拉米克斯是个好去处，在这儿捉捉蝴蝶，抓抓海龟。除此之外，还有一座一流的博物馆。

　　国家考古博物馆藏有从雅典和希腊各地发掘的文物。在这数不胜数的宝藏中，有迈锡尼的**黄金死亡面具**、**基克拉迪小雕像**，古典时期的雕像包括精美的**波塞冬（或宙斯）铜像**、**法瓦凯恩·雅典娜（Varvakeion Athene）**像（是对菲狄亚斯为帕台农神庙所雕神像的大理石缩比复制品），还有一座栩栩如生、塑于公元前2世纪的**竞赛奔马铜像**。

　　即使只在雅典的诸多景点和博物馆走马观花地浏览一番，也需要花上几天的时间。很多景点和博物馆关闭时间较早，又是旅行团的热门目的地，所以建议将游览的时间安排在一大早。为了避免过度劳累，建议不要疲于奔波，多停一停，想一想，有助于恢复精神与活力。

第十六章

克诺索斯：米诺斯王和迷宫

在那酒色阴沉的大海中央，有一片土地，叫作克里特，那里富饶美丽，流水汤汤。那里人丁兴旺，无以计数，他们住在九十个城市，他们的语言各有不同。那里住着希腊人和胸怀广阔、土生土长的克里特人、塞多尼亚人、多利安人，还有富足的佩拉斯吉人。而这里，是伟大的克诺索斯城，米诺斯是这里的王，每过八年，他便与伟大的宙斯一起欢谈。

荷马，《奥德赛》，172-179

一只雌孔雀慵懒而优雅地在宫殿的西院里踱着步子。一只雄孔雀一身碧蓝的羽衣，灿烂生辉，用主人的眼光打量着它，然后抖动尾羽，挺起胸膛，在那乏味的红赭石廊柱下面跳起了有序而复杂的舞步。从那树木繁盛的山谷里，传出母鸡拌嘴的声音，和着树上斑尾林鸽的咏叹，恰如质朴的复调，时不时还传来几声粗哑的狗叫，打断了这和鸣。

强烈的日光下，建筑物的边缘仿佛剃刀，刺目而锋利。宫殿的楼宇——低矮的长方形与现代建筑惊人相似却又古朴原始——在日光中格外耀眼，干脆利落的线条划过最深远的阴影。然而，就在这循规蹈矩的轮廓中，隐藏着盎然的活力。四壁之上，绘有湿壁画，刻着浮雕：深红色风景中的狮身鹰首兽；在成群的蓝色、橙色鱼儿中嬉戏跳跃的蓝海豚；缠着淡蓝色腰巾、扛着各式各色器皿的古铜肤色青年；涂了眼影和红唇、梳着精美发式的细腰女人。

另一个地方，一头狂奔的公牛停在了空中，头冲下，四蹄腾空。公牛的两旁各有一个女人，上身裸露，手臂上套着一串手环，穿着及腿肚的长靴，长发垂至后背，将公牛围在中间。其中一人抓住了公牛的角；另一人站在公牛的身后，双臂前伸。而公牛背上，则画着一个肢体柔软、动作灵活的年轻男子，翻着筋斗，向女人跳下去。如此扣人心弦，意义非凡——或许就是此情此景，孕育出了弥诺陶洛斯的神话。

米诺斯的诞生和幼年

米诺斯的身体中流动着公牛的血脉。提尔公主欧罗巴天真无邪地走在海边，在父亲的牛群中看到了一头英俊的公牛。公元前2世纪诗人摩斯科斯（Moschus）如是描述："它有着黄褐色的皮肤，前额正中有一道耀眼的白圈，灰色的眼睛涌动着欲望。两只角弯曲向上，这一对角一模一样，仿佛将弯月的边沿一折为二。"

欧罗巴走近了些，抓住了它，这头公牛任她抚摸，甚至让她骑上了后背。然而，等到欧罗巴骑在牛背上后，它就缓缓踏进了浪花。没过多久，就游入了大海。欧罗巴吓坏了，想要让牛回头，牛却不听使唤。它扭过头来，开口说出了实情——原来，牛是宙斯所变，一心想要做欧罗巴的恋人。

他们在克里特岛上了岸，在戈尔廷（Gortyn）一棵长青的梧桐树下做爱。欧罗巴生下了三个儿子——拉达曼迪斯、萨耳珀冬（Sarpedon，他和后来特洛伊的英雄同名）和米诺斯。因为没有办法嫁给宙斯，欧罗巴嫁给了克里特国王阿斯忒里俄斯（Asterius），国王对这三个儿子视同己出。不过，米诺斯为了一个青年男子，与萨耳珀冬争风吃醋吵了起来，赶走了萨耳珀冬。等到拉达曼迪斯因为杀了亲戚而被放逐之后，傲慢自大的米诺斯便无可争议地成了国王。

米诺斯吹嘘自己向众神要什么都可以遂愿，并建起了一座祭坛，祈求波塞冬从海里送一头公牛上来，用作祭品。众目睽睽之下，一头耀眼的白牛从海浪中升起，昂首走上了祭坛。这头牛太漂亮了，米诺斯下令，另换一头，把这一头留在自己的牧群中。因为未能遵守自己的诺言，米诺斯惹怒了波塞冬。

米诺斯、他的爱情和家人

米诺斯和妻子帕西法厄（赫利俄斯的女儿）生了许多孩子，阿里阿德涅和菲德拉是其中的两个女儿，安德洛革俄斯（Androgeus）是他的儿子之一。不过，米诺斯沉溺女色、不知疲倦，帕西法厄（她是个娴熟的女巫）厌倦了他的不忠，对他下了诅咒。从今往后，米诺斯只能射出蝎子和蜈蚣，他的那些伴侣自然苦不堪言。

只有雅典的公主普洛克里斯（Procris）知道如何避开诅咒。普洛克里斯是个情欲旺盛的女猎手，被丈夫刻法罗斯（Cephalus，他曾是黎明女神的恋人）抛弃后，为米诺斯的魅力所折服，还对他的神犬拉耶普斯着了迷。只要是猎物，就没有拉耶普斯捉不住的。在委身于他之前，普洛克里斯让米诺斯用了一些预防性的药物，可以克制诅咒。后来，普洛克里斯带着神犬回到了大陆，先是和刻法罗斯重修于好，后来被刻法罗斯失手杀死。悲痛万分的刻法罗斯带着拉耶普斯去了底比斯。那时，底比斯正被一只凶恶的母狐狸祸害，命里注定没人能捉住它。看起来解决的方法很明确：让拉耶普斯去捉。这就成了自相矛盾的难题：一个什么都捉得住的去捉一个永远捉不住的——众神无可奈何，只好把两个都变成了石头。

厌倦了米诺斯的怀抱，帕西法厄对波塞冬从海中送来的白牛燃起了欲望。于是她便让御用工匠代达罗斯（Daedalus）打造了一头中空的母牛，自己钻了进去，让人放在田野之中。生下的孩子半人半牛，野蛮无比，好食人肉。帕西法厄给他取了爷爷的名字——阿斯忒里俄斯。不过，更为我们所知的名字是弥诺陶洛斯。米诺斯拿定主意，要把帕西法厄违背自然生下的孩子藏起来，也要保护克里特人免受其害。米诺斯委任代达罗斯为弥诺陶洛斯造了一座监狱，环廊曲折，犹如迷宫，这样一来，他永远也无法逃出来。这座迷宫就在克诺索斯宫殿之下，称为拉比林斯迷宫（Labyrinth）。

忒修斯和弥诺陶洛斯

至于波塞冬那头白牛，如今四处横冲直撞，作为赫拉克勒斯要完成的任务之一，被捆到了希腊大陆，在雅典附近的马拉松安顿了下来。后来，它继续为害四邻，雅典国王埃勾斯便悬赏能够铲除它的英雄。从此，人们开始陆

获得胜利的忒修斯将死去的弥诺陶洛斯拖出了拉比林斯迷宫
（公元前5世纪雅典红色人像酒碗）。

陆续续前来除恶，米诺斯的儿子安德洛革俄斯也在此之列，却不敌白牛，送掉了自己的性命（有关安德洛革俄斯之死，另有版本，说他前来雅典参加运动会，却与埃勾斯的敌人密谋，埃勾斯便找人杀害了他）。

　　事出巧合，米诺斯当时正率领他的无敌舰队攻打希腊大陆。听说了这个消息后，他祈求天降诅咒。顷刻之间，山崩地裂，颗粒无收，人畜饥饿而死。后来，希腊诸城邦都平息了众神的怒火，只剩阿提卡地区每况愈下。埃勾斯匆忙寻求德尔斐神谕，神谕说只有雅典每年送出七对青年男女，作为祭品献给弥诺陶洛斯，诅咒才会解除。

　　后来，忒修斯去雅典继承王位，他降伏了白牛，将牛拖到了卫城之上，献给了波塞冬。接下来，因为又到了雅典献祭的时候，他宣布自己将加入这些青年男女，在众神的帮助下杀死弥诺陶洛斯。到了克里特，米诺斯为忒修斯安排了一场考验——想要证明他不光是埃勾斯的儿子，还是波塞冬的儿子。于是，米诺斯将一枚金戒指远远地丢进了海里，让忒修斯去找回来。忒修斯二话没说，纵身跳下了码头，转眼就消失不见了。好几分钟之后，他高举着那枚金戒指走上了海岸。所有人都觉得不可思议——更不用说阿里阿德涅了。因为第一眼看到忒修斯，米诺斯的女儿就爱上了他。

是夜，阿里阿德涅找到了忒修斯。代达罗斯跟她说过拉比林斯迷宫的秘密，她愿意告诉忒修斯，只要忒修斯答应带她回雅典，娶她为妻。王子一口应允，他们躲开了米诺斯的卫兵，偷偷来到了迷宫的入口。阿里阿德涅交给忒修斯一把剑，又把一团毛线放在他的手中，由她牵着线头，教他边往里走边解开线团。这样，就算环廊曲折复杂，回来的时候，只要收起线团，就可以安然走出迷宫。

环廊屋檐低矮，伸手不见五指，忒修斯一走进去就完全看不到了身影，全凭着阵阵恶臭和弥诺陶洛斯越来越响的吼声才得以辨识方向。最后，忒修斯终于找到了弥诺陶洛斯的藏身处，就听得一声大吼，弥诺陶洛斯猛扑过来。忒修斯一手抓住了那对致命的大角间的毛发，一手用剑用力刺去，口中呼叫着波塞冬之名，希望他接受自己的献祭。这一刺直没剑柄。弥诺陶洛斯喘着气跌倒在地，在血泊之中痛苦地扭动。忒修斯没去管它，连忙往回逃去，他收起线团，回到了迷宫的入口，又呼吸到了夜晚甜美的空气。

忒修斯和阿里阿德涅放了同行的雅典人，翻过低矮的丘陵，逃向了海边。他们匆匆砸破了米诺斯的船，以防追兵，然后上了自己的船，扬帆起航。等到日出时分，他们到了狄亚岛。忒修斯并没有履行诺言，到了这里（一说在纳克索斯岛）之后，趁着阿里阿德涅熟睡之际一走了之。等到阿里阿德涅发觉忒修斯背信弃义离她而去，便诅咒了他。不过，阿里阿德涅并未失意过久。狄奥尼索斯对阿里阿德涅一见钟情，带她到了群星之上，让她做了自己的新娘（狄奥尼索斯救下女主角并将其化为星辰这个故事，有人察觉到了与探讨死亡与复生的珀尔塞福涅或阿多尼斯的故事略有相似。在荷马的版本中，在狄亚岛上，"忒修斯还未与阿里阿德涅同床共枕"，就被阿耳忒弥斯杀死了；而据普鲁塔克记载，她是在塞浦路斯难产而死）。

忒修斯继续航行，在提洛岛上向阿波罗献祭，还编出了鹤舞，在历史上流传甚广，其繁复的舞步可以追溯至拉比林斯迷宫中的蜿蜒曲折，以及舞台地板上的图案。据荷马所说，这个舞台地板是"代达罗斯在克诺索斯开阔的空地上，为梳着可爱发式的阿里阿德涅所造"。忒修斯启航驶回雅典，却因为阿里阿德涅的诅咒，忘记将黑帆换成白帆。埃勾斯看到黑帆，以为自己的儿子已死，便纵身跳入了大海。

代达罗斯、伊卡洛斯和米诺斯之死

米诺斯的工匠代达罗斯也是雅典人，因为他杀死了自己的一个学徒，而逃亡到了克诺索斯。如今，迷宫的安全出了漏洞，他迫不及待地要逃出克里特。米诺斯修复了战舰，所以坐船逃跑行不通。于是，代达罗斯用蜡黏合羽毛，做成了两副翅膀——一副给自己，一副给自己的儿子伊卡洛斯（Icarus）。

展开的羽翼十分宽大，父子俩从高高的山崖上起飞，很快就向着东北方向掠过了宽广的大海。然而，伊卡洛斯鲁莽又任性，迫切地渴望挑战。代达罗斯曾警告他，不可以离太阳太近，他却抛之脑后。随着他越飞越高，太阳的温度也越升越高。黏住羽毛的蜡开始融化，于是在漫天飞舞的羽毛中，伊卡洛斯从天上坠落下来，送了命。如今，在他坠落之地附近的岛屿便被叫作伊卡里亚岛（Icaria）。

代达罗斯没有时间停下。他转而向西，降落在西西里南部的卡米库斯，为国王科卡洛斯（Cocalus）修建了坚固的城墙，并为公主们制作了精美的玩偶。而此时，米诺斯也派出了舰队。每到一个港口，他都悬赏，看谁能把线穿过一个内部结构复杂的海螺壳。他知道，只有代达罗斯才能做到。最后，他来到了卡米库斯。

国王科卡洛斯急切地想要赢得奖赏，便让代达罗斯想办法。代达罗斯先在海螺的尾部钻了一个小孔，在小孔附近滴了几滴蜂蜜。然后，他在蚂蚁身上拴了一根线，将蚂蚁放进了海螺口。蚂蚁被蜂蜜吸引，绕着螺旋形的海螺内部一直爬到了海螺尾部——带着那根线——钻出了涂着蜂蜜的小孔。科卡洛斯赢得了奖赏。米诺斯也如愿以偿，他知道代达罗斯就在这里。

科卡洛斯和他的女儿不愿交出代达罗斯。他们想要陷害米诺斯，便请他进了皇宫，盛情款待。不过，等到米诺斯泡澡的时候，公主们打开了代达罗斯装在上面的一根管子的阀门。滚烫的开水瞬间像洪水一样淹没了克里特国王。科卡洛斯把米诺斯的尸体送回了舰队，装出一脸悔恨，告诉他们都是因为水管坏了。

米诺斯一死，克诺索斯便四分五裂了。不过，他的灵魂并未消失，而是在冥府，成了审判死者的三位判官之一，和他疏远的哥哥拉达曼迪斯，以及埃伊纳岛曾经的统治者埃阿科斯（Aeacus）一起。

克诺索斯的前世今生

古代文物的遗址证实了克诺索斯曾经的富庶——尽管，对于种种层积的迹象如何解释依然困难重重。不过，公元前1400年左右的克诺索斯王宫，大概是爱琴海地区、克里特（或称"米诺斯"）王国的中心地带规模最大、最为富裕的宫殿建筑群了。艺术和供贸易的工艺品表明其影响已经传遍了爱琴海南部和近东（早在公元前18世纪初，叙利亚的乌加里特很可能就雇用了一位米诺斯译员），西面传到了西西里，北面可能远至萨莫色雷斯岛。克里特与埃及也有诸多联系：埃及的图案样式出现在了克里特的艺术作品中；在哈特谢普苏特（Hatshepsut）和图特摩斯三世（Thutmose III）统治时期，公元前15世纪的埃及陵墓画都绘有克里特人为法老献上礼物的画面；另外，在尼罗河三角洲阿瓦里斯的一幅湿壁画中，还绘有克里特的跳牛（bull-leaping）。

克诺索斯坐落在一座人口大约有8000人的城市之中，其有效的行政管理值得炫耀。A、B两类线形文字泥板表明克诺索斯的管理人员事无巨细，从调度劳动力到羊毛的收入，事事上心。尽管也发掘出了武器装备，但大部分都与殡葬有关，没有任何证据表明克里特拥有过强大的军队。克诺索斯缺少任何明显的防御工事——这与大陆上的迈锡尼形成了鲜明的对比。大约在公元前14世纪，迈锡尼打败了克里特，将岛上的王宫悉数损毁，只剩克诺索斯得以完好地保存到公元前13世纪早期。曾有人以为，是一百五十千米以北的圣托里尼岛（亦称锡拉岛）火山爆发，掀起了海啸，火山灰污染了土壤，摧毁了克里特文明。不过，如今已经确定，火山爆发于公元前17世纪晚期，但也有一些现代学者认为，气候变化确实是克里特文明消失的一个因素。

无论是在史诗还是在抒情诗中，米诺斯时期的克里特都占一席之地，不过历史上最早提到克里特（尽管也还是基于传说故事，并非是确凿的证据）还要到公元前5世纪。据希罗多德所述，米诺斯是首位建造海军的克里特国王。修昔底德也赞同这一说法，写下了米诺斯是如何建立海上帝国、统治整个基克拉泽斯群岛，并派出自己的儿子开拓殖民地。不过，除了支离破碎的片段，关于米诺斯、弥诺陶洛斯或代达罗斯，我们没有任何完整的记录，直到罗马时代。

在希腊艺术中，弥诺陶洛斯的形象十分普遍，这要归功于公元前5世纪早期，忒修斯作为雅典英雄，其地位与重要性与日俱增。雅典的忒修斯神庙中，墙壁上装点的绘画都源自他的神话传说。另外，传说每年开往提洛岛朝圣的圣船，正是忒修斯当年开往克里特的那艘船。因为总是需要拆修，才引发了哲学上的思辨：既然到了最后，船上的每一块龙骨都会被更换，那么，从何时起，它就不再是原来的那艘船了呢？

对于克诺索斯的真实性，也同样存在争议。20世纪初，英国的考古学家阿瑟·埃文斯爵士（Sir Arthur Evans，用水泥）重建了大部分建筑，并重新制作了墙上曾点缀着的湿壁画和浮雕。在有些人看来，这就是对文物的破坏。而另一些人则认为，这些围绕着开阔的中心庭院、错综复杂的建筑群——行政管理区、商业区、住宅区，其中的有些建筑甚至高达三层，可以让人们一睹克诺索斯和其他克里特宫殿原本的样貌，何尝不是有益之举呢。

宫廷生活如何，基本上仍是个谜。湿壁画中的男女，各在台阶上或阳台上观望，仿佛露天的庭院里和"剧场"区——或许与代达罗斯为阿里阿德涅修建的舞台相仿——正在举办庆祝活动。还有些画（以及雕刻的残片）描绘了跳牛活动，这或许是受了弥诺陶洛斯的启发。跳牛活动的目的和场所都不为人知。或许，是某种宗教仪式的一部分。许多非基督教的宗教中心都供奉着陶土烧制的小型牛像。许多建筑中也都装饰着"献祭之角"，形似牛角，或许是代表新月，也可能与埃及的象形文字"地平线"有关。牛角也可能与双刃斧或双头斧（*labrys*，希腊早期文字"labyrinth"迷宫的词源就是这个，表示"有双头斧的地方"）有关。小型的双头斧模型常见于仪式的祭品之中；大一点的或许是被当作图腾器物，用来装饰圣所。

洞穴（就像在狄克忒山和伊达山上的那些）和山峰（譬如朱克塔斯山，从克诺索斯可以清晰地看到）对于米诺斯人的宗教来说意义重大——所有的克里特宫殿都建在可以看到山洞或山峰的地方。克里特岛本来或许会成为一个母系社会，在B类线形文字泥板上，他们最高的神灵被称为波得尼亚（Potnia，"女主人"）。人们甚至曾记录献蜂蜜给"达布林女主人"（Daburinthoio Potniai），也许就是"迷宫的女主人"。如果真是如此，那么这就是对拉比林斯迷宫最早的记录了——尽管，我们只能从上下文猜测这个词的词义。在克里特（和埃及）艺术中，可以找到很多迷宫，然而在克诺索斯，却没有正式的拉比林斯迷宫。

克诺索斯

大事记&遗迹

约公元前7000年	最早有人居住。
约公元前1900年	第一座宫殿建成。
约公元前1700年	毁于大火后，开始兴建第二座宫殿，占地20000平方米。
?公元前1628年	圣托里尼岛火山爆发。
约公元前1450年	克里特宫殿普遍遭到毁坏——除了克诺索斯之外——表明外来入侵，可能是来自希腊大陆的迈锡尼人。
约公元前1370年	克诺索斯毁于大火。
1900年	阿瑟·埃文斯爵士在克诺索斯开始进行发掘和（重建）工作。

　　克诺索斯在伊拉克利翁（Herakleion）以南约1.5千米处，开车或是乘坐公共交通工具都十分方便。从售货亭出发，沿着一条林荫小道经过三个**库卢里斯**（*kouloures*，可能是存储用的地坑）后，就到了**西院**。一条人行道绕过宫殿南侧到达**南前门**。**中心庭院**的东侧是一座建筑群，包括了一座由三部分组成的**神坛**和**正殿**。沿着巨大的台阶向上，到达第二层之后，就来到了重建的正殿上方的天井。穿过中心庭院，向东，就到了举行仪式的**大台阶**。

　　北入口走廊通向**北柱厅**。一条小路向左，经过**北净罪池**（North Lustral Basin），通向**剧场区**，一个设有台阶的小庭院，这里是**宫道**的终点。北柱厅右侧的一条小路通往工业区，包括窑房和各种作坊，更远处是**王后的正厅**和**高坛围屏室**（House of Chancel Screen）。一条小径，两侧景色令人赞叹，直到**献祭之角**。再绕向右边，经过一片松林，那里的**南屋**栖息着孔雀，就又回到了西院和景点的入口处。

　　在克诺索斯和其他几处发现的文物如今都陈列在**伊拉克利翁历史文物博物馆**。藏品包括了原始（不过也经过了重度修复）的**湿壁画**和**上色浮雕**，还有丰富的手工艺品：**伊阿内索斯**（棺材）、**双头斧**（双刃斧）、**信徒陶俑**和**陶牛**、**铜牛**。另外一些精彩的藏品还包括镶着黄金牛角的石制**牛头角状杯**（饮具），一张饰有金箔、银箔并且镶嵌着水晶和天青石的**棋盘**、**斐斯托斯圆盘**（一个小圆陶盘，依螺旋线印上符号），和两个小型的**蛇形女神像**（有人怀疑圆盘和蛇形女神像均为20世纪的伪造品）。还有一个非常有用的全盛时期**克诺索斯模型**，以及令人印象深刻的后期雕刻收藏品，包括公元前7世纪**普里尼亚斯A神庙上的壁缘雕带**。

　　克里特南部的**斐斯托斯**和**阿吉亚·特里亚达**，保存有克诺索斯的"姐妹"遗址，也值得一游。同样还有古罗马风格的**戈尔廷**，那里生长着常青的梧桐树，那是宙斯的那棵梧桐树孕育出的后代，可以驻足欣赏。而就在克诺索斯近旁，登上**朱克塔斯山**，便可饱览胜景（这胜景里也有克诺索斯）。

第十七章

卡吕冬：野猪之猎和金苹果

　　大地上的人啊，难以影响诸神的心意。否则的话，我的父亲，日日祈祷的俄纽斯，献上如此多的山羊和红背的群牛，岂不早已平息那头戴满缀蓓蕾花冠、胳膊白皙的阿耳忒弥斯心中的盛怒。可这处女神的怒火漫无边际。她在善舞的卡吕冬放了一头肆无忌惮、凶猛残暴的野猪。它的力量奔涌如洪水，挥舞獠牙，掀翻葡萄园，屠戮畜群，残害人类。而我们，希腊人中的豪杰，与这畜生搏斗六个日夜毫不退缩。最后，还是众神中的一位赐给了我们胜利。我们安葬了死去的同伴，他们死于这厉声尖叫的野猪残忍的攻击……毁灭的命运葬送了他们。然而好战的阿耳忒弥斯，女神勒托无法无天的女儿，她的怒火一丝未减……

巴库利德斯，《颂歌》5.95起

卡吕冬上空浓云密布。梯田层层的山顶乌云低垂，笼住了山的北面和东面，压住了两座神庙的遗址——它们又将迎来暴雨的侵袭。虽然从现代的公路上去并不远，不过，在这旧雨方停、新雨未至的间隙，我们已经走了一大段路了：一辆辆卡车从现代的公路上轰鸣而下；在一片水汽中，往下走就到了不规则的长方形剧院，暗橘色的石凳与周边的土地仿若一色；过了英雄坛，又过了狄奥尼索斯的圣殿，那里高高的树木仍在滴落方才的雨水，一座破旧的教堂在一丛丛黑莓间只留下了些残垣断壁；沿路往上，穿过一片明亮的橄榄树林；树林外是一片整齐而陡峭的山崖，曾被称为拉夫利翁（Laphrion），这里视野广阔，往西可以看到迈索隆吉（Messolonghi），往南越过佩特雷湾，可以看到远处的伯罗奔尼撒半岛。拉夫利翁上只有神庙的地基尚存。阿波罗神庙令人叹为观止，其廊柱结构拔地而起，巍伟壮观。在它阴影可及之处、峭壁的最远端，坐落着阿波罗的妹妹阿耳忒弥斯的神庙。阿耳忒弥斯的地位最为重要，正是因为这位处女猎人，才有了这则神话，从此卡吕冬的名字便为人知晓。

墨勒阿革耳、阿塔兰忒和猎杀野猪

卡吕冬国王俄纽斯（堤丢斯的哥哥）的儿子墨勒阿革耳出生后，三位命运女神神奇出现在他的母亲阿尔西亚（Altheia）的卧室。一位说墨勒阿革耳会强大有力，另一位说他会卓尔不群。可是，第三位说，等到壁炉里闷烧的一根木头化为灰烬时，他就会死去。阿尔西亚慌忙浇灭了壁炉里的木柴，将其藏进了一口箱子。墨勒阿革耳长大之后，果然气概不凡。

几年之后，上了年纪的俄纽斯向诸神一一献祭，唯独忘记给阿耳忒弥斯献上祭品——她就放出了一头力大无比、凶恶残暴的巨型野猪来践踏他的土地。荷马写道：它"将高耸的林木连根掘起，果木根折，苹果花落"。墨勒阿革耳发誓要将它铲除。于是，他邀请与他同龄的英雄豪杰一同来猎杀这头猛兽，并许下诺言：谁杀死这头野兽，兽皮就归谁。他们之中有来自雅典的忒修斯、来自伊奥尔科斯的伊阿宋，以及阿喀琉斯的父亲珀琉斯——还有一位年轻女子，阿塔兰忒。

阿塔兰忒一出生，就被一心想要个儿子的父亲抛弃。之后，一头献给阿耳忒弥斯的母熊将她养大，教会了她捕猎，锻炼了她的耐力。如今，阿塔兰忒已经出落成了一位身手敏捷、年轻迷人的女子，她立誓保持童贞，这次狩猎她也要参加。然而，这却让许多男人心下不安。墨勒阿革耳的舅舅们看到阿塔兰忒也要加入如此冒险的行动，尤其不满。不过，其他人大都是因为无法抗拒阿塔兰忒的魅力而寝食难安，墨勒阿革耳也是如此。

终于，猎手们在一道溪水旁发现了正懒散闲逛的野猪。然而，警觉的野猪立即就向着他们冲了过来，杀死了两位同伴，刺穿了第三个人的脚腱，吓

得珀琉斯慌忙爬上了树。阿塔兰忒射出的箭最先让野猪流下了鲜血，然而尽管希腊最勇猛的英雄们在它的身上留下了无数的剑伤刀伤，这头野兽依然毫不示弱，直到墨勒阿革耳的长矛刺中了它的要害。墨勒阿革耳并没有把奖赏留给自己（尽管这是他应得之物），而是把这张留有余温、还滴着血的皮送给了阿塔兰忒。墨勒阿革耳的几位舅舅大为恼火。于是他们大打出手，一片骚乱中，两个舅舅被杀死。另外两个发誓要复仇，仓皇逃回家乡纠集军队。

卡吕冬城外燃起了战火，墨勒阿革耳杀死了剩下的两个舅舅。一怒之下，阿尔西亚从箱子里拿出了木柴，烧成了红热的灰，年轻的英雄死去了。他的姐妹们悲痛万分，就连阿耳忒弥斯也觉得可怜，便将她们变成了珍珠鸡，希腊人称之为墨勒阿革里得斯（*meleagrides*）。

伊利亚特的墨勒阿革耳

在《伊利亚特》中，为了平息阿喀琉斯心中的怒火，不再为失去他的女奴而不平，为了说服他回到战斗中去，希腊的将士们提醒他不要忘记卡吕冬的战役。在这个版本中，墨勒阿革耳生了阿尔西亚的气，从城外的冲突中撤了回来，与妻子克莉奥帕特拉闭门不出，"心中郁积着怒火，对母亲的诅咒愤愤不平，因为兄弟的死，阿尔西亚祈求众神惩罚他。一次又一次，她用

阿塔兰忒（最左边）和墨勒阿革耳（左边）向卡吕冬野猪发起攻击，公元前6世纪弗朗索瓦花瓶身画。

拳头砸在肥沃的大地之上，伸出双臂伏在地上，泪满前胸，呼唤哈得斯和那备受崇敬的珀尔塞福涅，让死亡降临在自己儿子的身上。那走在暗处、毫无怜悯之心的复仇女神听到了她的呼唤"。

墨勒阿革耳的缺席让敌军占了上风。随着战事益发失利，卡吕冬的老一辈给了墨勒阿革耳丰厚的奖励，希望他回到战场；接着，他的父亲、姐妹也来相劝，就连他的母亲阿尔西亚也求他回赴战场。不过，直到克莉奥帕特拉也加入进来，墨勒阿革耳才又重新披挂，大步踏上了战场（尽管别人许给他的奖励，一样也没拿到），击溃了敌军。

墨勒阿革耳与阿喀琉斯的处境相似之处一目了然。就连墨勒阿革耳妻子的名字克莉奥帕特拉（"名门望族"），也不过是阿喀琉斯的同伴帕特洛克罗斯（Patroclus）的变形。不过，在特洛伊，神话的力量还不足以改变阿喀琉斯的心意，他拒绝战斗，终于也成了传奇。

后续：阿塔兰忒和金苹果

至于阿塔兰忒，有人说她参加了阿尔戈号的航行，还有人说她墨勒阿革耳生了个儿子。不过，大部分人认为，还是处女的她凯旋回到了阿卡狄亚的家乡。尽管父亲欢迎她回家，却决意要让她立刻完婚；阿塔兰忒同样下定决心，不愿嫁人。他们达成了妥协。所有求婚的人必须与阿塔兰忒比赛跑步。只要有人能赢过她，她便嫁给获胜者；但是，输给她的人就要被她杀掉。

世间凡人中，就数阿塔兰忒跑得最快，不久新坟就遍布了希腊各地，直到王子希波墨涅斯（Hippomenes）也来求婚。阿佛洛狄忒对他心生怜悯，便给了他三个金苹果，帮他赢得比赛的胜利。比赛开始了。阿塔兰忒轻松跑在了前面，不过，她刚跑到了前面，一个黄灿灿的金苹果就砰地一声落在了她的跟前。她停下脚步，捡了起来，金苹果的美让她惊叹不已。等她回过神来继续跑，希波墨涅斯已经跑到了前头。接着，落下了第二个苹果，然后，是第三个——就在阿塔兰忒出神地盯着金苹果的时候，希波墨涅斯赢得了胜利。两个人结了婚，过着禁欲的生活，直到有一天，两人在宙斯的一处圣殿中无法自已，圆了房，却也犯下了渎神的罪过。于是，宙斯将二人变成了狮子——因为他误以为狮子只和猎豹交媾，而非同类相亲。

狄奥尼索斯和卡里尔霍之泉

在卡吕冬当地，流传着一个神话故事，讲的是爱情的风险。保萨尼阿斯记载了科里苏斯（Coresus），狄奥尼索斯的祭司之一，爱上了美丽的卡里尔霍（Callirhoe）。他越是追求卡里尔霍，卡里尔霍就越是对他不屑一顾。所以，科里苏斯就向狄奥尼索斯祈祷，寻求帮助。立刻，卡吕冬的人民都变得酩酊大醉，很多人死于精神错乱。最后，多多纳的神使告诉了他们，这场疾疫是狄奥尼索斯所致，只有科里苏斯向狄奥尼索斯献上卡里尔霍或是另有人愿意替她成为祭品，一切才会结束。"没有人愿意救她，卡里尔霍只好跑去寻求父母的帮助，可是就连他们也不愿意。她只剩下死路一条。在神使的指导下，准备工作有序进行。科里苏斯主持祭祀，卡里尔霍被领上了祭坛——然而，爱情战胜了科里苏斯心中的愤怒。他替卡里尔霍献出了自己的生命——这便是真爱的明证，崇高无私，流芳百世。卡里尔霍满心的怜悯和羞愧，后悔不该如此对待科里苏斯。卡里尔霍在卡吕冬港口附近的一口喷泉旁自刎身亡，自此之后，这座喷泉便以她为名，以表纪念。"这个名字恰如其分，因为"卡里尔霍"之意便是"欢畅的流水"。

卡吕冬的前世今生

尽管卡吕冬的名字随着神话而广为人知，但人们对这座城市却知之甚少，直到它逐渐荒废。公元前11世纪的居住痕迹表明，卡吕冬是围绕着古老的阿耳忒弥斯·拉福里亚圣地这一重要的宗教中心逐步发展起来的。卡吕冬的两座神庙——阿耳忒弥斯神庙（内有一座黄金象牙雕像）和阿波罗神庙，在公元前4世纪早期存在过短暂的竞争。到了古典时期和希腊化时期，两座神庙得以扩建，增添了金库和柱廊。到了公元前3世纪，卡吕冬和其新建造的卫城都筑上了围墙，周长长达四千米。公元前2世纪，卡吕冬为当地的英雄莱昂（Leon）修建了一座奢华的英雄殿，包括列有柱廊的庭院和一座小祈祷室，在其带有拱顶的地下室中放有两张雕工精良的石床。

在亚克兴战役（公元前31年）之后，就在北边不远，屋大维（Octavian，不久就被称为奥古斯都）强迫卡吕冬人搬到附近的尼科波利斯（Nicopolis），那是为了庆祝他战胜了安东尼和克莉奥帕特拉所建之城。而卡吕冬，这座曾被斯特拉博称为"希腊饰品"的城市，便成了一座鬼城。就连卡吕冬的神祇也被移至别处，神祇雕像被装上船，往南穿过海湾，运往了佩特雷，而祭司们则在那里继续奉行着古老的仪式。保萨尼阿斯目睹了为时两天的阿耳忒弥斯·拉福里亚节。第一天，一位年轻的女祭司乘着四头鹿拉的战车驶向一座祭坛，那里堆着高高的木柴。第二天的活动就不再这么庄重：

> 无论是集体还是个人，谈起这庆典都引以为荣。他们捕来活生生的鸟、兽（野猪、鹿、瞪羚——有些还是幼崽，有些早已成年），丢到祭坛之上。他们摘下果园里的水果，在祭坛上堆放整齐。而后，他们便点燃木柴。熊熊的火焰吐出烈烈的火舌，我看见那些鸟、兽，包括一头熊，都在挣扎，想要逃出火海，不过那些将它们丢上祭坛的人们，又把它们赶了回去。并没有记载表明，这些野兽曾伤过任何人。

与此同时，卡吕冬的野猪之猎也成了艺术家们热衷表现的主题，激发了大量的雕刻、绘画和马赛克作品。公元前6世纪弗朗索瓦花瓶（如今藏在佛罗伦萨国家文物博物馆）上绘着狩猎正进入白热化阶段，阿塔兰忒挥舞着长矛。在佩特雷博物馆，另一幅公元2世纪罗马的马赛克作品上，刻画了粗壮的阿塔兰忒趁着猎狗围攻野猪时张弓搭箭。

到了公元2世纪，我们还可以去观瞻野猪的圣骨。在罗马的皇家花园，狄奥尼索斯圣殿中保存着一根完整无缺、近一米长的獠牙，另外一根保存在特基亚的雅典娜·阿利亚神庙。保萨尼阿斯去那里游览时，祭司们对他说，很遗憾，那根獠牙在他们的保管下碎掉了。不过，他们倒是给他看了那张猪皮，保萨尼阿斯写道"干巴巴的，连一根毛也不剩"。

大事记 & 遗迹

公元前8世纪至前7世纪	在拉夫利翁修建了木制的阿耳忒弥斯神庙和阿波罗神庙。
公元前6世纪	拉夫利翁扩建新的防御性城墙。
公元前460年	神庙内安放阿耳忒弥斯的黄金象牙雕像。
公元前4世纪	阿耳忒弥斯神庙和阿波罗的神庙以石重建；修建剧院。
公元前391年	亚加亚的希腊人从埃托利亚人手中短暂地夺得卡吕冬。
公元前367/前366年	伊巴密浓达帮助埃托利亚人夺回了卡吕冬。
公元前3世纪	修建城墙。
公元前219年	在与马其顿腓力五世的战争中，卡吕冬遭受了严重的破坏。
公元前2世纪	修建英雄殿。
公元前30年	卡吕冬的居民迁至尼科波利斯；宗教雕像和节日都转移到了佩特雷。

　　卡吕冬，一眼望去乏善可陈，坐落在连系着安迪里翁（Antirrhio）和迈索隆吉的繁忙高速公路旁。**剧院**的遗址就在停车场近旁，可以看到舞台的地基以及长方形的合唱席和观众席。从这儿出发，一条小路通往用围栏围住的**英雄殿**——该处遗址的工作人员会打开门，带领人们参观地下墓室，那里保存着雕工精美的石床，包括完整的枕头和其他雕刻精美的细节。继续向前，就来到了一座神庙的地基，这里被确认为**狄奥尼索斯神庙**。又有一条小径（右方），走不多远，便到了**拉夫利翁**，那里有**阿耳忒弥斯神庙**和**阿波罗神庙**的两处地基。从狄奥尼索斯神庙，另有一条小径通往卡吕冬的**卫城**，城墙的遗迹依稀可见。在写作本书时，这儿尚无旅游标识，旅游手册也只有希腊语版本。这里也没有博物馆。

第十八章

斯巴达，海伦之城

　　斯巴达的女人中，最美的那位，也曾是最丑的一个。故事是这样的：[小时候]父母觉得她生得太丑（他们生活富足，只是孩子长得难看），所以孩子的保姆对着她丑陋的模样左思右想，想出了个办法：每天，她都带着孩子去铁拉普涅（Therapne），从阿波罗的神庙再往上，来到海伦的圣殿……将她放在雕像旁，向女神祈祷，不要让这孩子这么丑。

　　据说，有一天，保姆刚走出圣殿，就遇见了一个女人，问她怀里抱着什么。保姆说是个孩子，这个女人问可不可以给她看。保姆不肯，说孩子的父母不让别人看。不过，经不住女人的再三请求，保姆觉得，既然对她来说如此重要，便心一软，给她看了。这个女人轻轻摸了摸这个孩子的头，说她会长成斯巴达最美的女人。从那天起，这个孩子的容貌就变了样……

希罗多德，《历史》，6.61

被草覆盖的高原下方，星星点点地缀着各色野花，那里曾坐落着海伦的圣殿。欧罗塔斯河闪烁着金光，照亮了肥沃的平原。橄榄树林和果园、小块农田和农场、活跃的斯帕尔蒂（Sparti）镇，还有往北通往大海的公路——落日的余晖中，一切都那么柔美，尽管与背景里拔地而起的群山相比，一切都显得这么矮小。那是泰格特斯（Taÿgetus）山脉，巍峨的山峦，山脊如锯齿般参差起伏，仿佛龙脊。即使在初夏，山顶也是白雪皑皑。空气清澈，四下的声音毫不费力便能听得清清楚楚：狗儿在汪汪乱叫；拖拉机轰隆行进；河水潺潺，流过茂盛的竹林。这里一定是全希腊最不可思议的地方，两种极端恰到好处地融合在了一起——在一种几乎无法延续的高昂情绪中融入了最深刻的悲凉。站在这里，就是直面神圣。

阿波罗和雅辛托斯

在欧罗塔斯河谷和四周的群山中，神圣似乎触手可及。据神话所说，就在阿米克莱（Amyclae，在现代的斯帕尔蒂以南），神祇和凡人也曾并肩而行。那时，阿波罗爱上了年轻英俊的运动员雅辛托斯（Hyacinthus）。不过，西风之神仄费洛斯（Zephyrus）也爱上了这位年轻人，他受到冷落之后醋意大发。所以，等到阿波罗和雅辛托斯在运动会中同台竞技，仄费洛斯让阿波罗掷出的铁饼偏离了方向，砸到了雅辛托斯，断送了他的性命。阿波罗也无法救回自己的恋人，为了表达自己的哀悼，阿波罗让这个男孩的鲜血流过的地方开出花来——风信子。希腊人相信，花瓣上的图案是字母"AI AI"，那是哀悼时的叹息，是永远不会忘却的阿波罗的泪水。

在历史上，阿米克莱每年都会举办为时三天的夏季节庆活动。活动中心就是雅辛托斯的坟茔，那是一间建在巨大王位底座上的房间，上面安放着一尊阿波罗的雕像，足有十四米高。雅辛托斯节是为了许诺死后的重生——哀悼死去英雄的仪式过后，便是庆祝其重生，化为阿波罗-雅辛托斯。

勒达和天鹅

人与神之间宽松的界限，贯穿于斯巴达流传的诸多神话之中，不仅仅只是那些与勒达的子女有关的神话。勒达嫁给了斯巴达国王廷达瑞俄斯（Tyndareus），不过宙斯还是对她垂涎三尺。宙斯（一反常态地）担心会被勒达拒绝，便一直等到勒达去欧罗塔斯河畔散步。到了那里，宙斯化身为一只天鹅，被自己的鹰追赶，它栽下半空，掉落了几根羽毛。勒达本能地护住了瑟瑟发抖的鸟儿，然而，她刚刚把天鹅抱在怀中，宙斯就趁机强奸了她。不知所措的王后回到了宫中，廷达瑞俄斯安慰她、与她做爱。后来，勒达生下了两个蛋，一个孵出了两个女孩［海伦和克吕泰墨斯特拉

古罗马马赛克镶嵌画中描绘的勒达与天鹅的神话，发现于塞浦路斯的帕福斯。

（Clytemnestra）]，另一个孵出了两个男孩（卡斯托耳和波吕丢刻斯）。因为他们的双重父系，其中的两个（卡斯托耳和克吕泰墨斯特拉）是会死的凡人，另两个（海伦和波吕丢刻斯）则身为不死的神祇。

天上的双子

卡斯托耳和波吕丢刻斯两兄弟，人称狄俄斯库里（宙斯之子）。长大之后，二人的骑术十分精湛，又都英勇无比，加入过卡吕冬的野猪之猎，与伊阿宋从伊奥尔科斯出航寻找过金羊毛。不过，他们最为人所知的故事，还是他俩对福柏和希拉伊拉（Hilaeira）两姐妹（珀尔修斯的曾孙女）的欲望，导致了毁灭性的结局。这两姐妹都已被许配给了狄俄斯库里兄弟的堂兄弟——底比斯的林叩斯和迈达斯。

当他们发现自己的未婚妻被拐到了斯巴达，还各生下了一个儿子时，林叩斯和迈达斯便实施了报复行动：为了恢复自己的名誉，他们打算把堂兄弟的牲畜据为己有。他们假装友好，和狄俄斯库里兄弟一起去掠夺牲畜，之后两人在比拼吃饭速度的竞赛中要诈获胜，赢走了所有的战利品。矛盾激化了。卡斯托耳和波吕丢刻斯偷回了自己的牲畜，还一并偷走了对手的牲畜，然后两人埋伏在一个空心的大橡树里准备偷袭他们。然而目光犀利的林叩斯从泰格特斯山上便看到了他们，迈达斯的长矛不偏不倚地投中了目标。卡斯托耳当即死去，波吕丢刻斯跳了出来，给了林叩斯致命的一击，宙斯则用雷劈死了迈达斯。悲痛不已的波吕丢刻斯祈求宙斯让他与卡斯托耳共赴黄泉，但因为他身为不死的神祇而无法实现。于是，宙斯对他说：

> "要是你真心想要守在你的哥哥身旁，一切都与他共享，那就要有一半的时间活在地下，另一半的时间在那天上的金色大厅。"波吕丢刻斯听到这话，毫不犹豫：他撑开了被青铜覆盖的卡斯托耳的双眼，然后释放了他的声音。

就这样，两兄弟你一天我一天轮流在天上做神，不做天神的那一天，他在铁拉普涅自己的墓坛中，被尊为冥府中的神。铁拉普涅是斯巴达最神圣的遗址之一。狄俄斯库里两兄弟骑上雪白的骏马，头戴蛋壳形的头盔，他们是水手的保护者，在圣爱尔摩火（St Elmo's fire）中显身。莱斯沃斯岛的阿尔凯奥斯（Alcaeus）在一首赞美诗中称颂他们：

> 离开伯罗奔尼撒半岛，来我这儿吧，卡斯托耳和波吕丢刻斯，宙斯与勒达英勇的儿子！来吧，好心人！你们身下骏马奔腾，越过广阔的大地和海洋，从那催人泪下的死亡中，施以援手，跳过精甲良桨的船头，在那高高的桅杆和索具之上。一道夺目的闪光，给这绝望的黑夜带来了光明。

在斯巴达，对狄俄斯库里的崇拜往往以两根竖直的木帆桁加上两根横梁为其形象。他们既受人爱戴，又为人惧怕。在历史上，人们相信，他们伪装成旅人，回到自己曾住过的老房子考验现在的房主，他们请房主允许他俩在以前的屋子里过夜。房主说，自己的小女儿正住在里面，以此拒绝了他们。保萨尼阿斯记载："到了清晨，房主在屋子里发现了狄俄斯库里的雕像，可是女孩和她的佣人全都不见了。"如今，他们被视为天上的双子，双子座中最明亮的两颗星，宙斯为了纪念他们而把他们安放在那里。

海伦和墨涅拉俄斯

海伦从儿时起，生活就充满了不安。她动人的美貌早已引起了流言蜚语，说她的母亲并非勒达，而是复仇女神涅墨西斯，在拉姆诺斯化身为天鹅时，被同样化身天鹅的宙斯强奸。

忒修斯一心要娶不死的神祇为妻，在海伦七岁的时候，他就将她拐到了雅典。尽管狄俄斯库里兄弟救回了海伦，等她到了适婚的年龄时，廷达瑞俄斯再一次意识到，海伦的美蕴藏着危险。斯巴达被狂热、不安分的仰慕者围得水泄不通，出生高贵又野心勃勃的英雄们，每个人都带着贵重的礼物想要与海伦长相厮守。他们个个情绪激昂，廷达瑞俄斯担心海伦今后的婚姻能否稳定——直到从绮色佳来的奥德修斯［他追求的倒不是海伦，而是她聪明的堂妹珀涅罗珀（Penelope）］提出了一个办法。

听了奥德修斯的建议，廷达瑞俄斯将追求者们聚集在斯巴达北面的平原上，要求每个人都站在一匹死马的尸体上发誓：他们会团结一致来讨伐任何一个想要破坏婚姻的人。然后，他把海伦嫁给了墨涅拉俄斯。另有些不同版本的神话中说，他还把王国也交给了墨涅拉俄斯。然后，海伦的妹妹克吕泰墨斯特拉嫁给了墨涅拉俄斯的哥哥、迈锡尼的国王阿伽门农（尽管，阿伽门农要先杀死她的丈夫才行）。

奥德修斯为海伦的婚事出谋划策，作为回报，廷达瑞俄斯便在奥德修斯的婚事上助了他一臂之力，帮他赢得了哥哥伊卡里俄斯（Icarius）的女儿、他的外甥女珀涅罗珀的芳心。奥德修斯健步如飞，所以，廷达瑞俄斯给伊卡里俄斯出主意，让他在斯巴达的街头举行赛跑比赛，把珀涅罗珀嫁给获胜者。奥德修斯赢得了比赛，不过，伊卡里俄斯却不愿让这一对欢天喜地的爱人离开。于是，等到他们动了身，伊卡里俄斯驾着车跟在后面，哀求女儿留下。珀涅罗珀既爱父亲，又爱丈夫，难以抉择。不过，在奥德修斯跟她说一定要做选择之后，她默默地戴上了面纱，继续奔赴绮色佳，成了忠贞的典范。

几年后，廷达瑞俄斯忘记向阿佛洛狄忒献祭，女神便煽动特洛伊王子帕里斯，让他耳闻了海伦的美，又带他亲至斯巴达以作回报，因为他裁定阿佛洛狄忒才是最美的女神。墨涅拉俄斯愚蠢地出航去了克里特，留下帕里斯和海伦单独相处。等到返航回宫，他才发现早已人去楼空。他派出信使，去往希腊各地，找到了海伦往日的追求者，提醒他们勿忘誓言。于是，希腊大军浩浩荡荡地开往特洛伊，十年征战之后，终于攻陷了特洛伊。海伦回到了斯巴达，（前去寻找父亲奥德修斯的忒勒玛科斯发现）她并未因此就俯首听命，而是继续一切尽在掌握：

厄洛斯在头上徘徊，佩托（Peitho，劝诱女神）跟在身后，帕里斯抓着海伦的手腕，离开她在斯巴达的王宫（阿提卡深酒碗红色人物画，约公元前490至前480年）。

　　她立刻就往他们喝的酒中下了药，可以让他们放松、平静，忘记所有的苦难。无论是谁，只要喝下这掺了药的酒，当天定然不会落泪，即使亲生父母死于面前，即使兄弟或爱子当面被杀，也不会落泪。宙斯女儿兑下的如此灵药，原是埃及人波鲁丹娜（Polydamna）、托翁（Thoön）的妻子给她的。

　　墨涅拉俄斯死后被葬在高原上俯瞰欧罗塔斯河的铁拉普涅，那里的斯巴达人敬他为英雄，尊海伦为女神。至于不死的海伦，公元前6世纪，一位来自意大利南部的希腊探险家声称在黑海的白岛见到了她，她和阿喀琉斯生活在那里。海伦让他给抒情诗人斯特西克鲁斯（Stesichorus）捎个口信（因为诗人谴责海伦与帕里斯通奸，突然之间便失明了）。现在，海伦答应把光明还给他，只要他公开认错。于是，他的《翻案诗》（Phlinode）开篇写道："这故事所言不实！你从不曾坐上那利桨的船，也不曾去过特洛伊的城池。"斯特西克鲁斯刚写下这行诗，双眼就复明了。他的说法是，众神希望借助战争大大削弱人类的力量，又不会损伤海伦的声誉，便用了一个化身，让帕里斯拐走。真正的海伦在埃及逍遥自在，墨涅拉俄斯在返航的路上找到了她。

斯巴达的前世今生

神话中的斯巴达与历史上的斯巴达并不相同。早期的斯巴达（是分散的村庄联盟而非完整的城市）文化与艺术生活都很活跃，然而在公元前7世纪晚期，一切都发生了改变。或许是害怕被外部的敌人打败，也或许是害怕被自己的奴隶推翻，统治阶级开始推行严厉的政治制度，忠于城邦至高无上。男孩从七岁起就住在兵营，被训练为战士，女孩要为生下强壮的孩子而锻炼身体。奇怪的政治体制融合了君主制（两个同时执政的国王）、寡头政治和民主（只属于战士统治阶层），以对宗教节日的恪守为基础。斯巴达人中有很多反社会者，倒也在意料之中。

尽管斯巴达人也开拓了一些早期的殖民地，他们却不愿被牵扯进国际政治里。公元前490年，波斯入侵，斯巴达人置身事外，声称他们的卡尔涅亚祭（Carneia，丰产节庆）更为重要。斯巴达人以此为耻，公元前480年温泉关战役中，国王列奥尼达斯（Leonidas）率领三百名斯巴达勇士以抵挡第二次波斯入侵而战死沙场。在接下来的每一场战役中，斯巴达人都身先士卒，直到最后，取得胜利的希腊人拒绝继续听从斯巴达将帅的领导，此后指挥权旁落雅典。

在余下的二十年间，斯巴达和雅典之间关系紧张，最终导致了伯罗奔尼撒战争。公元前404年，斯巴达没有利用好胜利的良机，实力渐衰，以至于后来不得不修建防御城墙。在公元前188年被菲洛皮门（Philopoemen）率领的希腊诸城邦联盟打败之后，这里只落得城墙被毁，政体被拆分。

到了罗马时期，斯巴达成了旅游者的胜地。保萨尼阿斯到此游览时，几乎每一个街头巷尾都与神话联系在一起。有一座神庙竟然为一枚鸡蛋装上饰带，悬挂在屋顶，吹嘘这是勒达所生。到了公元3世纪，阿耳忒弥斯·奥尔提亚（Artemis Orthia）圣所铺设了石座椅，便于观看充分展现斯巴达男子气概的祭祀活动，这也是古代成年礼仪式的一种简化，届时祭坛上的男孩会被鞭打（有时会致死）。

公元396年，斯巴达被哥特人阿拉里克侵占，从此一蹶不振。到了拜占庭时期，在泰格特斯山脉的山麓地带、靠近米斯特拉（Mistra）的地方，兴建了一座新的城市。1834年，希腊独立之后，米斯特拉被毁，古斯巴达旧址上建起了一座优雅的新城。于是，诸多有可能具有考古价值的发现从此便不见天日了。现代旅客看到修昔底德2500年前敏锐的观察，或许会惊叹其准确的预言：

> 想象一下，斯巴达已无人居住，只剩建筑物的地基未受损毁。时光荏苒，我想，也许后人再难想象，这就是人们口中所说的那个强大的城邦。因为斯巴达并没有留下任何出众的建筑或丰碑。

如若不是法国富尔蒙教士（Abbé Fourmont）1730年的到访，这里原本还会剩下更多的遗迹。富尔蒙教士前来寻找碑刻铭文，他在书信中毫不掩饰地自称是"来到希腊的野蛮人"，并写下了令人心寒的文字：

近一个月以来，我雇了三十个工人，对斯巴达进行了彻头彻尾的大肆破坏；没有一天是空手而归——有些天，我最多搞到了二十块碑文！想想看，找到这么多石块，我有多快活（也有多累）吧……也许，因为我把斯巴达的墙和神庙拆了个干干净净，就连最小的神殿里也没有再连在一起的两片瓦，所以今后，再不会有人知道斯巴达在哪里。不过，至少我有证据，可以证明它的存在，这才叫了不起。只有这样，我才能一路风光显赫地走过伯罗奔尼撒半岛——否则的话，又有什么意思呢？这不是法兰西的作风，也不是我的作风。

大事记&遗迹

约公元前1500年	铁拉普涅修建迈锡尼宫殿（荷马所指斯巴达？）
约公元前1200年	迈锡尼宫殿毁于大火。
约公元前750年	斯巴达扩张，并入阿米克莱和伯罗奔尼撒半岛南部大部分地区。
公元前7世纪晚期	斯巴达政体改革，传统上归于莱克格斯。
公元前480年	列奥尼达斯在温泉关拖住了波斯人。斯巴达带领希腊赢得了对波斯人的胜利。
公元前404年	斯巴达及其同盟击败雅典。
公元前371年	底比斯在留克特拉战役中击败斯巴达。
公元前331年	亚历山大大帝强迫斯巴达加入"科林斯联盟"。
约公元前207年	第一次修建城墙。
公元前188年	菲洛皮门打败斯巴达人，拆毁了城墙，解散了政体。
公元前1世纪—公元4世纪	斯巴达成了罗马的"旅游胜地"。
公元396年	哥特人阿拉里克侵占斯巴达。
1730年	富尔蒙教士毁掉了古斯巴达绝大部分遗址。
1834年	在古斯巴达城的位置建造了现代城市斯帕尔蒂。

　　古代斯巴达最初是几个小村庄的聚集地，所以遗迹相对分散，推荐驾车前往。**迈锡尼时期的斯巴达和铁拉普涅的梅内里翁（Menelaion）**坐落于欧罗塔斯河陡峭的东岸。耶拉基（Yeraki）路上的路标指向一条小道（步行十五分钟），可以通往圣伊利亚斯（Ilias，在一座阿波罗神庙遗址处），景色宜人。可以与墨涅拉俄斯和海伦的斯巴达一较高下的，还有**佩莱纳（Pellana）**，距斯帕尔蒂以北二十七千米。那里有岩石刻成的圆形石墓群，其中一座还可以清晰地看到刻有狮纹章的图案。2015年，在斯帕尔蒂以南，靠近克西罗坎比（Xirocampi）的地方，发现了一座迈锡尼宫殿，极大地影响了我们对这一时期的认识。

　　大部分**古典时期**和**罗马时期**的斯巴达遗址都位于地势较低的卫城附近，就在现代的露天体育场后面。遗址包括一座**罗马时期的剧院**，以及**铜屋里的雅典娜**。从斯帕尔蒂往北的大桥附近、欧罗塔斯河的岸边，静谧的**阿耳忒弥斯·奥尔提亚圣殿**地基尚存，还完整地保留着罗马时期的座席。伊西翁南边公路上的**阿米克莱**没留下什么遗迹，不过，遗址本身就足够浪漫。斯帕尔蒂西面，便是**帕罗里谷（Parori Gorge）**，斯巴达人不想要的婴儿，大概就会弃之于此。峡谷以北的**米斯特拉**城中，精美的教堂湿壁画和威严的城堡让这座拜占庭城市引以为豪。不过，这里坡道陡峭，到了夏天又无处遮阴，会让游览变得难以忍受。

　　斯帕尔蒂**博物馆**中，藏有从阿米克莱出土的**海伦和墨涅拉俄斯的古代浮雕**；公元前5世纪（饱经风雨侵蚀）的大理石**战士躯干雕像**，被认为是列奥尼达斯；一幅罗马时期的**马赛亚西比德像**，他是公元前5世纪时曾叛变的雅典政治家；以及从阿耳忒弥斯·奥尔提亚圣殿发掘出来的**面具**和**镰刀**。

第十九章

迈锡尼和阿伽门农一家的诅咒

这宫殿中的合唱之声啊，从未停歇；那合唱的人啊，一同唱起了卡巴拉（cabbala），声音如此刺耳，唱词如此邪恶——他们饱饮了人血，力量疯长，跳起了怪异的塔兰台拉舞，跳遍了整个宫殿，赶也赶不走——他们生来便是复仇的恶魔，根深蒂固。他们在宫殿里休息，唱着歌颂疯狂的圣歌，歌颂那最先点燃疯狂的激情，唱出一支复调，一厌嫂子的放荡，二恨那个勾搭她的男人……看！你看到他们了吗，正在歇息，在殿旁相互偎依，年轻的梦中幻影，张开了双臂，孩子们被杀死了——不！是真的吗？他们的家人，手中紧握他们的骨肉、他们的心肝、他们的宝贝，就在他们自己亲生父亲的手中。

埃斯库罗斯，《阿伽门农》，第二幕。1186行始。

帕纳伊亚（Panagia）白色教堂后的高地上，一尊圣母玛利亚安静地立在最低处的脊地上，附近满是皇家墓地的遗迹。迈锡尼的要塞蹲踞在两座虎视眈眈的大山之间，仿若一头凶险的猛兽。在低矮的卫城周围，闪闪发光的灰色石头盘绕在一起，紧紧贴在岩石上，陡峭的岩壁直下深谷，那里深不可测，希腊人称之为卡俄斯（Chaos）。时而狂风突起，从遗迹上咆哮而过，扬起干燥的尘土，而后又戛然而止，一丝风也没有。风起时，沙土成了赭色的尘云，高高卷起，聚成浓云，又随风飘散，如幻影洒落，落进已全无房顶的大厅、曲折的小巷，落在断壁之上、敞开的坟墓之中。

然后，云飞日出。倏忽之间，要塞出人意料地沐浴在了一片阳光之中。然而，凶险的感觉并未消失，这种感觉深深植根于迈锡尼的过去。因为，这儿不仅是一个辉煌帝国的所在地。传说，迈锡尼的土地浸满了鲜血，因为王室成员自相残杀，他们的暴行愈演愈烈。

迈锡尼的兴建

血亲相残涌出的鲜血流过了迈锡尼的历史，一直流向它的兴建之初。珀尔修斯失手误杀了自己的外祖父、阿尔戈斯国王阿克里西俄斯，虽然应由他继承王位，他却一点儿也不情愿。于是，他和邻近的梯林斯国王墨加彭忒斯交换了王位。在这片新的疆土中，包括了多石的迈锡尼岩石地表，就在肥沃的平原一端，德凡纳基亚山口（Dervenaki Pass）的南面是高高的山冈。珀尔修斯看到了这里的战略意义，便招来独眼巨人修建高大的城墙（或许是这些石块大得惊人，当地人才对保萨尼阿斯这么说）。

不过，珀尔修斯和墨加彭忒斯起了争执，珀尔修斯被杀。他的死带来了一次动乱。迈锡尼受到攻击，牧群被盗，珀尔修斯的孙子安菲特律翁不得不要了些手段，才击败了从爱奥尼亚海上遥远的塔福斯（Taphos）来犯的岛民。然而，灾难还是落在了国王的家人身上。安菲特律翁误杀了自己的叔叔，迈锡尼的国王便和妻子阿尔克墨涅一起被流放到了底比斯。

继任的国王斯泰尼勒斯（Sthenelus）恢复了稳定，娶了埃利斯国王珀罗普斯的女儿。不过，他们的儿子欧律斯透斯对敌人赫拉克勒斯恨之入骨，虽然赫拉克勒斯已死，还是向他的家人发动了战争，等到他们逃去了雅典，还率军追击。然而，欧律斯透斯被杀死了，迈锡尼的王位又空了下来。迈锡尼人派人去找欧律斯透斯的叔叔、珀罗普斯的两个儿子——阿特柔斯和梯厄斯忒斯，其时他们正在附近的米底亚做摄政王。

阿特柔斯、梯厄斯忒斯和血腥的盛宴

阿特柔斯和梯厄斯忒斯兄弟两个是死对头。哥哥阿特柔斯被任命为王之后，梯厄斯忒斯便诱奸了他的妻子埃罗佩（Aerope），还阴谋策划政变。阿特柔斯许下誓言，要向阿耳忒弥斯献上最好的牺牲，他的牧羊人发现了一只非凡的、长着角的羊羔，一身金灿灿的羊毛，显然，是众神所赐。阿特柔斯兑现了诺言，把羊羔送上祭台，不过，他把金羊毛留给了自己。他声称自己手中的金羊毛证明了自己合法的继承权，却引来了事与愿违的后果。埃罗佩偷走金羊毛，给了梯厄斯忒斯，于是梯厄斯忒斯得意洋洋地攫取了王位。

心怀不满的宙斯怂恿阿特柔斯向梯厄斯忒斯发起挑战：如果太阳从西边升起，梯厄斯忒斯就交出王位。梯厄斯忒斯同意了，据欧里庇得斯所述："宙斯倒转了星辰的轨道和太阳的路线，还有拂晓白色的脸……所以，雨云向北，阿蒙炽热的神殿，拒绝了宙斯倾盆的大雨。"梯厄斯忒斯逃去流亡，阿特柔斯的仇寻得很快。他行船至远海，将埃罗佩抛下了船，冷眼看着她溺水身亡。但他对梯厄斯忒斯的报复没那么快。多年之后，阿特柔斯终于发现了弟弟的踪迹，便让他相信自己已尽弃前嫌，并请他把年幼的儿子们带来一同赴宴，兄弟重修于好。梯厄斯忒斯被领进了宴会大厅，兴致勃勃地大快朵颐，盛赞厨师的手艺。不过等到刚做好的主菜端了上来，一开盖，看到的竟是梯厄斯忒斯几个儿子被割下的头颅和手脚，整整齐齐地摆放着。梯厄斯忒斯止不住呕吐，诅咒着阿特柔斯和他的家人，冲出了房间。

梯厄斯忒斯的复仇

梯厄斯忒斯来到了科林斯附近的西锡安，寻找自己仅存的女儿菲洛庇亚（Pelopia），她是雅典娜的女祭司。他的目的令人发指——有神使怂恿他与自己的女儿生个孩子。于是，他趁着女儿沐浴强暴了她，跑掉时落下了自己的佩剑。不久之后，阿特柔斯也来到了西锡安。他对菲洛庇亚一见钟情，把她当作自己的妻子，带回了迈锡尼。菲洛庇亚生下了一个儿子。不过，菲洛庇亚一想到自己是怎样怀上这个儿子的，便决定把他弃于山上。阿特柔斯发现后，派出了搜索队。找到他时，他正在喝一头山羊的奶，于是他们便称他为埃癸斯托斯（Aegisthus，意为山羊的力量）并把他带回了迈锡尼。阿特柔斯将他视同己出，抚养成人。

接下来，庄稼连年歉收，数年的饥荒蔓延了整个迈锡尼。最后，一位神使告诉了阿特柔斯他必须去做的事情：召回梯厄斯忒斯。阿特柔斯心有不甘地照办了。不过，等到梯厄斯忒斯一回来，阿特柔斯就把他关进了大牢。阿特柔斯下定决心斩草除根，他招来了埃癸斯托斯，命令他杀死梯厄斯忒斯以证明自己的价值。于是，这个孩子从菲洛庇亚那儿拿了一把剑，去了监牢。

就在他要动手之际，梯厄斯忒斯认出了这把剑，这正是当年落在西锡安的那把，便向埃癸斯托斯道出了真相，向他表明自己才是他的生身父亲。于是，二人合力杀死了阿特柔斯。

现在，梯厄斯忒斯成了迈锡尼的国王，阿特柔斯的儿子阿伽门农和墨涅拉俄斯密谋赶他下台。在斯巴达国王廷达瑞俄斯的支持下，他们向迈锡尼进军，梯厄斯忒斯和埃癸斯托斯不得不流亡。就这样，一切风平浪静，后来廷达瑞俄斯将女儿海伦许配给了墨涅拉俄斯，并将王位也交给了他，迈锡尼与斯巴达的关系更加坚固。至于廷达瑞俄斯的另一个女儿克吕泰墨斯特拉，已经嫁给了比萨的国王坦塔罗斯。于是，阿伽门农入侵比萨杀掉了坦塔罗斯，经过一番苦苦追求，终于娶到了克吕泰墨斯特拉。

阿伽门农、克吕泰墨斯特拉和埃癸斯托斯

阿伽门农和克吕泰墨斯特拉生了四个孩子：一个儿子俄瑞斯忒斯，以及三个女儿：依菲琴尼亚［有时也称作依菲娜萨（Iphianassa）］、厄勒克特拉（Electra）和克律索忒弥斯（Chrysothemis）。迈锡尼日益繁荣，成了全希腊最强大的城邦。然而，家人相残、血流成河的悲剧再次上演。

海伦被帕里斯掳走之后，当年的英雄们履行了诺言，向特洛伊发起了战争。阿伽门农作为墨涅拉俄斯的兄长，又是希腊国王中势力最大的一个，被任命为远征军的领袖，誓要夺回海伦。于是，他令希腊大军汇合在希腊东部埃维亚岛对面的奥利斯湾。各路人马、舰船到达之后，阿伽门农请他的先知卡尔克斯（Calchas）预测战事会延续多久。顷刻之间，一只雄鹰从天而降，抓着一只大腹便便的野兔，雄鹰撕裂了野兔，十只血淋淋的兔崽滚落出来。所征之兆一目了然，战争会持续十年。然而，这只怀孕的野兔本是阿耳忒弥斯的祭品，她怒不可遏。一时间，色雷斯的海面上狂风怒号，战士们在滔天的巨浪和无休无止的暴雨中缩成一团，而后又是漫长的饥饿，他们的怨气越来越盛。

卡尔克斯的建议令人毛骨悚然。只有将阿伽门农的女儿依菲琴尼亚献作祭品，才可以平息阿耳忒弥斯的怒火。于是，阿伽门农假装要把女儿嫁给阿喀琉斯，将她叫到了奥利斯湾。依菲琴尼亚走近祭坛之际，阿伽门农的卫士抓起她，将她架上了祭坛，依菲琴尼亚心中的喜悦变成了恐惧。埃斯库罗斯写下了这一幕：

> 哦，她苦苦哀求、祈求神灵，呼喊自己的父亲，向他求救。那一心渴望战争的将士们，却无人搭理。他们不管她如此年轻、如此无辜。阿伽门农做过了该做的祈祷，命令手下将她抓紧，放上祭台，就像一头野兽，脸孔朝下，紧紧裹在她的长袍中。他还下令，

硬生生堵住她的嘴，用那令人窒息的绳索，她那可爱的小嘴什么诅咒家族的话也说不出。她黄色的袍子，染着最纯最深的金黄色，重重落在了地上。她看着在场的每一个人，抛出令人心软的眼神，就像画中的少女一样楚楚动人，渴望能够开口说话——在父亲的大厅里，她常在宴会上开口歌唱；她那处子的嗓音，纯净动人；她曾满怀爱意、温柔地为神献上第三杯酒，献上神圣的颂歌，为她亲爱的父亲唱出希望的颂歌。

风渐止，战士们冲向各自的战船，只剩下依菲琴尼亚的母亲克吕泰墨斯特拉，看着暖风吹干了女儿的鲜血。

也有人说，阿伽门农触怒了阿耳忒弥斯，因为他失手杀掉了一头圣鹿。还说，献祭的那一刻，阿耳忒弥斯已经消了气，便用一头鹿换下了依菲琴尼亚，将她送到了克里米亚半岛的陶里斯（Tauris）。后来，依菲琴尼亚的弟弟俄瑞斯忒斯又将她带回了希腊，在雅典附近的布劳隆做了阿耳忒弥斯的祭司。如今，那里还可以看到为她修建的英雄祠。克吕泰墨斯特拉满心怨恨地留在了迈锡尼，转而向阿伽门农的敌人——埃癸斯托斯寻求支持。

就在献上祭品的那一刻，一头鹿换下了依菲琴尼亚（搅拌用容器，约公元前370年至前350年，意大利阿普利亚）。

刺杀阿伽门农

为了能够在战争结束后知道阿伽门农何时回家，克吕泰墨斯特拉从特洛伊附近的伊达山开始，跨越萨莫色雷斯岛和阿索斯山，沿着迈锡尼的东海岸，一路设置了烽火台，并在王宫的屋顶派了哨兵时刻监视。终于，烽火台传来了消息。阿伽门农驾着战车得意洋洋地入了宫，克吕泰墨斯特拉在那儿迎接他的凯旋。克吕泰墨斯特拉装出一副欢天喜地的样子，请求阿伽门农不要直接走在地上，而是踏着奢华的织锦走回宫中，以庆胜利。阿伽门农心中犹豫，生怕会惹来神的惩罚，不过最后还是同意了。

入宫之后，克吕泰墨斯特拉为阿伽门农备好了热水浴，帮他放松。可是，阿伽门农刚泡进浴池，她就（可能在埃癸斯托斯的帮助下）撒网罩住了阿伽门农，举剑向他一次又一次地刺下去——或者，（也有人说）是用斧子狠狠地劈向他。阿伽门农像一头献祭的公牛一样发出阵阵嘶吼，死在了一池血水之中。跟他一同回来的，还有一位特洛伊小妾——卡珊德拉（Cassandra），她是特洛伊国王普里阿摩斯的女儿，一位女预言家。她察觉到了迈锡尼可怕的过去、现在和未来，也同样意识到自己命不久矣，她死在了阿伽门农的尸首旁，她的尸体被抛入了卡俄斯的深谷。阿伽门农的女儿厄勒克特拉连忙把弟弟俄瑞斯忒斯托付给了一个可靠的奴隶，匆匆将他们从北门送出了迈锡尼，并嘱咐他们逃往福基斯——斯特洛菲俄斯［Strophius，阿伽门农的姐姐、安阿克西比亚（Anaxibia）的丈夫］是那里的国王。俄瑞斯忒斯就在那儿长大成人。

俄瑞斯忒斯归来

后来，俄瑞斯忒斯一番乔装打扮，才和堂妹皮拉德斯（Pylades）一起回到了迈锡尼。在阿伽门农的墓前，一队女人让他心烦意乱，她们都是来向他父亲的亡灵献祭的。俄瑞斯忒斯认出了队伍中为首的那位：厄勒克特拉。因为克吕泰墨斯特拉梦见自己生下了一条蛇，长长的獠牙刺进了她的胸膛，便打发厄勒克特拉到这儿来。俄瑞斯忒斯发现姐姐也同样痛恨母亲，便向姐姐表露了自己的身份，两人开始商议如何复仇。

埃斯库罗斯写下了俄瑞斯忒斯是如何被阿波罗驱使着杀掉了自己的母亲。俄瑞斯忒斯先是骗克吕泰墨斯特拉叫来了埃癸斯托斯，杀掉他之后，才举剑要杀自己的母亲。克吕泰墨斯特拉在最后关头认出了俄瑞斯忒斯，她袒露双乳，质问他如何对哺育过他的女人下得了手。然而，这样也无济于事。索福克勒斯的版本与此不同。他笔下的俄瑞斯忒斯谎称自己死于一场战车比赛，以将骨灰送给克吕泰墨斯特拉为由，进入了宫殿。接着他便杀死了母亲，之后，才将埃癸斯托斯也叫进了宫。

这个神话最为极端的版本出自欧里庇得斯。在他笔下，厄勒克特拉被嫁给了一个农民，因为被一位旧家臣认了出来，俄瑞斯忒斯才不得不表明自己的身份。也正是受了这位家臣的劝诱，他才开始复仇。他在祭祀当中杀死了埃癸斯托斯，犯下了渎神的大罪。一位信使把这一幕告诉了厄勒克特拉：

> 埃癸斯托斯手捧着内脏，目不转睛，用手指将它们缓缓分开。他俯身去看的时候，你的弟弟，高高站起，将屠刀重重劈在他的脊背上，从那关节处砍断了他的脊骨。埃癸斯托斯的身体扭动着、颤抖着、抽搐着，痛苦万分地死去了。

厄勒克特拉先是假装生下女儿，把克吕泰墨斯特拉骗进了产房，然后和俄瑞斯忒斯一起捅死了自己的母亲。厄勒克特拉和俄瑞斯忒斯的故事令欧里庇得斯着了迷。他在悲剧《俄瑞斯忒斯》中写道，俄瑞斯忒斯杀害母亲之后，没过几天，就像发了狂一样，绑架了墨涅拉俄斯的女儿赫耳弥俄涅。而在那之前，还妄图杀害海伦。

俄瑞斯忒斯宣告无罪

因为再无活着的家人来向俄瑞斯忒斯寻仇，众神派下了厄里倪厄斯（Erinyes，复仇三女神）来抓他。吓坏了的俄瑞斯忒斯逃到了德尔斐，又逃到了雅典，雅典娜在那里开设了第一所法庭。复仇三女神坚持弑母者必须惩戒，阿波罗则说，俄瑞斯忒斯为父报仇是在尽责。雅典娜便行使了自己的表决权，判定俄瑞斯忒斯无罪，坚称父权高于母权，她自己就是从宙斯的脑袋里生出来的，这就是明证。

有人说，俄瑞斯忒斯接下来和皮拉德斯去了陶里斯，差点变成了祭品，结果被他的姐姐依菲琴尼亚救了下来，然后他们一起逃到了希腊。在那儿，俄瑞斯忒斯爱上了堂妹赫耳弥俄涅。只可惜，她已经嫁给了阿喀琉斯的儿子涅俄普托勒摩斯。俄瑞斯忒斯设下阴谋，在德尔斐的阿波罗神庙里杀死了对手，随后他重返迈锡尼，征服了伯罗奔尼撒半岛的大部分领土，在斯巴达进行统治。他被葬在附近的特基亚，公元前6世纪，斯巴达人找到了他的遗骨。就在这一时期，迈锡尼的神话时代宣告落幕。

迈锡尼的前世今生

公元前4000年，迈锡尼开始有人居住。到了公元前2000年，迈锡尼的地位益发重要，财富也日益增长。在墓葬群A中，发现了丧葬用品。后来，在要塞围墙内的一处王室墓地中，发现了实心的黄金死亡面具、珠宝、杯盏和成套的酒宴用具，还有镶有饰物的短剑，刀锋上饰有贵族狩猎的场面，包括猎狮的画面。石墓碑上，刻着战车上的男人手持长矛在狩猎。

　　大约公元前1500年左右，附近的山地上修建了地下圆形石墓。这些都是工程建筑中的杰作：以高高的承梁撑起的墓室，石材经过加工和修饰，入口修着长长的甬道（供列队行进的通道）。在公元前1250年左右，迈锡尼的要塞城墙用巨石重建（据估计，有些石块重达一百吨），与此同时，宫殿也进行了扩建和修缮。还修建了纪念性质的大门，支柱撑起的过梁上的一块三角石板上刻有两头母狮（也可能是没有翅膀的狮身鹰首兽），它们的前爪歇

迈锡尼的主城门，约建于公元前1250年。
门头上有一根立柱，左右两侧的两头母狮
（如今狮头已经不见）或两头狮身鹰首兽，
或许是欧洲最早的纹章。

在祭坛之上。这可能是欧洲最早的纹章，其魅力显而易见，尽管这两头狮子的狮头并没能保存至今（原本很可能是由黄金铸造而成）。

青铜时代的迈锡尼贸易遍及地中海及周边，与埃及和赫梯帝国都有往来。B类线形文字泥板证明了迈锡尼是一个结构紧密的官僚社会，神话或许在这方面确实反映了现实。公元前14世纪至公元前13世纪的大部分时间里，迈锡尼是全希腊定居点中最重要的一个，它的光辉盖过了克诺索斯，也胜过了克里特帝国，很多历史学家都把这一段时期称为迈锡尼时期。

到了公元前12世纪，迈锡尼衰落了。大约公元前1200年左右，大火烧毁了要塞和宫殿。自此，迈锡尼就再没有恢复过来。人口从大约30000人（包括住在要塞下面镇子上的人）逐渐减少到了几乎没有。重新定居的尝试只成功了一部分。波斯入侵（公元前480—前479年）时，迈锡尼派出了八十名战士参加希腊军队，不过公元前468年，迈锡尼被邻国阿尔戈斯摧毁。到了公元前3世纪，才再次有人居住，在如今已久为人遗忘的圆形墓地之上还修建了一座剧院。然而，没过多久，迈锡尼就再次败落。保萨尼阿斯来到这儿时，只看到了一片废墟：

> 城墙只余下些残缺的部分，譬如狮门。据说这是库克罗普斯所造，和梯林斯一样。在这残破的城中，有一口喷泉，名叫佩尔西亚；还有几间地下室，那是阿特柔斯和儿子们存放财富的金库。阿特柔斯的坟墓也在那里。此外，还有一处处坟墓，埋葬着从特洛伊归来的将士，他们都死在了埃癸斯托斯的酒宴之上。

让人不解的是，在保萨尼阿斯的笔下，阿伽门农死在酒宴之上，他（或他的向导）还把地下圆形石墓误认作金库。这一错误一直延续至今——最大的一间地下墓室上还标着"阿特柔斯的金库"。迈锡尼的传奇故事吸引着众多游客前来亲临其境。公元1世纪，一位诗人写道：

> 那个英雄辈出的时代，早已难寻其迹——尽管这片大地之上，还露出了些许遗迹。我从中走过，认出了那贫瘠、多舛的迈锡尼，早已荒弃。就连山羊也罕至。牧人指给我看，他年事已高，对我说："这就是黄金遍地的迈锡尼，库克罗普斯所造。"

1876年，海因里希·谢里曼受到荷马史诗中的传说启发，希望证实其中所言不虚，在迈锡尼开始了发掘工作。从那之后，发掘工作便一直在延续。

迈锡尼

大事记&遗迹

约公元前4000年　新石器时代早期出现居住地。

约公元前1750年　修建早期的城墙和石墓。

约公元前1500年　修建最早的地下圆形石墓群。

约公元前1250年　建成"库克罗普斯"城墙和宫殿。

约公元前1200年　迈锡尼遭焚毁，可能是侵略者所为。

公元前480年　迈锡尼派出八十名战士抗击波斯人。

公元前468年　阿尔戈斯摧毁了迈锡尼。

？公元前3世纪　在"克吕泰墨斯特拉墓"之上建造了剧院。

1841年　基里亚科斯·皮塔基斯（Kyriakos Pittakis）发现了狮门。

1876年　海因里希·谢里曼开始了发掘工作。

靠近迈锡尼，一座**青铜时代的桥基**躺在（右边的）山谷里。不远就可以看到（左边）岩石中挖出的**井状墓**。在到达大停车场之前，（左手边）有一片停车区域，可以去看**阿特柔斯的金库**，壮观的地下圆形石墓，与众不同之处在于一侧的小墓室。

景区大门的路直通**狮门**。过了狮门，在一条铺砌良好的道路右侧，是**圆形墓葬A**（禁止进入），谢里曼就在这里发现了众多黄金面具和丧葬用品。向上，另一条路，经过一列前厅，通向宫殿的**中央大厅**（禁止进入）。通往阿尔戈斯的山谷，景致壮丽。略往上就到了住宅区，里面装有洗浴设施和一座**神庙的地基**。再往上，**两座便门**（据说俄瑞斯忒斯就是从这儿逃走保住了性命）附近有一座**井楼**，或称蓄水池，石砌的阶梯通往深深的地下。游客需要格外小心，如果没有合适的鞋和火把，切勿独自下行。

在城墙之外，有更多的**地下圆形石墓**，还有一座**希腊化时期的剧院遗址**和一片住宅的地基遗迹。另外一些地下圆形石墓（停车场后）在山的远侧，那里还有**帕纳伊亚教堂**，其景致令人不枉此行。

迈锡尼的大部分发现都收藏在雅典的国家文物博物馆。不过，迈锡尼也有自己的**博物馆**，就在狮门附近，收藏了大量的丧葬用品和湿壁画，还有各种复制品以及该遗址的模型。

如果想要更充分地了解迈锡尼的历史，可以在美丽的海伦（La Belle Hélène）酒店住下，谢里曼的"挖掘室"［现在由阿伽门农·达西斯（Agamemnon Dasis）管理］接待过许多考古学家、作家（包括阿加莎·克里斯蒂以及弗吉尼亚·伍尔夫）、心理学家（包括卡尔·荣格）和作曲家（包括克劳德·德彪西）。游客们还可以睡在谢里曼曾睡过的床上。

第二十章

特洛伊：诸神和众人相争之地

宙斯啊，彼时你做了叛徒，背弃了你在特洛伊的神庙吗？你那祭台上，还香雾缭绕……没药的芬芳，升上了天穹，神圣的要塞帕加马，伊达山的幽谷，爬满了常春藤。长河奔涌，带着消融的雪水，闪烁着，流向大海。拂晓泛起了淡淡的红光，远处的地平线沐浴着光芒。宙斯啊，你是背弃了这片圣地，这圣洁夺目的家园吗？

献给你的牺牲如今已荡然无存，同样消失的，还有仪式中合唱的颂歌，还有黑夜里献给众神的通宵庆典。一切都已消亡，或雕或刻、鎏金的神像，对，就连那所有圣物中最为神圣的，特洛伊的十二金月，也无存于世了。我想知道，宙斯，我多么想知道，你坐在那巍峨的天宫宝座之上，看到我的城市毁于一旦，焚于火海，是否也心有戚戚。

欧里庇得斯，《特洛伊的女人们》(*Trojan women*)，1060始

如今，在所有不朽神话的发源地，最让人浮想联翩的，莫过于特洛伊。然而，最枯燥乏味的也非它莫属。长途大巴停车场的树林间，一只巨大的木马高高地守卫着这处遗址。木马的两侧开着方形的窗户，游客可以透过窗口挥手微笑、拍照留念。以此作为第一站，对似乎失去了灵魂的遗址而言，也算恰到好处。被警戒线围住的走道、读来无趣的文字介绍，和刻意安排得密密麻麻的路线，不知疲倦地辗转于跨越数千年岁月的一道道鸿沟。这确实是个让人大失所望的地方。

然而，这里曾是特洛伊。屹立在低矮的山冈上，雅典娜的神庙曾在日光下熠熠生辉；远眺达达尼尔海峡，油轮在缭绕的雾中若隐若现。想起那沃土被洪水淹没，宽阔的海湾近在咫尺，黑色的海岸线上泊下的舰船数以千计；想起那倾斜的城墙下，阿喀琉斯拖着赫克托尔（Hector）残破的尸首来来回回；想起安德洛玛刻（Andromache）为自己的丈夫哭泣，她爱赫克托尔胜过整个世界；想起卡珊德拉、赫库芭（Hecabe），还有普里阿摩斯；想起帕里斯，想起海伦，想起那澎湃的激情；想起全希腊浴血十年，也要夺回海伦；想起依附在这些石头上的神话传说。特洛伊便活了。

特洛伊的兴建和天神的介入

特洛伊是如何建成的，不同的神话提供了各种矛盾的说法。一则神话说，是逃避饥荒的克里特人最先踏上了这片土地。克里特人的居住地闹鼠患，他们想起一位神使曾说过，要他们住在"土里的敌人"攻击他们的地方。所以，他们为阿波罗·斯敏修斯（Apollo Smintheus，"鼠神"）建起了神庙，开拓了特洛阿德（这片土地的名字），称当地的山为伊达（就像克里特的那座一样），并在国王透克罗斯（Teucer）的带领下日益繁荣富强。另一些神话则认为透克罗斯是雅典人，在特洛阿德开辟殖民地，并把王位传给了阿卡狄亚人达耳达诺斯（Dardanus）——不过，罗马人却说，达耳达诺斯是在意大利出生的伊特鲁里亚人。

特洛伊和特洛阿德的名字，来自达耳达诺斯的孙子特洛阿斯（Troas），特洛阿斯生了儿子伊洛斯，所以特洛伊城又被叫作伊利昂（Ilion）。就像底比斯的卡德摩斯一样，伊洛斯也遵照诸神的指示，在一头花斑奶牛躺下睡觉的地方建起了城市。这头奶牛选了低矮的阿忒山（Atē，"毁灭性的迷恋"），伊洛斯在那里建造了一座雅典娜神庙。神庙中供奉着帕拉狄昂（Palladium），一尊从天而降的雅典娜橄榄木雕像。只要特洛伊保护好它，它将会一直护佑特洛伊。

伊洛斯的弟弟、英俊的伽倪墨得斯（Ganymede），也被天神青睐。宙斯看到他在伊达山上牧牛，便化身雄鹰猛扑下来，抓起他飞去了奥林匹亚山，为他侍酒。在天神的寝室，伽倪墨得斯也以身侍主，就像他的拉丁名字（Catamitus，娈童）所意味的那样。作为补偿，宙斯给了他父亲十二匹白马，都是北风之神玻瑞阿斯（Boreas）所生。

特洛伊的另一位王子提托诺斯（Tithonus）就没那么幸运了。长着玫瑰色手指的曙光女神厄俄斯（Eos）拐走了他做爱人，并说服了宙斯赐予他永恒的生命。她本应索要永驻的青春：等到提托诺斯垂垂老矣，再也无法行动，厄俄斯便将他锁进了一个小屋，他在里面"不停地唠叨，原本灵活的四肢已经力量尽失"。宙斯可怜他，把他变成了一只蝉。

诸神对特洛伊的另一位国王不太满意。伊洛斯的儿子拉俄墨冬要为特洛伊的要塞修筑围墙，他只花了不高的薪水就雇了两位不知疲倦的工人——波塞冬和阿波罗，这是他们妄图推翻宙斯而受到的惩罚。波塞冬出力（还有埃伊纳国王埃阿科斯的帮忙），阿波罗为特洛伊放牧，不过到了最后，拉俄墨冬拒绝付给他们工钱。为了报复，波塞冬放出了一头海怪，大肆破坏特洛阿德，并要伊洛斯把女儿赫西俄涅（Hesione）献作祭品。

赫拉克勒斯登场了。他完成了一桩任务，在回梯林斯的路上发现了赫西俄涅。虽然她身上挂满了珠宝，却未着衣褛地被绑在了岩石上，等着海怪的出现。侠义心肠的赫拉克勒斯救下了赫西俄涅，答应拉俄墨冬杀死海怪。作为回报，赫拉克勒斯可以娶赫西俄涅为妻，还会得到宙斯送给特洛阿斯的白马。等到海怪出现，赫拉克勒斯发起了攻击：他跃进海怪的喉咙，对着它的五脏六腑一顿劈砍，直到海怪一命呜呼。不过等到他向拉俄墨冬索要报酬时，特洛伊国王又一次食言了。

赫拉克勒斯回到希腊，召集了一支军队，乘着六艘战舰杀回了特洛伊。埃阿科斯的儿子忒拉蒙（Telamon）率军向特洛伊的西墙（这是他父亲修建的部分）发起了狂风暴雨一样的进攻，这是最薄弱之处，（据荷马所说）他们"血洗了特洛伊的街巷"。唯有年轻的王子波达耳刻斯（Podarces）幸免于难，拉俄墨冬拒绝向赫拉克勒斯兑现诺言的时候，王子曾支持赫拉克勒斯。如今，他继承了王位，将自己的名字改成了普里阿摩斯（"偿还"之意），重建了特洛伊。至于赫西俄涅，赫拉克勒斯将她送给了忒拉蒙。不过，他把白马留给了自己。

普里阿摩斯的孩子们

普里阿摩斯与妻子赫库芭（谁都知道她出身低微）生下了五十个儿子、五十个女儿，其中既有英勇的战士赫克托尔和得伊福玻斯（Deiphobus），也有英俊的特洛伊罗斯（Troilus），还有能预知未来的赫勒诺斯（Helenus）和卡珊德拉。

阿波罗追求卡珊德拉的时候，许下诺言，只要卡珊德拉愿意与他同眠，他就赐给她预言的本领。公主答应了，阿波罗便吹了一口气，将自己的能力赐予了她。不过，到了最后一刻，卡珊德拉又反悔了，还傲慢地拒绝了阿波罗。阿波罗没有办法，给出去的能力也收不回来。于是，他便施了诅咒：不管卡珊德拉说出什么预言，都不会有人相信。

各种灾难将至的预言早已遍布特洛伊城。赫库芭怀上第二个儿子的时候，她梦见自己生下的孩子长着一百只手，每一只手中都握着熊熊燃烧的火把。其含义不言而喻：如果生下来，这个儿子会给特洛伊带来毁灭，只有他的死才能拯救这座城市。赫库芭心不甘情不愿地用一块漂亮的织锦包住了刚生下的儿子，交给了牧民，让他把孩子丢弃到附近的伊达山上。然而，山上的一头母熊给他喂了奶。九天之后，牧民发现他还没有死，心生怜悯，便把他放进背包（希腊语是"帕里"），背回了农场，当作自己的孩子抚养。男孩长得既强壮又英俊。有一次，他打退了一群偷牲口的贼，牧民们都叫他亚历山大（"人民的保卫者"之意），当然他早已有了名字，叫作帕里斯——为了纪念那个背包。

在伊达山上，赫尔墨斯带着三位女神——赫拉、雅典娜和阿佛洛狄忒——去见帕里斯，等待他的评判（阿提卡酒碗红色人像，约公元前440年）。

帕里斯的评判和战利品

最令帕里斯心动的，是医术高超的山林女神俄诺涅（Oenone）和斗牛这件事。他的斗牛战无不胜，直到有一天一头野牛冲进了斗牛场。一场恶斗之后，野牛赢得了比赛，帕里斯没有丝毫不快，毫不犹豫地把桂冠套在了野牛的头上。这头牛立刻现出原形，说出了自己真实的身份：他是战神阿瑞斯，一直在寻找一位诚实的裁判，来解决一件棘手的争执。如今，他已经找到了最合适的人选。

于是，拿着那颗颗刻有"送给最美的女人"字样的金苹果，赫尔墨斯与三位女神来到了伊达山，这是厄里斯在珀琉斯与忒提斯的婚礼上引发的争端。三位女神都认为这个苹果属于自己。欧里庇得斯在《安德洛玛刻》中讲述了他们三个为了"赢得这场选美比赛，个个披挂上阵，准备好了大打出手，便前往偏僻的农庄，去见一见这个孤独的牧羊人。来到了这处阳光斑驳的幽谷，她们在山泉中洗净了迷人的身躯，交换了各自的允诺（如此言之凿凿却一点儿也靠不住），然后见到了普里阿摩斯的孙子"。

帕里斯无法抉择，所以她们三个各自许了他不同的好处。在欧里庇得斯《特洛伊的女人们》中，斯巴达的海伦归纳了她们开出的条件：

> 雅典娜许下诺言，帕里斯将率领大军从亚洲出发，征服全希腊；赫拉则承诺，假如判她胜出，帕里斯将成为统治整个亚欧的王。而阿佛洛狄忒，她羡慕我的美貌和身姿，于是向帕里斯保证，只要将金苹果判给了她，帕里斯就可以将我拥有。

迷人的女神们让帕里斯动了心，他贪恋海伦的容貌，把对俄诺涅的爱抛在脑后，将金苹果判给了阿佛洛狄忒，然后起身前往特洛伊。

他发现，特洛伊城里正在举办运动会，以纪念二十年前丢进伊达山里的那个王子。普里阿摩斯大度地让帕里斯参加了比赛，帕里斯出乎众人意料，赢得了冠军。怒不可遏的得伊福玻斯和赫库芭一起阴谋策划，想要除掉帕里斯。不过，卡珊德拉认出了他——也有可能是因为当年的牧民透露了他的真实身份——于是，赫库芭和普里阿摩斯一同欢迎自己的儿子帕里斯重返特洛伊，而那个梦只被赫库芭当作了迷信，并未放在心上。

然后，帕里斯便率领着一支华丽的小型舰队，和他的兄弟埃涅阿斯一道，前往斯巴达去领取自己的奖赏。他驶入斯巴达港，去了王宫。在公元5世纪末至6世纪初的史诗诗人科卢斯（Coluthus）的想象中，海伦：

> 开启了欢迎的房门，跑进院中，看到他站在王宫门口。立刻就

呼唤他，请他进来，让他坐在新制的银椅子上。她凝神看着他，目不转睛，不知餍足。

海伦的丈夫墨涅拉俄斯盛情款待了他的客人。然后，他就启程去了克里特。未过几个小时，帕里斯和海伦就趁夜从王宫里溜了出去，在距海岸线不远的克拉纳埃（Cranaë）岛上，两人做了爱。然后，他们启程去了特洛伊。

希腊大军压境

墨涅拉俄斯得知了消息，他便提醒海伦：当年的追求者们曾向她的父亲廷达瑞俄斯许下的诺言：如有人拐走了她，要助他一臂之力。就这样，他们集结了一支庞大的军队，由迈锡尼的国王阿伽门农统帅，而且当时最了不起的英雄都在其中。也有一些，像阿喀琉斯（从伊奥尔科斯附近的弗西亚来），只是勉强加入。

阿喀琉斯的母亲，海中仙子忒提斯，从阿喀琉斯出生起就对他悉心照料，用烈火为他净化，（提着他的右脚踝）将他浸在斯堤克斯河中，让他刀枪不入，还把他送到半人马喀戎那里接受教育。如今，知道他或将战死在特洛伊，忒提斯说服了他，将他藏在国王吕科墨得斯在斯基罗斯岛上的王宫里。不过，绮色佳的奥德修斯、皮洛斯的涅斯托耳和忒拉蒙之子埃阿斯（Ajax）都听到了一些关于他藏身之处的传闻。他们到了斯基罗斯岛，拿出珍贵的珠宝作为礼物，以示友谊。女人们兴奋地围了上来，奥德修斯敲响了警钟，仿佛王宫受到了攻击。与此同时，将一把宝剑抛向空中。立刻，一只手高高举起，抓住了宝剑，那就是阿喀琉斯，虽然身上穿的还是女装。于是，阿喀琉斯闷闷不乐地加入了远征（到了奥利斯湾，又被阿伽门农利用，做了引诱依菲琴尼亚前来送死的诱饵，他的心情可好不起来了）。

希腊舰队曾试图在距离特洛伊不远处的特内多斯岛登陆，却在那里遇到了抵抗。在战斗中，阿喀琉斯勇武无比，杀死了特内多斯岛的统治者特内斯（Tenes）。然而，他发现特内斯的父亲是阿波罗，他想起了忒提斯的警告：如果他杀死阿波罗的儿子，终有一天，他会死在阿波罗的手上。

夺下特内多斯岛之后，希腊人就发出了自己的要求：归还海伦。他们遭到了拒绝。战争不可避免。于是，希腊的战舰向着特洛伊海湾进发，一场小规模的战斗之后，特洛伊人退回了城墙之后。希腊人在战舰周围筑起了栅栏，双方安顿下来，开始了漫长的围城之战。因为阿伽门农的先知卡尔克斯早已预言，围城十年，特洛伊城才会被攻陷。

九年之耗：特洛伊罗斯和帕拉墨得斯

特洛伊的命运是被诸多条件共同编织而成的。首先，如若不是年轻的王子特洛伊罗斯要过二十岁生日，这座城池便不会被攻陷。结果，阿喀琉斯密谋杀害了特洛伊罗斯。在其中一个版本中，特洛伊罗斯和姐姐波吕克塞娜（Polyxena）去泉水屋汲水，中了阿喀琉斯的埋伏，特洛伊罗斯遇害，虽然波吕克塞娜侥幸逃脱，却勾起了阿喀琉斯的欲望，最终导致了她的死亡。在另一个版本中，阿喀琉斯趁着特洛伊罗斯在阿波罗的圣地遛马时偷袭了他——反正早就惹怒了阿波罗，阿喀琉斯也就无所忌惮了。第三个版本则更为黑暗，相传阿喀琉斯爱上了特洛伊罗斯，便设法与他在阿波罗的圣殿相遇。阿喀琉斯上前挑逗遭到了拒绝，因为没能如愿，便杀死了特洛伊罗斯。不过，特洛伊罗斯究竟如何遇难并不重要，重要的是遇害这件事。特洛伊灭亡的第一个条件满足了。

战争的前九年中，希腊人把大部分时间都花在了攻袭周边城市上面。在这些攻杀抢掠的战争中，阿喀琉斯的表现同样光芒四射，于是便与希腊的其他领袖多了纠纷。他们心生不满，渐渐成了深仇大恨。同样，奥德修斯也厌恶聪明智慧、创造力非凡的帕拉墨得斯（Palamedes），他是纳夫普利翁的国王，发明了书写、骰子和灯塔。奥德修斯在一具特洛伊人的尸体上放了一封信，还在帕拉墨得斯的军帐中藏了一袋金子，然后奥德修斯让希腊人相信帕拉墨得斯是敌军的密探。无辜的帕拉墨得斯被怒火中烧的希腊人用石头砸死在军中。后来，帕拉墨得斯的父亲瑙普利俄斯（Nauplius）发现了真相，便为儿子复仇，他鼓动阿伽门农的妻子克吕泰墨斯特拉与埃癸斯托斯通奸。而后，等到攻陷特洛伊之后，他用灯塔指引了错误的方向，让返航回家的希腊舰队纷纷触礁。

《伊利亚特》：阿喀琉斯的怒火

到了第十个年头，战争真正打响了。不过，希腊大军中的内部斗争也愈演愈烈。阿波罗的祭司克律塞斯（Chryses）的女儿被抓之后，阿伽门农拒绝将其归还，于是阿波罗在希腊人中播下了瘟疫：倘若他们不妥协，瘟疫就不会结束。结果，阿伽门农抢走了阿喀琉斯的女奴布里塞伊斯（Briseis），当作对自己的补偿。于是，阿喀琉斯拒绝再出战，和自己的挚友帕特洛克罗斯待在军帐中，闷闷不乐地歌唱英雄人物的丰功伟绩。

阿喀琉斯的缺席让特洛伊人大为振奋，就连帕里斯也冲上了前线：

> 他肩披豹皮，紧系利剑和箭囊。手中晃动着两支长矛，长矛的
> 矛头用青铜打造，他大声呼喊，要挑战希腊人中最英勇的战士，和
> 他一对一决斗。墨涅拉俄斯，最为战神阿瑞斯所喜爱，看到他在行

伍之中阔步前行，不禁喜上心头，仿佛饥饿的雄狮看到了倒下的尸
骸——长角的雄鹿或是山羊——那般喜悦。于是，他贪婪地扑上
去撕咬起来，不顾那敏捷的猎狗和急切的猎人围满身旁。

　　帕里斯和墨涅拉俄斯之间的决斗本可以结束这场战争。可在帕里斯受伤
之际，阿佛洛狄忒插手了，她洒下迷雾，裹起帕里斯，将他送回了自己的寝
室。战火复燃，更多的战士或死或伤，众神看了无不同情。所以，应阿波罗
（支持特洛伊）和雅典娜（支持希腊）之请，特洛伊最英勇的战士赫克托尔
下了战书，希望能与希腊最英勇的战士一决高下。他说的自然是阿喀琉斯，
不过，既然阿喀琉斯在营中拒战不出，埃阿斯便代他迎敌。两人胜负难分，
同意休战并互换礼物。埃阿斯把剑带送给了赫克托尔；赫克托尔则把佩剑赠
给了埃阿斯。

　　特洛伊占了上风，不过，传言他们的盟友色雷斯王瑞索斯（Rhesus），
带着援军已到附近，这就拉紧了决定特洛伊陷落的另一根命运之绳。有预
言传出，说是如果瑞索斯的战马饮了斯卡曼德洛斯河（Scamandrus）的水，
特洛伊便不会战败。于是，奥德修斯和阿尔戈斯国王狄俄墨得斯趁夜出袭，
截击了瑞索斯，杀了他，还偷走了他的马。

　　不过，到了第二天，赫克托尔和特洛伊人就突破了希腊人的栅栏，在海
滩上四处放火，烧毁了舰队。阿喀琉斯再也无法袖手旁观，但他还是拒绝参
战。就算阿伽门农奉上了大批财宝，他也无动于衷，断然拒绝。他只是把自
己的铠甲借给了帕特洛克罗斯，让他带着自己的部队出战。帕特洛克罗斯仿
佛困兽出笼，杀死了宙斯的儿子萨耳珀冬，将特洛伊人杀回了他们的高墙之
内。然而阿波罗却出手了，他重重打在帕特洛克罗斯的背上，将他的头盔打
翻在地，暴露了他的真实身份。帕特洛克罗斯尚未定下神来，赫克托尔的长
矛已经出手，戳穿了他的腹部。

　　　仿佛雄狮战胜了一头不知疲倦的野猪，在高高的山脊上，他
　　们怒不可遏地厮打在一起，他们在争夺一口涓涓细流；野猪大声咆
　　哮，然而雄狮的气力更胜一筹。就这样，赫克托尔，普里阿摩斯之
　　子，夺走了帕特洛克罗斯的性命，尽管他也夺去了许多人的性命，
　　如今赫克托尔的长矛却刺穿了他的身体。

　　接着，赫克托尔剥下了帕特洛克罗斯的盔甲。希腊人设法取回了尸体，
送到了阿喀琉斯的面前。阿喀琉斯痛苦地自责，哀悼自己的挚友，发誓要为
他报仇。

是夜，睡眠之神和死亡之神飞来特洛伊，索走了萨耳珀冬的尸体。他被带回了家乡吕西亚，光荣地安葬。就在同一天晚上，忒提斯将赫菲斯托斯新鲜出炉的盔甲送到了阿喀琉斯的账中。她早就警告过自己的儿子，他将面临的，只可能是两种命运之一：或是在弗西亚老去，他的英勇无人再会记起；或是战死特洛伊，永享"不朽的英名"（*kleos*）。阿喀琉斯也了然于心，如果他杀死了赫克托尔，不久之后，他也会死在这里。然而，他早已置生死于不顾，一心只想为帕特洛克罗斯报仇。

第二天，阿喀琉斯就重返沙场。他所向披靡，势不可挡。就连河神斯卡曼德洛斯也感受到了他的愤怒，他想按住阿喀琉斯，不让他靠近特洛伊，却无济于事。终于，阿喀琉斯发现了赫克托尔，一时间二人四目相对。赫克托尔掉头就跑，阿喀琉斯紧随其后。"仿佛高山上的苍鹰，最迅猛的鸟儿，直冲而下，奋力去抓那颤抖的鸽子。鸽子仓皇而逃，苍鹰厉声尖叫，紧追不舍，一心只要抓住她。"众神也看得激动万分，雅典娜变成得伊福玻斯的模样，说服赫克托尔不再退缩。于是，赫克托尔掷出了自己的投枪。接着：

> 他呼唤白盔白甲的得伊福玻斯，向他要支长枪，却不见得伊
> 福玻斯的踪影。赫克托尔心下明白，说道："众神叫我出来送死，
> 我本以为得伊福玻斯近在身旁，他其实还在那高墙之内，是雅典

在雅典娜的注视下，希腊人和特洛伊人为了争抢阿喀琉斯"魁梧高大"的尸体而短兵相接［哈尔基斯（Chalcidian）双耳细颈陶瓶，约公元前540年］。

娜欺骗了我。现在，这可恶的死亡越逼越近，我已无路可逃。我看啊，一直以来，宙斯和他的儿子，那射程极远的阿波罗，便是这般打算，尽管之前对我一直欣然相助。可如今，我命休矣。"

赫克托尔躺在血泊之中，长矛刺穿了他的喉咙，他祈求阿喀琉斯将自己的尸体归还下葬。阿喀琉斯却把赫克托尔拴在战车上，正挂在埃阿斯所赠的剑带上。在回营之前，他拖着赫克托尔的尸首在特洛伊的城墙前来回奔驰。接着，他为帕特洛克罗斯举办了葬礼，葬礼上举办了竞技比赛，还献上了祭品（其中包括十二位特洛伊战俘）。并且，他每天都要拖着赫克托尔的尸体绕坟而行，一日三次。

看到赫克托尔的尸体遭到如此对待，普里阿摩斯悲痛万分。一天晚上，他来到了阿喀琉斯的帐中。荷马的诗句比喻有力、富于同情：

> 伟大的普里阿摩斯……抱住阿喀琉斯的膝头，亲吻他的双手，
> 那可怕的屠戮众生的双手，杀死了他众多的儿子。如同痴迷的人被
> [阿忒]遮住了双眼，在父家杀了人，逃去了富有的陌生人家中，
> 旁人看着他，个个惊诧莫名。阿喀琉斯也这样惊诧地看着神一样的
> 普里阿摩斯。

听着普里阿摩斯描述着自己的丧子之痛，阿喀琉斯想起了自己远在弗西亚的父亲珀琉斯也在心急如焚地企盼消息。阿喀琉斯心生怜悯。那深切的同情，让二人为这战争的残酷放声痛哭。就这样，普里阿摩斯带走了儿子的尸体，回到了特洛伊将他安葬。

阿喀琉斯之死及其后果

阿喀琉斯继续攻打特洛伊敌军和他们的盟友。在一对一的决斗中，他杀死了亚马逊女王彭忒西勒亚和埃塞俄比亚国王门农。最后，死亡也落在了阿喀琉斯的头上，他没有死在伟大的战士手下，而是被帕里斯的箭夺去了他的性命。当时，阿喀琉斯正在特洛伊的斯坎门外激战，阿波罗引来了帕里斯的弓箭。箭矢击中了阿喀琉斯身上唯一会受伤的地方：他的右脚踝。希腊人和特洛伊人奋力争夺他的尸体，"在那飞扬的尘埃中，依旧魁梧高大，却再也无法施展那高超的武艺"。

埃阿斯将阿喀琉斯的尸体带回到希腊的战舰。忒提斯和她的海中仙女踏着海浪而来，"她们恸哭哀悼，那超凡的声音，在海上越传越远"。缪斯女神唱出了挽歌，希腊的战士们用武器敲响了他们的盾，向阿喀琉斯致以敬意，再将他焚化。他的尸骨和帕特洛克罗斯的遗骸放入了金色的瓮中，人们在海角上筑起了坟墓，"让在世的人们和那后来的人，即使从遥远的海上也看得见"。在《奥德赛》中，阿伽门农的鬼魂说道："纵使死亡也不能夺去你的英名，你的荣耀将永存于世。"

有人说，宙斯让阿喀琉斯变成了不朽的神明。一位早期的旅行者、克罗托内的莱奥尼姆斯（Leonymus），甚至声称在靠近多瑙河口的白岛见到了阿喀琉斯（如今已是海伦的丈夫）和其他希腊英雄的魂灵。另有人说，阿喀琉斯在极乐岛上享受永生，娶了美狄亚。后来的神话作家，热衷于阿喀琉斯和波吕克塞娜之间的爱情故事，甚至写出为了娶波吕克塞娜，阿喀琉斯也曾考虑背叛希腊人这样的情节。

埃阿斯坚信理应由他继承阿喀琉斯的铠甲，然而，或是出于恶意，或是受了雅典娜的蛊惑，希腊人将阿喀琉斯的甲胄奖给了奥德修斯。天神在埃阿斯的心中煽起了怒火，他大步走进希腊军帐，想要杀光羞辱过他的人。然而日出之后，他如梦初醒，发现身旁死去的全是牛而不是人，原来这是雅典娜让他产生的幻觉。备受侮辱的埃阿斯拔出赫克托尔所赠的佩剑，自刎身亡。只有他的表兄透克罗斯（Teucer）前来收尸，而直到奥德修斯说服了阿伽门农，才将他下葬。

万事俱备

最后的四个条件决定了特洛伊的命运。第一个就是阿喀琉斯的儿子涅俄普托勒摩斯、一位英勇却残暴的战士，从斯基罗斯岛被召唤而来（在早期的传说中，特洛伊之围或许远不止十年，而是二十年。这样一来，涅俄普托勒摩斯的年龄才更为可信）。

涅俄普托勒摩斯又帮助实现了下一个先决条件。相传，只有赫拉克勒斯的弓和箭才能摧毁特洛伊城，而弓和箭如今都在希腊英雄菲罗克忒忒斯手中。只是，他在前往特洛阿德的路上，不幸被蛇咬伤。因为伤势过重，伤口总是散发出阵阵恶臭，他被丢在了利姆诺斯岛。如今，奥德修斯再来要求他前往特洛伊，他根本不理不睬。只有等到涅俄普托勒摩斯——再加上赫拉克勒斯的鬼魂——恳请他，菲罗克忒忒斯才同意再次出征。到了特洛伊，康复之神阿斯克勒庇俄斯的儿子马卡翁（Machaon）治好了他的伤。

菲罗克忒忒斯很快立下了战功，他射中了帕里斯的手腕、脚踝并射瞎了他的一只眼。特洛伊王子爬到了伊达山上，俄诺涅曾许下诺言，无论何时，只要他身负重伤，都会为他治疗。可俄诺涅还在为他的不忠耿耿于怀，拒绝施以援手，后来女神追悔莫及、悬梁自尽。就在这时，海伦想要逃离特洛伊，沿着绳索溜下了城墙，然而半途便被抓了回去，又嫁给了得伊福玻斯。

倒数第二个条件是要把珀罗普斯的一块遗骨带到特洛伊来，这个条件实现得颇为轻松，然而想要达成最后一个条件，却需要施展一些手段和谋略。特洛伊城中有一座雅典娜的雕像帕拉狄昂，护佑着全城的安全。奥德修斯于是设计去偷走神像。他先让同伴打了自己一顿，好让伪装看上去更真实，然后去了特洛伊，假装被希腊人赶了出来，伺机暗中侦查。海伦认出了他，但因为想要逃出得伊福玻斯的控制，便什么也没说。赫库芭也认出了他，却被奥德修斯绝望的哀求打动，心生同情，也没有揭穿他的身份，他才得以逃脱——不过，当天晚上他又潜入回来，和狄俄墨得斯一起偷走了雕像。

特洛伊陷落

这场战争或许将永无终日，若不是厄帕俄斯（Epeius）想出了妙计：用杉树建造一匹巨大的木马，将精挑细选的希腊战士藏在里面，再设法将木马运进特洛伊城。不久，木马便造好了，腹中藏满了全副武装的战士，趾高气扬地站在空荡荡的海滩上。原来，希腊人早已启航，只留下焚毁的营帐还冒着缕缕青烟。还有那匹木马。

欢呼雀跃的特洛伊人争先恐后地涌到城外，围到木马旁，去看那刻在马腹上的铭文："献给雅典娜，感谢她保佑希腊人平安回家。"不过，也有人对希腊人留下的礼物心生怀疑："三种观点争执不下：一说要毫不留情，用兵

希腊人的礼物：最早的一幅描绘特洛伊战争的作品。
花瓶浮雕，出土于基克拉泽斯群岛，约公元前675年
至前650年。

器将这空空的木马劈碎；一说要将它拉上最高的海角，然后将它推下悬崖；
而第三种说法则要置之不理，因为那虔诚的献礼，本归诸神所有。"

就在他们争论不休之时，一个希腊人被带到了他们面前，他叫西尼斯，
是名间谍。他说出谎话，却令人信服：希腊人厌倦了战争，早已起航回家，
要是特洛伊人将木马牵进城，雅典娜将会眷顾他们；但要是他们就这样把木
马留在海滩上，必定会激起雅典娜的怒火。然而，大祭司拉奥孔（Laocoön）
却劝他们要小心提防。就在这时，从特内多斯岛游来了两条蛇，紧紧缠住了

拉奥孔和他的两个儿子，将他们勒死之后，钻过城门，爬上了特洛伊的卫城。

特洛伊人以为拉奥孔触怒众神，才招来了死亡，便拆下一堵城墙，将木马拉进了城内。他们开怀畅饮，纵情欢宴。夜深人静，整座城市陷入了沉睡，寒星闪烁下，海伦穿过了街道。她看穿了木马计，也猜出了都有谁藏身其中。她卖弄风情，一个一个模仿起了他们妻子的声音，惟妙惟肖地调笑这些将士。木马中的将士个个心烦意乱，却全都闷不作声。

最后，他们打开暗门，垂下绳索，无声无息地滑到了地面。有人跑去打开城门，有人向同伴发出信号，因为舰队其实只是藏进了特内多斯岛的背风处，现在已转舵回航。一时之间，特洛伊的大街小巷涌进了全副武装的战士。涅俄普托勒摩斯在宫殿的台阶上杀死了普里阿摩斯，另一位将军（"小"埃阿斯）想要强奸躲在雅典娜圣坛中的卡珊德拉。奥德修斯和墨涅拉俄斯则杀死了得伊福玻斯，盛怒之下，还将他的尸体砍得支离破碎。

墨涅拉俄斯阔步走过四起的浓烟和遍地的尸体，到处搜寻海伦的踪迹。当墨涅拉俄斯看到她时，海伦就站在那里，袒胸露乳，面如皎月，散发出光芒，还是一样美丽，一样动人。瞬间，墨涅拉俄斯的心中充满了爱意。他丢下手中的剑，将她揽入怀中，不久就返航回了希腊——还带走了忒修斯的母亲埃特拉。海伦从斯巴达把她买来，当了自己的奴隶（后来，埃特拉的孙子们将她带回了雅典）。

屠城之后，希腊人将特洛伊女人全变成了奴隶，只有波吕克塞娜除外：因为，阿喀琉斯的鬼魂要求将她献作祭品。其他人的命运也同样悲惨。卡珊德拉落到了阿伽门农手中（尽管她早就知道，一回到迈锡尼，他们两个都会被克吕泰墨斯特拉杀死）。赫克托尔的妻子安德洛玛刻的父亲、兄弟和丈夫都为阿喀琉斯所杀，她被送进了阿喀琉斯的儿子涅俄普托勒摩斯的帐中，而她的儿子阿斯堤阿那克斯（Astyanax）也被人从特洛伊的城头抛下摔死，以防他将来为特洛伊人复仇。

赫库芭被分给了奥德修斯。她发现，客居在此的色雷斯好友波吕墨斯托耳（Polymestor）因为贪图委托他保管的特洛伊黄金，杀死了她仅有的儿子波吕多洛斯（Polydorus）。在阿伽门农的帮助下，赫库芭将波吕墨斯托耳骗到了她的账中，杀光了他的孩子，还刺瞎了他的双眼。报了仇的她兽性大发，还没登上驶往希腊的舰船，就变成了一条狗。

只有特洛伊的王子埃涅阿斯逃了出来，他肩上背着父亲安喀塞斯，手中紧紧拉着儿子阿斯卡尼俄斯［Ascanius，罗马人称他为尤路斯（Iulus）］。他们和所剩无几的特洛伊人一起，航行到了意大利，建立起了那座将被称为罗马的城市。而特洛伊的征服者们所要面对的，是接连的风暴和海难，没有几位英雄能重返故土。他们就好像特洛伊，化为了过眼云烟。

特洛伊的前世今生

特洛伊曾经占据了极为有利的地理位置，尽管如今在卡拉曼德雷斯河水（或许这就是荷马笔下的斯卡曼德河）的冲积下，海岸线已推移到了六千米以外。还在青铜时代早期（大约公元前3000年左右），特洛伊毗邻大海，一旁就是宽而浅的海湾，恰好在达达尼尔海峡入口的正南，扼住了爱琴海与黑海之间船只往来的通道。而且，强劲的西风意味着，沿着达达尼尔海峡往东行驶，只能依靠划桨。不过，划桨也并非易事。洋流以高达3节的速度向西流去，因此桨手们必须以至少5节的速度不停划动，才能保持前行。所以，没有比特洛伊的海湾更适合暂作歇息、等待风停的地方了。特洛伊一度强大而富饶。考古学家将特洛伊的历史划分为九个不同的发展时期，有一些时期还被进一步划分出了更精确的阶段。

在公元前第3个千年早期，特洛伊I期还只是一个满是由泥砖、石块砌成的小村庄。不过，到了第二个阶段（特洛伊II期），公元前2550年到前2300年，防御土墙上已经砌上了石墙头，墙上还开了纪念碑式的大门，而被围在墙中的要塞里，也建起了大型建筑（长达四十米），用于公共集会或是宗教活动。要塞下面的小镇修起了围栅，方圆大约九公顷。特洛伊II期毁于大火，也许是战火，因为特洛伊人并没有抢救他们的财产。财产中不乏各种手工艺品，或由黄金、白银打造，或由青铜、合金铸成，还有各色红绿宝石镶嵌其上。海因里希·谢里曼发现了这一时期的精致珠宝，他将这些宝石称为"海伦的珠宝"。不过，这些宝石跟海伦比，还要早上一千多年。

谢里曼误将特洛伊II期认作荷马笔下的特洛伊，在1871年到1879年间，他挖去了这一时期以上的大部分地层，严重破坏了特洛伊历史上其他的三个时期。再加上希腊化时期原本就存在的破坏，无疑是雪上加霜。当时，希腊人为了修建雅典娜神庙，推平了一片墓地。

不过，即便如此，幸存下来的东西也足以证明，特洛伊VI期，也就是公元前1700年左右，这里建起了雄伟壮观的要塞。石灰岩的城墙宽达五米，墙体从下往上略微向内倾斜，墙上砌着细直纹壁阶，为城墙的线条增加了几分柔美。塔楼高大而挺拔。一条铺就的大道贯穿了整座城市，街道排水良好，两旁立着两层的楼房，许多楼外还砌着防御性院墙，修有立柱支撑的大厅。要塞之外是一个繁荣的城镇，占地三十公顷，四周挖有防御性的壕沟，还修建了木栅。人工挖凿的立井和沟渠组成了复杂的供水系统。发现表明，特洛伊VI期的主要贸易对象是希腊各城邦，而非安纳托利亚的赫梯人，不过到了公元前1300年左右，这一情况有所改变——也许是因为地震或侵略的原因，特洛伊VI期部分被毁，使得情况益发地糟糕起来。众多的猜测都源于在这一时期发现的一枚箭头，或许是有些过分了。

要塞之内，原先开阔的空地如今挤满了稍小一点的屋舍。这里建起了更多的塔楼，下城镇的规模也扩大了。这一繁荣的大都市被乏味地称为特洛伊VIIa期，不过赫梯人管它叫维鲁萨［从语言学的角度来看，与希腊语的"Ilion"（伊利昂）相近，源于"Wilion"（维利昂）］。公元前13世纪赫梯人的信件显示，南部安纳托利亚的阿尔萨瓦曾袭击了维鲁萨，促使国王阿拉克桑都斯（Alaksandu，亚历山大？）将他的城市交给了赫梯人统治。另有一份公元前13世纪中期的赫梯文件（"塔瓦伽拉瓦信件"）是写给阿希亚瓦王国——或许这就是赫梯语中的"阿开亚"，也就是荷马口中的希腊——国王的信，信中确认"有关维鲁萨的约定，我们正与之交战"。大约公元前1200年，维鲁萨国王沃尔默（Walmu）被赶下了王位，赫梯人也插了一手。后来，大约公元前1180年左右，特洛伊VIIa期毁于大火。

尽管这些支离破碎的片段暗示了紧张的局势，甚至是战争，但没有任何一份文件或考古发现能够确认特洛伊战争的历史真实性。这并不让人奇怪，神话和史诗并非历史，两者都依赖于创作和夸张。一想到因为海伦而燃起的十年战火并没有在特洛伊发生，确实让人失望，但再想一想，三千年来（因为《伊利亚特》中描述的一些物品似乎至少可以追溯到公元前1000年），这一神话激发了我们何等瑰丽的想象和创作，心下也就释然了。维鲁萨的一场短暂战役最后以希腊人和赫梯人之间签订协约而告终，却在诗歌的想象与现实的交汇中，创造出了一部不朽的杰作。

迅速重建后，特洛伊VIIb期处处显示出文化上的连贯性，不过后来的建筑技术和制陶工艺则暗示着一个崭新的移民城市的形成。与大陆上的迈锡尼和梯林斯不同，在整个古代时期，特洛伊一直有人居住。随着海岸线的推移，等待驶入达达尔海峡的船只不再停靠在特洛伊，而是泊进了特内多斯的港湾。虽然特洛伊的商业风光不再，但在文化上的光芒却日益明亮。

公元前480年，波斯伟大的国王薛西斯在入侵希腊（发动战争的原因，有一部分是要为特洛伊一报前仇）之前，在特洛伊的雅典娜神庙献上了一千头牛作为祭品，尽管这次入侵并不成功。公元前334年，那位枕头下放着《伊利亚特》的亚历山大大帝也来到了特洛伊。他在入侵波斯之前也献上了祭品，还赤裸着身体跑步前往阿喀琉斯的坟墓。雅典娜的祭司献给他一副古代的铠甲，据说可以追溯到特洛伊战争时期，还提出要将一把与他同名（帕里斯·亚历山大）的里拉琴拿给他看。他说他更想看看那把里拉琴，因为阿喀琉斯就是弹着里拉琴，歌唱英雄们的丰功伟绩。

亚历山大打算在特洛伊为雅典娜修建世界上最大的神庙，然而这一计划从未付诸实施。尽管如此，他的后继者们还是修缮并扩大了这座城市，重修了已有的雅典娜神庙，并参照雅典的帕台农神庙立起了一尊尊雕像，还修建了剧院，举办了节庆活动。特洛伊再度繁荣富强，在尤利乌斯·恺撒、他的养子奥古斯都，以及继任的罗马皇帝统治下，特洛伊重新获得了重要的地位。作为恺撒家族的成员，尤利（Iulii）将他们的先辈追溯到了尤路斯（阿斯卡尼俄斯），沿着埃涅阿斯和安喀塞斯一路下来，所以罗马的统治者才将大笔的钱财投入到了这座城市，因为他们将特洛伊视为自己祖辈的家园。

君士坦丁（Constantine）在定都君士坦丁堡之前曾考虑过要建都特洛伊。到了拜占庭时期，特洛伊便日渐衰退了。1452年，拜占庭人的劲敌——征服者默罕默德（Mehmet）最后一次来到特洛伊，来庆祝他对十字军异教徒的胜利，如今拜占庭人自称为荷马笔下希腊人的继承者。

特洛伊的遗址曾沉寂了四百年，几乎无人记起。不过，到了1865年，一位英国侨民弗兰克·卡尔弗特（Frank Calvert）相信报道中的希萨立克（"要塞之地"）便是荷马笔下的特洛伊，于是买下了这块土地，开始进行挖掘工作。六年之后，在附近的恰纳卡莱一次偶然的谈话，激起了浪漫的德国人海因里希·谢里曼的热情，于是他接手，并将大部分财富都抛洒在对珍贵的古代文化遗迹大肆破坏这件事上，虽然这都是无心之举。从此以后，发掘工作就一直在进行。

———————————— 特洛伊 ————————————

大事记&遗迹

公元前3000年	特洛伊I期：最初的居民。
公元前2550—前2300年	特洛伊II期的要塞和下城镇（毁于大火）出现了财富的迹象。
公元前1750—前1300年	特洛伊VI期：要塞中出现了精心修建的房屋，下城镇占地三十公顷。大火烧毁了部分城镇。
公元前1300—前1180年	特洛伊VIIa期：要塞中修建了更多的房屋，下城镇的规模也变得更大。
约公元前1300年	维鲁萨国王阿拉克桑都与赫梯人签订和约。
约公元前1250年	?为争夺特洛伊，希腊人和赫梯人之间爆发战争。
约公元前1200年	维鲁萨国王沃尔默短暂下台。
公元前1180—前950年	特洛伊VIIb期：被移民占领。
公元前480年	薛西斯在雅典娜神庙献祭。
公元前334年	亚历山大大帝在特洛伊献祭。
公元前85年	特洛伊城被罗马大将芬布里亚（Fimbria）洗劫，而苏拉又将其重建。

公元前48年	尤利乌斯·恺撒到访特洛伊，并参加了建筑落成仪式。
公元前20年	奥古斯都到访特洛伊，重建了雅典娜神庙和剧院。
约公元318年	君士坦丁考虑定特洛伊为他的东都。
1452年	征服者默罕默德来到特洛伊。
1865年	弗兰克·卡尔弗特买下了该处土地，开始发掘工作。
1871年	海因里希·谢里曼接手发掘工作。

从希萨立克西南的E87号公路下来，在一片平坦的麦田中，有一处修有大门的建筑群，那儿就是特洛伊城。从停车场（那里耸立着木马的复制品）沿着一条小路，会经过以前挖掘工作留下的房屋（如今那里是一座博物馆，收藏了许多模型和照片）。接下来就到了一个岔路口，往右位置绝佳。往左就来到了保存完好的**城墙**和（特洛伊Ⅵ期）**东城门**。沿着标记所指的方向，往上便到了**雅典娜神庙**，还可以看到罗马人修建的祭坛，从那里可以俯瞰达达尼尔海峡。看过了**早期的城墙**（特洛伊Ⅰ期）和**住房**（特洛伊Ⅱ期）的遗迹后，这条路沿着谢里曼挖掘的壕沟，通往大斜坡，接着就进入了特洛伊Ⅱ期的**要塞**，可以看到一段修建于**特洛伊Ⅵ期**的城墙。继续往前就是圣殿。然后，这条路便回转，通向**罗马音乐厅和议事厅**。在音乐厅和议事厅之间，有一条窄窄的**门廊**，门廊两旁建有**塔楼**，门廊前立着几座**祭坛**，被认为是荷马笔下的斯坎门。下城在一片林地之下，从那里可以看到一处古坟，那就是**阿喀琉斯之墓**。在本书写作时，那里正在修建一座生态公园，将这处遗迹更好地与周边的乡间景色融合在一起。

从特洛伊发掘出的文物，有一部分被存放在**伊斯坦布尔的考古博物馆**，另外一些，包括"海伦的珠宝"，则经历了一番特别的现代冒险之旅。最初，这些文物被谢里曼带回了德国，保存在柏林的皇家博物馆，二战爆发后，文物被藏进了柏林动物园下面的地窖。战争结束之后，这批文物却不翼而飞。直到1993年才知道，原来是被苏联红军偷偷运去了俄国，如今可以在莫斯科普希金博物馆看到这批文物。

第二十一章

绮色佳和奥德修斯的漂泊

我就是奥德修斯，拉厄耳忒斯（Laertes）的儿子，世人皆知我足智多谋，我的名声远达苍穹。我来自天朗气清的绮色佳。从远处可见，那巍峨的涅里同山（Neriton），山上的密林，迎风作响。近旁的岛屿星罗棋布，彼此之间都相距不远：杜利基昂（Dulichium）、萨墨（Same）和树木茂盛的扎金索斯。群岛之中，绮色佳的地势最低，独自处在日落的西方，其他岛屿皆在东面，向着太阳升起的地方。这里虽然崎岖不平，对年轻人的成长，却十分相宜。

荷马，《奥德赛》，9章21行始。

水波荡漾；泊在港湾里的豪华游艇上，索具有节奏地拍打着高高的桅杆；咖啡馆里满是盐疤的木桌上，铺着赭色的桌布，上面还有一层褶皱的白色亚麻布；刀叉碰在盘子上，传来叮当的声响；坚固、漂亮的房子，涂着鲜艳的色彩；浅蓝色的墙壁，深蓝色的百叶窗；橙色的屋瓦在正午的阳光下熠熠发光；带钟楼的市政厅；钟楼上，暖风徐来，希腊国旗轻轻飘动；观光商店的大门敞开着，里面传来阵阵音乐；伊萨基（Ithaki）的首府瓦西（Vathy），面向大海，坐落在海湾的环抱之中，风光旖旎，环绕着郁郁青山。

一尊雕像矗立在海边，衣衫褴褛、面黄肌瘦，凝视着海峡对岸的尼里透斯山（Mount Niritos）。他就是奥德修斯，漫长的海上漂泊让他疲惫不堪，然而他的脸上却流露出了桀骜不驯的自信，因为他终于找到了自己的家乡。不过，伊萨基和希腊神话中的绮色佳，或许根本就不是同一个地方。这座岛的地理位置和地形地貌，与《奥德赛》中的描写可以说罕有相似之处。瓦西港口的餐厅或许是让人浮想联翩的好去处。不过，就像奥德修斯一样，他在波涛汹涌的大海上历尽了艰辛，而要让我们相信这里就是绮色佳，也绝非易事。

绮色佳的国王

奥德修斯是绮色佳王朝的国王之一，他们都是一脉单传。然而考其家系，却并非十分确切。据说他的祖父阿耳喀西俄斯（Arcesius）不是宙斯的儿子，就是英雄刻法罗斯的儿子。刻法罗斯是雅典人，他曾是曙光女神厄俄斯的情人，虽然时间不长，也并非心甘情愿。后来，在一次狩猎中发生了意外，他失手杀死了真正的心上人普洛克里斯（她与克诺索斯国王米诺斯一段风流之后，又回到了他的身边），酿成了悲剧。刻法罗斯为爱人之死而悲痛万分，这时，一位神使建议他去和遇见的第一样东西交配。结果他遇见了一头母熊。当然，交媾刚一完成，这头母熊就变成了一位年轻貌美的姑娘，也就是阿耳喀西俄斯的母亲。因为刻法罗斯帮助安菲特律翁击败了袭击迈锡尼的塔皮安人，刻法罗斯收下了作为谢礼的这座岛屿。如今，它被称为刻法罗尼亚，就在如今的绮色佳西面。

阿耳喀西俄斯娶了凯耳刻墨杜莎（Chalcomedusa，"铜艺娴熟"）并有了拉厄耳忒斯。他在《奥德赛》中回忆，在他的统治下，绮色佳的版图扩大到了内里卡斯（Nericus），"大陆海岸线上精心修建的要塞"。而拉厄耳忒斯又娶了安提克利亚（Anticlea），奥托吕科斯（Autolycus）的女儿。他是一个臭名昭著的大骗子（人间的赫尔墨斯）。不过，安提克利亚生下儿子的时候，传出了谣言，说拉厄耳忒斯并非孩子的父亲。他们记得，安提克利亚还和父亲住在德尔斐附近时，奥托吕科斯偷走了科林斯国王西西弗斯的牛。西西弗斯同样也是个积习难改的大骗子。西西弗斯追踪到了奥托吕科斯的牛棚。有人说，他在略施小计放走了牛群的同时，还与安提克利亚上了床，至于安提克利亚是否同意，就不得而知了。

如今奥托吕科斯坐船来到了绮色佳，荷马写道：

> 用过晚宴，（男孩的奶妈）欧律克勒亚（Eurycleia）将这个孩子放在奥托吕科斯的膝上，并对他说："奥托吕科斯，这是你多年来一直想抱的孙子，你一定要为他取个名字。"奥托吕科斯答道："我的女儿和女婿啊，我把这个名字告诉你，你要这样叫他。太多的人让我怒火中烧，男男女女，遍布这富足的大地，就叫他奥德修斯（"愤怒之人"）吧。等他长大成人，让他回到帕尔纳索斯山上，回到他母亲的故乡，那里存着我的财富。我好分给他，让他快乐地回家。"

等到长大成人，奥德修斯一路来到了帕尔纳索斯山，和自己的叔父们一同参加了野猪之猎。然而，等到奥德修斯加入近战、刺出自己的长矛时，这头垂死的野猪却用獠牙撕裂了奥德修斯的腿，留下了一道深深的伤口，十分恐怖。他的叔父们连忙跑去为他疗伤，为他合上伤口，吟唱咒语，然后将他抬回了家。虽然伤好了，但这道疤（希腊语为 oulē）却留了下来，成了身体上的印记，也让他有了另一个名字：尤利西斯（Ulysses）。

不愿出征的英雄

奥德修斯以他的足智多谋而闻名，他在荷马史诗中的绰号是"智多星"（polymētis）。多亏了他的建议，斯巴达国王廷达瑞俄斯才让女儿海伦的追求者发下了誓言，承诺如果有朝一日海伦误入歧途，他们将会不遗余力地帮助她未来的丈夫——结果导致了特洛伊战争，而奥德修斯自己，也漂泊多年，无法返回家乡。

作为回报，廷达瑞俄斯帮奥德修斯娶到了他的侄女珀涅罗珀。珀涅罗珀的童年也并非一帆风顺。有人说，她刚生下来，父亲伊卡里俄斯就把她丢进了海里，要将她淹死。不过，一群野鸭将她救了回来，伊卡里俄斯满心懊悔，并用这些救了她的鸟儿为她取名（希腊文为 pēnelopes）。另有人说，这群鸭子是在珀涅罗珀投河自尽时救的她，因为瑙普利俄斯（得知自己的儿子帕拉墨得斯战死在特洛伊而心中悲痛）误传了消息，让她以为奥德修斯已经战死。

奥德修斯憧憬着美好的婚姻生活，甚至在一株茁壮成长的小橄榄树旁亲手打造了自己的婚床。这是一件美不胜收的杰作，镶金嵌银缀绳，还覆着一块深红色的牛皮。他砍去了树冠上部的树枝，将树干当作床柱。没过多久，夫妻二人生下一个儿子忒勒玛科斯（"从远处攻击的人"）。然而不久，战鼓便响彻了希腊。海伦跟帕里斯跑去了特洛伊，阿伽门农召集了一支大军要将她夺回。现在，阿伽门农、墨涅拉俄斯，以及阿尔戈斯附近纳夫普利翁的国王、聪明的帕拉墨得斯，一同来到了绮色佳，来征召奥德修斯参战。奥德修斯明白这场战争将会旷日持久，所以他就装疯卖傻，套上了一头牛和一匹骡子，在沙滩上耕地犁沟，将白花花的盐播在沙地上。满腹怀疑的帕拉墨得斯从摇篮里偷来了忒勒玛科斯，挡住了铧头的去路。

奥德修斯及时勒住了牲口，无可奈何地接受了这无从躲避的命运，启航远赴特洛伊。他的幼犬阿耳戈斯望着他离去，发出呜呜的哀鸣。

没有奥德修斯的绮色佳

特洛伊战争落下了帷幕，然而希腊人的归途却艰辛无比，不是遇上狂风暴雨，就是遭人蓄意阻挠。而他们之中，奥德修斯的回家之路尤为坎坷。多年已过，他还杳无音信，几乎人人都觉得奥德修斯一定是死了，只有珀涅罗珀还心存希望。不过，她的这份决心也经受了考验。因为单身汉们涌上岛，都想娶她为妻。这帮追求者们放肆无礼、饮食无度，还与侍女们寻欢作乐。

珀涅罗珀将他们一一拒绝，然而他们依旧纠缠不休。不胜其烦之下，珀涅罗珀只好答应会拿定主意，但要等她为奥德修斯的父亲拉厄耳忒斯织好裹尸布才行。如今，拉厄耳忒斯正住在乡间的牧场上。珀涅罗珀名字的另一层含义可能就是"以面对纱"（*pēnelopes*中的*pēnē*意为"纬纱"，*ops*意为"面庞"）。然而，她却织得慢到不能再慢，直到三年以后，一位侍女才道出了其中的原因。原来，白天的时候，珀涅罗珀坐在织机旁织布，到了晚上，她又将针脚全部拆开。为了不让家族毁于一旦，她迟早需要另嫁他人，但她又难以忘记奥德修斯，不想对他不忠，心中的矛盾让她日渐绝望。

但或许这只是荷马的一家之言，品达似乎就不太相信，说她与阿波罗同床共寝，生下了乡野之神潘。另有一则神话，说她与赫尔墨斯生下了潘。而更为夸张的说法，是她与这一百一十二位追求者全都上了床，所以才有了潘这个名字（"全部"之意）——因此，回到绮色佳之后，奥德修斯才把珀涅罗珀从岛上驱逐出去，流放至大陆。不过，对于大多数人来说，珀涅罗珀仍是忠贞的象征。

眼看忒勒玛科斯就要长大成人，这些追求者将他视作眼中钉，密谋除掉他。多亏雅典娜赶来相救，她扮成了忒勒玛科斯的监护人门特（Mentor），建议他再去打探一下父亲的生死下落，算作是最后的努力。于是，忒勒玛科斯架起了一艘白色的帆船，驶向了大海，"那黑色的海浪，在船舷响如雷鸣"。他一路航行，先到皮洛斯，后至斯巴达。忒勒玛科斯一回到绮色佳，就跑去跟猪倌欧迈俄斯（Eumaeus）讲述自己打听到的消息——欧迈俄斯从小在宫中长大，很受人尊敬。欧迈俄斯紧紧抱住了他：

> 亲吻他的额头和他美丽的眼睛，还有他的双手，流下了颗颗热泪，仿佛深情的老父，终于见到了一别十载、远道归来的爱子，见到了他唯一的儿子，让他牵肠挂肚、朝思暮想的宝贝儿子——高贵的猪倌就这样抱住了神一样的忒勒玛科斯，亲吻他，好似他刚刚逃脱了死亡。

欧迈俄斯的炉火旁坐着一位衣衫褴褛、饱经风霜的男人，等到他确认可以信任忒勒玛科斯，便向他道出了自己的真实身份。他就是奥德修斯，终于回到了自己的家。他的归途充满了传奇色彩。

奥德修斯漂泊的开始

攻陷了特洛伊之后，奥德修斯一行十二艘船航行到了奇科涅司人的土地。他们洗劫了城市，奴役了城中的妇女。不过，水手们并没有迅速撤离，而是违抗了奥德修斯的命令，聚在一起闹哄哄地饮酒作乐——在后来的漂泊中，他们也时常如此。黎明时分，喀孔涅斯人从城邦的腹地发起了突袭，希腊人损失惨重，才逃了出去。

他们继续向南行驶，那里的狂风暴雨已经吞噬了众多的希腊船只，不得已，他们靠了岸；后来，他们想要绕过马利亚角（Cape Malea），然而大风和洋流让他们偏离了航线。等到他们再次踏上陆地，已然是神话的疆域，真实的世界被他们远远抛在了身后。他们先是踏上了一片逍遥自在的土地，在那里短暂逗留，那里的人们全都吃了忘忧果。奥德修斯的水手也吃下了这甘甜如蜜的忘忧果，一个个变得浑浑噩噩，只有强拉硬拽才将他们带回了船上。

他们的下一站旅程却没遇见这样的优待，那是库克罗普斯的岛屿。与文明开化、享受着城市生活的希腊人正相反，这些独眼巨人从不聚会商议，更没有什么规则法纪，各家各户都离群索居，鲜少来往。他们对希腊人所谓的 *xenia*（"待客如朋"）的那一套不以为然，在希腊，远道而来的陌生人总会被以礼相待。奥德修斯带上十二个人，进了其中一位独眼巨人的山洞。在洞里，奥德修斯发现了很多奶酪，让他拒绝了速去速回的建议，执意留下饱食了一顿。然而，这个决定太过轻率。独眼巨人波吕斐摩斯（"喋喋不休"之意）牧羊归来，用巨石堵住了洞口。他看到了山洞里的希腊人，便粗暴地质问起来，一把抓起了两个人，将他们摔得脑浆迸出，接着就囫囵吞下。奥德修斯一时间也无计可施，因为洞口被岩石堵住，他们无路可逃。不过，第二天一早，波吕斐摩斯（吃过了人肉早餐）离开之后，仍被困在洞中的奥德修斯想出了一条妙计。

奥德修斯碰巧装了一袋酒在身上，当天傍晚，等到波吕斐摩斯又吃下了两个同伴后，奥德修斯献上了这袋浓烈的红酒。向来节俭的独眼巨人接受了这份礼物，还问奥德修斯叫什么名字，并欣然相信了他奇怪的回答，"我的名字是无人"。然后他就倒在地上昏昏睡去。希腊人连忙将事先藏起的尖木桩取了出来，将削尖了的一头在火中烧热，然后奋力插进了正在熟睡的独眼巨人的眼中，"鲜血瞬间沸腾着涌出了眼眶。眼球迸裂，睫毛和眼睑也被烤焦，发根在火中噼啪作响"。

波吕斐摩斯痛苦地咆哮，其他的独眼巨人闻声赶来，围在他的洞口，问他到底发生了什么。"无人害我"，他大叫起来。听到他这样回答，他们就说："既然无人害你，你一人待在那里，那准是宙斯让你受苦，你就受着吧。如果是这样，向我们的父亲波塞冬祈祷，请他来帮助你吧！"奥德修斯的诡计其实没法翻译。希腊语中，"无人"写作 *outis*，但有时（就像这里）单词变形成了 *me-tis*，这时听上去就像是"智慧"一词（虽然并非同源词）——正是奥德修斯的绰号 *polymētis* 中的一部分。所以，其实那些独眼巨人的回答也

奥德修斯将削尖了的木棍插进独眼巨人波吕斐摩斯的眼中（黑色人物花瓶画像，约公元前530年至前510年）。

可以理解为："既然智慧在伤害你……"这是西方文学史上最早的双关用法。

第二天早晨，趁着波吕斐摩斯放羊吃草，这些希腊人便一个个紧紧抱在绵羊肚子下面，避开巨人四处摸索的大手，逃了出来。等到逃至海上，奥德修斯开始放声嘲笑波吕斐摩斯，让他记住自己是"绮色佳的奥德修斯，攻城略地的英雄，拉厄耳忒斯之子"。奥德修斯的做法可算不得聪明，因为这样一来，波吕斐摩斯的诅咒就有的放矢了。果然，他祈求波塞冬，如果不能阻止奥德修斯回家，也要让他再在海上漂泊多年，失去所有的同伴，搭上陌生人的船，最后才能回到自己的家乡。

奥德修斯继续漂泊

奥德修斯的归途变成了一场噩梦，离奇的遭遇越来越多。造访过诸风之王埃俄罗斯（Aeolus）之后，他送给了奥德修斯一个皮囊，里面各种风一应俱全，只差宜人的西风，那是唯一可以载他们平安驶回家园的风。就在他们驶近绮色佳，近到看得清岛上的居民生起炉火的时候，他的手下（以为皮囊里装着财宝）趁着奥德修斯睡得正熟，打开了皮囊，只听一阵狂风怒号，将他们刮回了茫茫大海。

绑在桅杆上的奥德修斯，他是唯一一个听到了塞壬的歌声还活下来的人（阿提卡红色人物花瓶画，约公元前450年，发现于意大利的武尔奇）。

接下来，他们来到了拉斯忒吕戈涅斯（Laestrygonians）的岛屿，岛上遍布可怕的巨人，太阳在子夜也依旧挂在天上。他们将奥德修斯的船困在了一处港湾，周围环绕着陡峭的山崖，像捕鱼一样，将他的手用鱼叉一一叉起，拿去准备"痛苦的筵席"。只剩奥德修斯带着一艘船逃了出来，抵达了埃埃亚岛（Aeaea，这个名字仿佛希腊人的哀叹"唉，唉"）。他们并不知道这个岛是赫利俄斯的女儿、美狄亚的姑姑、女巫师喀耳刻的家。奥德修斯派了几名手下上岸侦查，却只回来了一个。原来，奥德修斯的同伴被喀耳刻变成了猪，而围在她身边的，还有温顺的狮子、听话的狼。奥德修斯上岸来查个究竟，赫尔墨斯找到了他，给了他一种叫作摩吕（moly）的草药，草药的魔力可以让喀耳刻的咒语失效。奥德修斯听从了赫尔墨斯的建议，让喀耳刻许下诺言绝不伤害他，并且把他的同伴变回了人形。他们接受了喀耳刻的盛情款待，在岛上逗留了一段时间。不过，在他们离开之前，喀耳刻建议奥德修斯去问一问底比斯的预言家提瑞西阿斯的灵魂，听一听他有什么建议。当然，他们只有去冥府才行。

他们穿过了大洋的边际，驶入一片迷雾之地。他们洒下忌酒，献上牺牲，召唤死去的亡灵。迷雾中，提瑞西阿斯聚成了人形并警告奥德修斯，不要在苏里纳西亚（Thrinacia），赫利俄斯的圣岛上杀死牧牛，否则会引祸上身。然而，这个禁令注定会被打破。

他们回到了埃埃亚岛，短暂逗留之后，奥德修斯又驶向了新的冒险征程。先是从半鸟半人的塞壬手中幸存了下来，她们"坐在草地上，身边是累累的白骨，腐烂的尸体在阳光下慢慢干枯"。塞壬迷人的歌喉令人无法抗拒："无论是谁，若不小心走到她们近旁，听到她们的歌声，他将永远无法再回到家中，再把快乐带给他的妻子和将他团团围住的孩子。只因塞壬迷住了他，用她们那天籁之音。"奥德修斯听了喀耳刻的建议，让手下把自己牢牢捆在桅杆上，还用蜡封住了他们的耳朵。就这样，他们的船平安驶过了塞壬的海域。而奥德修斯，尽管撕心裂肺的欲望让他一心只想跳上岩石，跳到塞壬身边去，他还是成了唯一一个听过她们的天籁之音还活下来的人。

接下来，他们的所经之处，一侧是卡律布狄斯，一个致命的大漩涡；而另一侧，在陡峭的山崖上，蹲伏着洞妖斯库拉，不管是鲨鱼、海豚，还是水手，只要从此经过，全被它吞下为食。为了避开卡律布狄斯，舵手将船驶向了斯库拉的血盆大口。顷刻之间，六只狗头划过了天穹，叼起了六名水手，又缩回了她血腥的巢穴。不过，剩下的水手得以逃过一劫，他们划啊划，直到听见遥远的苏里纳西亚传来的阵阵牛鸣。

精疲力竭的水手非要上岸不可。然而，当天晚上，暴风雨就开始肆虐，一下就是整整一个月。他们的口粮越来越少。到了最后，水手们趁着奥德修斯熟睡，杀掉了赫利俄斯最好的公牛。可是，就算他们将这些牛架上了炉子，"牛皮在蠕动，牛肉在作响，无论生熟，噼啪之声，大似牛鸣"。一周之后，风暴渐渐退去，他们再次踏上了旅途。然而，就在这无边无际的大海之中，宙斯在他们的上空聚起了乌云，狂风骤雨折断了桅杆，一道霹雳在他们的船上炸响。只有奥德修斯抓住了一块残骸幸存下来。九天之后他被冲上了奥杰吉厄岛（Ogygia），那里住着仙女卡吕普索（Calypso）。

被囚的奥德修斯

阿特拉斯的女儿卡吕普索（"隐藏者"）整日在织机旁织布，在洞中歌唱，洞旁环绕着：

> 桤木、杨木，还有芳香的柏木。树林里栖息着羽翼长长的鸟儿——猫头鹰、鹰隼，和叽叽喳喳的海鸦，顶着风在海面上飞行。在这空空的山洞旁，爬满了青藤，藤上缀满了沉甸甸的葡萄。四眼清泉汩汩作响，泛着粼粼的光，畅快地并肩流淌，却又奔向了四个方向。环绕之间，水草肥美，鲜花盛开，长满了西芹和紫罗兰。

在这座天堂岛上，卡吕普索留了奥德修斯七年，希望用永恒的青春来换取他全心全意的爱，然而奥德修斯一心想念绮色佳和珀涅罗珀。他常坐在海边，郁郁寡欢，一坐就是几个小时。直到赫尔墨斯传来了宙斯的口信，卡吕普索才不得不让奥德修斯离开。他的漂泊之旅即将结束。

于是，奥德修斯搭了一个竹筏，顺利踏上了回家的旅程，直到波塞冬从埃塞俄比亚的节日庆典上回来。波塞冬看到了奥德修斯，毫不留情地又兴起了一场暴风雨。只有琉喀忒亚（白女神，曾是底比斯的公主伊诺）才能救奥德修斯。她化身鲣鸟，用一块神奇的面纱盖住了奥德修斯。奥德修斯从破碎的竹筏上跳入海中，接连游了两天两夜，终于游到了岸边。爬上岸后，奥德修斯倒在一堆树叶中沉沉睡去。

第二天一早，一群姑娘来到海边洗衣、打球。奥德修斯被她们的嬉笑声惊醒，爬了起来，一丝不挂地朝她们走去。只有一位姑娘没有惊慌逃去，她就是瑙西卡（Nausicaa），她的父亲是阿尔喀诺俄斯（Alcinous，"意志坚定"）、法埃亚科安岛（Phaeaceans）的国王。他们安宁的海岛斯克里亚（Scherie）是波塞冬的圣地。瑙西卡听了奥德修斯的恭维（他说瑙西卡让他想起了德洛岛上的一株小棕榈），便乐意相助。于是，奥德修斯进了宫，王后阿雷特（Arete，"美德"）接见了他，为他奉上美酒佳肴，还邀他参加竞技比赛。奥德修斯并没有表明自己的身份，直到宫廷盲诗人德摩多科斯唱起了特洛伊的陷落，听得奥德修斯潸然落泪，阿尔喀诺俄斯心中疑惑，便询问他的身份——就这样，奥德修斯道出了自己的经历。

阿尔喀诺俄斯要把女儿瑙西卡嫁给奥德修斯，可是奥德修斯还是思乡情切。于是，阿尔喀诺俄斯将他送上一艘堆满礼物（其中有十三口三足鼎）的船，在他漫长的漂泊中送了他最后一程。到达绮色佳后，水手们将熟睡的奥德修斯抬上了岸，并将所有的礼物都藏进山洞，便返航驶回了斯克里亚。然而，因为他们帮助了奥德修斯，惹怒了波塞冬，就在他们即将驶进港湾之际，波塞冬将他们的船变成了石头。而与此同时，奥德修斯打扮成了流浪汉，到了欧迈俄斯的棚屋，将要与久别的忒勒玛科斯团聚。

回到绮色佳的奥德修斯

奥德修斯还是乔装打扮走进了宫殿。只有他的狗，阿耳戈斯——如今已是体弱年迈——认出了他。它满心欢喜地竖起耳朵，摇起尾巴，终于又见到了自己的主人，然后心满意足地死去了。进了宫殿，奥德修斯向求婚者们一一乞讨，却只得到他们的谩骂和拳脚。看到来了新客人，珀涅罗珀十分好奇，便在自己的房间接见了他。尽管奥德修斯对她朝思暮想，也没有暴露自己的真实身份，而是在她"为丈夫落泪时，坐在她的身旁"，跟她说自己是克里特的王子，早在特洛伊战争之前就认识奥德修斯，还告诉珀涅罗珀，奥德修斯不久就会回来。

按照珀涅罗珀的吩咐，奥德修斯的老奶妈欧律克勒亚，帮他沐浴更衣。洗浴之时，欧律克勒亚看到了帕尔纳索斯的那头野猪留下的伤疤，认出了奥德修斯。奥德修斯让奶妈严守秘密，又回到了珀涅罗珀的身旁。珀涅罗珀对他说起一个梦，梦中一只雄鹰杀死了她养的一群鹅。梦的寓意明白无误，这群鹅就是那些追求者，而雄鹰正是奥德修斯。

第二天，面对追求者们的要求，珀涅罗珀不胜其烦，便答应下来，只要有人能拉开奥德修斯的弓，一箭穿过排在一起的斧孔，便会嫁给他。没有一个追求者能够做到，他们甚至连弓都拉不开。这时，那个乞丐也要一试身手：

> 就像那技艺超群的歌手，里拉琴也娴熟无比，搭弦上轴毫不
> 费力，再用羊肠线将其两端缠紧。奥德修斯也似这般，毫不费力地
> 为他的大弓上紧了弦。然后他右手持弓，左手试了一下弦，弦鸣好
> 似雨燕。

忒勒玛科斯和欧迈俄斯站在他的身旁，奥德修斯箭无虚发，将这些手无寸铁的追求者一一杀死，又命令与追求者们沆瀣一气的侍女将大厅清洗干净，再将她们一一吊死。

在和珀涅罗珀一番催人泪下的相认团聚之后，奥德修斯匆匆赶赴拉厄耳

忒斯的农场，击退了追求者的亲人们发起的进攻。在《奥德赛》的结尾，雅典娜阻止了战争，强迫双方达成了协议。

内陆的流亡

然而，奥德修斯的流浪并未就此停止。提瑞西阿斯的预言和后来的资料告诉我们，为了赎清屠杀追求者的罪孽，奥德修斯又被流放了十年，这期间，绮色佳交给了忒勒玛科斯统治。提瑞西阿斯告诉他：

> 你必须带上一支良桨，动身远行。直到一处土地，那里的人对大海一无所知，从来不吃盐腌的食物，从未见过两颊绯红的大船，或是良桨，它们之于大船，就好似翅膀之于……直到你遇见另一位旅人向你走来，注意到你肩上扛着簸箕，你定要将这良桨牢牢打进地里，并向主神波塞冬献上丰厚的祭品：一头公羊、一头公牛，和一头发情的公猪。然后返回家乡，向不死的众神献上百头牺牲，依次向他们把祭品献上，他们住在那广阔的天堂。死亡将从海上来到你的面前，那是安详的死亡，等你年事已高，身边的人个个富足。

有预言说奥德修斯会死在自己儿子的手上，所以，在他回来之前，忒勒玛科斯被驱逐出境。然而，令人意想不到的是，忒勒戈诺斯（Telegonus），喀耳刻与奥德修斯所生的儿子，漂洋过海来到了绮色佳，寻找自己的父亲。奥德修斯对此一无所知，他把忒勒戈诺斯当成了海盗，而忒勒戈诺斯则错把绮色佳当成了科孚（当然要来大肆掠夺），于是双方大打出手。打斗之中，忒勒戈诺斯用魟鱼的脊骨刺中了奥德修斯。奥德修斯躺在海边，肌肉渐渐麻木松弛，生命从这位英雄的身上渐渐流逝了。

失传的史诗《忒勒戈诺斯纪》（*Telegony*）幸存的残片补全了这则故事。等到忒勒戈诺斯知道自己犯下了大错，便带上父亲的遗体和珀涅罗珀，以及（从流放中找回的）忒勒玛科斯，一同回到了埃埃亚岛。喀耳刻赐予了他们永恒的生命。忒勒戈诺斯娶了珀涅罗珀，而忒勒玛科斯则娶了喀耳刻。至于后来发生了什么，已遗失不考，也没有任何神话可觅其迹。

绮色佳的前世今生

有这样两个地方都被称为绮色佳，一个是现在的伊萨基岛，另一个就是《奥德赛》中的绮色佳。许多人都试图将这两者合二为一，因为，既然迈锡尼和特洛伊都真实存在，那么奥德修斯在绮色佳岛上的宫殿为何不可呢？

从考古发现与地理勘测来看，荷马的描述与伊萨基岛确有几分相似。譬如岛的南部，那里是法埃亚科安岛人将奥德修斯送回的海湾，正与德克夏湾（Dexia，就在瓦西湾西面）相对应。欧迈俄斯的棚屋可能就坐落在玛拉希亚高地，正在鸦岩（"乌鸦的花冠"）的上方。伊萨基北部的两处遗址，都声称是奥德修斯的宫殿所在——阿拉克欧美纳伊（Alalkomenai，谢里曼支持此处）和普拉里蒂亚斯（Platrithias）。两处都是迈锡尼时期的遗址，但其规模完全无法与大陆上的宫殿相比。

20世纪30年代，在伊萨基西北的波利斯湾，从一处坍塌的山洞中发现了残存的十二尊公元前9世纪或前8世纪的三足鼎，鼎上饰有几道纹路，把手上还装饰着狗和马的小雕像。加上六十年前发现的一尊三足鼎，总共十三尊——恰好就是阿尔喀诺俄斯送给奥德修斯的数目。一同发现的还有一块公元前2世纪或前1世纪的陶土面具碎片，上面刻着："向奥德修斯祈祷。"或许，这个山洞与奥德修斯英雄崇拜有关，这一崇拜从至少公元前800年就开始了。有人甚至说，荷马或是耳闻（或是目睹）了被献上的三足鼎，才将它们编进了自己的诗文。

不过，与荷马笔下的绮色佳有所不同的是，伊萨基岛并非爱奥尼亚群岛中最靠近"日落的西方"的一座（尽管有人争辩，说从某些方位来看，确实比其他岛屿更靠西边）。于是，也有人提议其他几座岛屿，比如莱夫卡斯（如今已是大陆上的一处海角，也曾是岛屿）——然而，莱夫卡斯比伊萨基的位置还要往东。它的支持者们解释说，荷马诗中所说之意，其实是"最靠近大陆"——和帕利基（Paliki，如今是刻法罗尼亚岛的海角，不过也曾是岛屿），这才是最西边的岛屿。在古代，斯特拉博也大为困扰，他也说不清，绮色佳到底是伊萨基还是莱夫卡斯。

至于《奥德赛》书中所描绘的、更为广阔的地理版图，同样是问题重重。希罗多德曾想要一一确定诗中故事发生的真实位置——譬如，无忧岛是在利比亚西部，而阿波罗多罗斯（Apollodorus）则说"有人认为《奥德赛》其实记载的是围绕西西里的一段旅程"。锡拉岩礁和卡律布狄斯如今还在墨西拿海峡，普普通通，清晰可见。而斯克里亚，就是科孚岛。在20世纪80年代，提姆·塞韦林（Tim Severin）重建了一艘青铜时期的船，驾着它出航，他认为奥德修斯的第一段旅程发生在北非和克里特，而剩下的部分，则在爱奥尼亚群岛。

虽然，这种捉迷藏似的游戏很有趣，然而这样做，并没有考虑到《奥德赛》只是神话、水手的奇谈和英雄史诗的杂糅，而不是一部历史。也可以将其读作一部"寓言"，一段从生到死、复又重生的旅程，这段漂泊是海上的冒险，也同样是精神之旅。20世纪初的诗人康斯坦丁·卡瓦菲（Constantine Cavafy）的诗歌"《绮色佳》"，对此说得最为透彻，诗人总结道：

请你将绮色佳时时惦念。如你所愿，终将抵达。但请不要太过匆忙——这旅途最好延续多年，直至你已老去，人生的经验亦已富足，无须再期冀绮色佳会予你财富。绮色佳已给了你愉快的旅程。若不是她，你怎会扬帆出航。而她再也没有什么可以给你。若是你发觉她一贫如洗，绮色佳可从未将你欺骗。你已聪明睿智，你也见多识广。想必如今，你也已领悟，这一座座绮色佳所谓何如。

在古典时期，伊萨基确实又贫穷又微不足道。1185年，西西里的诺曼人占据了这座岛屿，1479年土耳其人又来掠夺，1504年威尼斯人重新在此定居。直到1864年（新政府建立三十三年后），英国政府在此统治了五十年之后，终于将其交出，才和爱奥尼亚群岛中的其他岛屿一同归入了希腊的领土。

绮色佳（伊萨基）
大事记&遗迹

公元前13世纪	在伊萨基北部修建了迈锡尼建筑。
约公元前1200年	迈锡尼定居点可能被毁。
公元前9世纪/前8世纪	波利斯山洞中建起了崇拜奥德修斯的英雄祭坛？
公元前2世纪/前1世纪	波利斯山洞中刻有表达心愿的"向奥德修斯祈祷"陶土面具。
1185年	西西里的诺曼人占据了这座岛屿。
1479年	土耳其人占领伊萨基。
1504年	威尼斯人占领伊萨基，在瓦西以北建立定居地。
1814年	伊萨基成为英国的受保护国。
1864年	伊萨基成为希腊领土。

伊萨基岛上几乎没有什么证据确凿的考古发现可供参观，大部分游客更乐于在一些新命名的景点上浮想联翩，与荷马的描述一一比照。

从瓦西开始，一条大路往南通向玛拉希亚高地，这里或许是欧迈俄斯的棚屋所在地。另一条路往北，经过德克夏湾（或许这儿就是法埃亚科安岛人将奥德修斯送下船的地方），便到了富丽堂皇的阿拉克欧美纳伊（谢里曼认为这就是奥德修斯的宫殿），继续往前就到了美丽的斯塔夫罗斯村，可以从那里眺望大海另一侧的刻法罗尼亚。继续往北，就是迈锡尼的普拉里蒂亚斯，如今的宣传将此处作为真正的奥德修斯宫殿所在地。斯塔夫罗斯的东南便是波利斯湾，那里有（已经坍塌的）三足鼎山洞。

第二十二章

冥府：依菲拉和入地之门

你把桅杆竖起，扬起白帆，就座吧！北风之神的气息，会将它引领。越过大洋的边界，你会看到肥沃的海角，那里是珀尔塞福涅的圣林，黑黑的杨木高大挺拔，柳树结着飘逸的果实。你要把船泊在涡旋深流的大洋岸边，凭借双脚走进哈得斯阴冷的府邸。佛勒革同河（Perphlegethon）与科赛特斯河（Cocytus）汇入了阿刻戎，那愁苦之河，本是冥河斯堤克斯的一支；两条汹涌奔流的大河交汇于此，在这陡峭的岩石……

荷马，《奥德赛》，10章508行起。

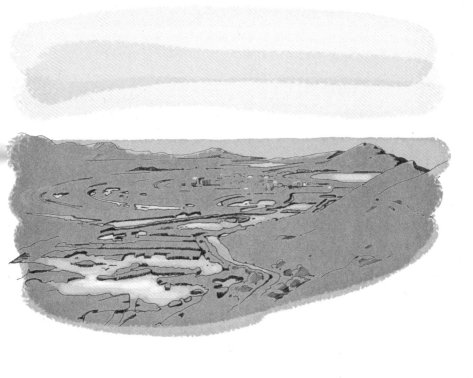

肥沃的耕地上，清晨的阳光斜射在塞斯普罗蒂亚（Thesprotia）的郁郁青山之上。远处丛丛的树上传来鸦群懒懒的叫声，下方牧场上清脆的羊铃与附近沉寂的花园中狗儿的叫声，间或将鸦们的交谈打断。北面山岗上坍塌的砖石建筑是西基罗斯（Cichyrus），这里古时的首府，斜斜的日光正落在上面，格外夺目。西面，峭壁之后，海天相接，一片安详。连接着海与陆的，是一片潟湖，无精打采的海龟以此为家，色彩斑斓的蜻蜓巡游其上，时不时地点过如镜的水面。一切都那么安宁。

"砰"的一声，猎枪打破了寂静。有时，一切并非表象所示。就连苇间的流水也曾在黑暗之中不安地奔流。阿刻戎（Acheron）依旧还叫作阿刻戎，而马夫罗斯（Mavros），曾被称为佛勒革同，弗沃斯（Vouvos）曾叫作科赛特斯。在古代，它们都属冥河。在施洗者圣约翰堂下的峭壁上，一架滑溜溜的铁梯子通往远在下方一间幽暗的拱顶房间，污浊的环境中飘散着一股腐臭的热气。这是尘世，令人窒息。再爬回阳光下，仿佛重生一般。古时，这里可能就是尼克罗曼提昂（Necromanteion），招魂之所，可谓"死者之谕"；有人说，奥德修斯就是在此与灵魂交谈。因为，在依菲拉，希腊的西北角，或许正有入地之门，可通冥府。

哈得斯和珀尔塞福涅

哈得斯、宙斯和波塞冬乃是主宰万物的三巨神。在《伊利亚特》中，波塞冬揭示了一切安排：

> 我们是克洛诺斯和瑞亚所生的三兄弟——宙斯和我，还有地
> 下的统治者哈得斯。所以万事万物一分为三，我们各自分得自己的
> 领地。抽签已定，我赢得了那灰色的大海，哈得斯的是雾气霭霭、
> 幽冥黑暗的地下，而宙斯赢得了云烟之上的广袤天穹。不过大地和
> 高高的奥林匹斯山，为我们共有。

哈得斯的名字（"不为所见"之意）被认为太不吉利，到了公元前5世纪，人们改称他为普路托（Plouton，"富有"），或许是因为昂贵的矿物和他的国土一样，都藏在深深的地下。

哈得斯的宫殿里还住着其他神祇。主要有他的妻子珀尔塞福涅，十二个月中只有四个月和他住在一起。孤独的哈得斯与明塔（Minthe，科赛特斯河的一位仙女）寻欢作乐，不过，被珀尔塞福涅发现了。她把情敌踏在脚下。可怜的明塔被变成了一株香草（薄荷），皮洛斯附近的一座大山也以她为名，山坡上修建着哈得斯的圣所。哈得斯的另一个情人则幸运得多。琉刻

（Leuce）安详地死去，变成了一棵白杨。

从最开始，萨纳托斯（Thanatos，死神）就是哈得斯的助手，他是许普诺斯（Hypnos，睡眠之神）的孪生哥哥。赫西俄德写道，他"铁石心肠，残酷无情，无论何人，一旦落入他的手中，便再也无法逃脱，就连众神也讨厌他"。

或许萨纳托斯一向令人讨厌，但与其他众神相比，在人类的经验之中，他和哈得斯占据着中心的位置：他们不好也不坏，只是不可避免。只有人，才有好有坏。古典时期的希腊人相信，在冥府，每个灵魂都要面对审判，来决定他们的命运，死去的人该受惩罚还是被奖励，要看他在世间的所作所为。柏拉图笔下的苏格拉底戏谑地为我们描述了宙斯的说明：

> 我让自己的儿子坐上判官的位置：米诺斯和拉达曼迪斯都来自亚洲；另一个，埃阿科斯来自欧洲。他们死后，将会在冥府的分岔路口作出最后的审判。一条路通往极乐之岛，另一条则通向塔耳塔罗斯，那暗无天日的深渊。拉达曼迪斯将会审判亚洲人，埃阿科斯审判欧洲人，而若是他们拿不定主意，便由米诺斯作出最终的判决。

公元前4世纪，就在柏拉图写下这番话的时候，一幅冥府的"官方"地图正徐徐展开——当然，与荷马眼中的冥府相比，已是大相径庭。

荷马的冥府

《伊利亚特》中的故事没有一个发生在冥府，不过即便如此，也有对它的描写。冥府位于地表之下，坐落在斯堤克斯河冰冷的瀑布旁，一头恶犬守护着这里。每逢波塞冬撼动大地、引发地震，"亡魂的主宰"哈得斯"便会心惊胆战地从宝座上一跃而起，惊恐地失声大叫，唯恐地面之上的波塞冬，将干燥大地拥在怀中的波塞冬，会将大地撕裂，让凡人和诸神看到死者的居所——如此腐朽、如此丑陋，就连诸神看了，也会直打哆嗦"。

我们也从中得知，死亡本身尚不足以让人进入冥府，而是先要入土或火化之后才可入内。所以，在特洛伊，帕特洛克罗斯的灵魂（与他在世时一模一样，同样的体格、眼睛、声音、乃至衣着）乞求阿喀琉斯：

> 快快将我下葬吧，我才能通过冥府那一扇扇大门。那些灵魂啊，还保留着死者的模样，他们躲开我，不让我过河与他们为伍。只剩下我，在哈得斯宽敞的府门前，独自徘徊。

冥府的守卫——三头犬刻耳柏洛斯，坐在主人哈得斯的脚下（公元前1世纪雕像，发现于克里特岛戈尔廷）。

《伊利亚特》还提到了冥府中一个特殊的去处，称为塔耳塔罗斯，专为那些违逆了诸神意愿的人所设。宙斯威胁说，谁胆敢违抗他："我就把他远远地丢到塔耳塔罗斯的迷雾中去，丢进那地下的深渊，那里铁门铜槛、深不可测，从冥府往下，还有从天到地那般遥远。"《奥德赛》中的描写让这地下的景象历历在目，栩栩如生地描画出了灵魂抵达彼处的旅途。赫尔墨斯将要指引追随他的亡灵离开绮色佳、前往冥府，在他动身之前，先用双蛇权杖：

> 将死者的灵魂从沉睡中唤醒，他们便跟在身后，口中念念有词。有如幽暗的洞中，挂在岩间的蝙蝠，一个紧挨一个，若是一只落下，一群蝙蝠便会随之落下，飞来飞去，它们也这样口中喃喃，跟在赫尔墨斯身后。仁慈的赫尔墨斯领着他们走下那湿漉漉的小径。他们越过大洋的条条溪流，绕过白岩，穿过太阳之门，踏上了梦之岛。经由那里，不久便来到了开满常春花的草地，众多的灵魂在此安居，他们还与生前一般模样。

从地理环境的角度来看，《奥德赛》中所描写的奥德修斯前去咨询亡灵的旅程，其环境与依菲拉确有几分相似。行至此处，奥德修斯挖了一个深坑，倒下了奶、蜜、酒、水，撒下了白色大麦粉，割开了绵羊的喉咙，涌出汩汩的鲜血，献作祭品。灵魂们争先恐后、你推我搡，贪饮夺食。荷马将他们分门别类，一一描述：先是英勇的女人，包括奥德修斯的母亲安提克利亚，伊俄卡斯忒［在这里被称为"依皮卡斯塔"（Epicasta）］、勒达、菲德拉等；接着，是英勇的战士，其中有阿伽门农、帕特洛克罗斯和埃阿斯（即便化作了灵魂，也还是将自己的死因怪在奥德修斯头上）。还有阿喀琉斯，在特洛伊的战场上，他宁要永恒的声名，也不要长久的生命，如今却冷冷地说道："我宁可做个雇工，在贫屋里干活，只要活着，也胜过在死人堆里当什么至高无上的王者。"不过，听完奥德修斯为他讲述了涅俄普托勒摩斯的丰功伟绩后，"阿喀琉斯的灵魂昂首阔步，穿过了那开满常春花的草地，儿子的荣耀让他欣喜"。恍如梦幻一般，眼前的画面从献祭的深坑化成了地狱中受苦的众生，太多的魂灵和他们令人毛骨悚然的厉声哭号吓得奥德修斯仓皇而逃，"生怕珀尔塞福涅从哈得斯的府中升起可怕的戈耳工那狰狞的头颅"。

荷马的冥府是一幅枯燥乏味的黑白画，那儿的灵魂痛苦地怀念着过去，萨福也如是写道："待你死后，人们就会将你遗忘。没人会为你悲伤，也没人会为你从皮埃里亚带来玫瑰。死后，恰如生前，你只是个无名之辈，茫然游荡，唯有那失去了方向的无名死者可以为伴。"

赫西俄德的冥府

与荷马相比较，赫西俄德想象哈得斯的王国更像一座城，而非一座府邸。于是，斯堤克斯河女神有了自己的住处，巨石为顶，银柱作桩，她的溪水"亘古长流"，"世人皆知的冰水从那突兀的峭壁上涓涓流下"，穿岩而出。

夜之女神（尼克斯）也有自己的房子：

> 裹在黑云之中。屋前站着阿特拉斯，纹丝不动，不知疲倦的双手和头上托着广阔的天穹。夜之神与日之神在此走近，他们跨越高大的青铜门槛，彼此问候……也是在这里，住着夜之女神的孩子们——沉睡和死亡，两位骇人的神……在他们的房前，一间间厅堂中荡漾着回声，那里住着地下王国的统治者——强大的哈得斯和恐怖的珀尔塞福涅。

在《伊利亚特》中，"那令人憎恶的死神的猎犬"守卫着哈得斯的府邸。赫西俄德对这头猎犬也细细讲来，说它"不受驯化，不可提及，这食生肉的巨兽、哈得斯的猎犬刻耳柏洛斯，吠声刺耳，五十只头，力大而残暴"：

> 他擅耍花招，实则凶残。每有来者，他总是摇尾乞怜，竖起耳朵；然而，倘若谁要离开，他却一个都不放过。他紧盯大门，只要发现从强大的哈得斯和恐怖的珀尔塞福涅的门中有人走出，下一刻，那人就成了他的口中大餐。

卡戎

冥府诸神中最令人难忘的一个——卡戎，那位载着逝者的灵魂，在阿刻戎河上行舟的渡者，到了公元前5世纪才首次登场。依菲拉的地理地貌再一次与冥府的模样对上了号：在古代，依菲拉的东面坐落着阿刻鲁斯湖（Acherousian Lake），阿刻戎河与科赛特斯河便汇入这里。后来，湖水被排干，不过有人称，前去尼克罗曼提昂的朝圣者们乘船渡了这座湖，就如同前往冥府一般。

在幸存下来的作品中，首部提到卡戎（"目光敏锐的"）这个名字的是欧里庇得斯的《阿尔刻提斯》。感到死亡将近，阿尔刻提斯声称："我看见湖上行来了他的舟，他正坐在船头——那就是卡戎，逝者的摆渡人。他正坐在船上呼唤我：'你还在等什么！快点！就差你了！'他很不耐烦，怒气冲冲地向我喊着。"阿里斯托芬（Aristohanes）提供了更多的细节。在《蛙》（Frog）中，赫拉克勒斯对狄俄尼索斯说，在渡过阿刻戎河之前，一定要记得

付给卡戎两个奥波（obol，古希腊钱币）。通常的费用只需一半，自公元前
5世纪起，死者下葬时，一般都会在口中放上一枚奥波。只有在赫耳弥俄涅、
位于阿戈里德州的这座城中，死者被免了这笔费用。斯特拉博说，这是因
为他们知道通往冥府的一条捷径，可以绕过阿刻戎河。公元前5世纪的画家
波利格诺托斯（Polygnotus）在德尔斐莱舍（一种用于谈话的建筑）的一幅
装饰壁画中为卡戎绘制了一幅肖像。波利格诺托斯将奥德修斯到访冥府的画
面描绘得淋漓尽致，自然也不会错过卡戎。保萨尼阿斯写道：

> 那芦苇丛生的河，显然就是阿刻戎，河中隐约可见鱼儿的轮廓，
> 因为模糊，或许会被误认为光影。一叶舟行在水上，渡者划着桨……
> 卡戎，年岁让他发了福……在卡戎的舟旁，阿刻戎的岸上站满了人，
> 其中的一个，在世时对父亲不孝，如今被他扼住了喉咙……

永世的惩罚

好人上天堂，而坏人会得到应有的惩罚，这样想的人越来越多。负责监
督刑罚的是半神，或被称为精灵（*daimones*，与魔鬼一词"demons"相近，
但在希腊语中，这个词并无贬义色彩）。波利格诺托斯的画中还有：

> 欧律诺摩斯（Eurynomus），德尔斐的向导们说，他是冥府的精
> 灵之一。他吞食尸肉，只剩白骨……他的颜色就是肉蝇的颜色，说
> 蓝不蓝，说黑不黑；他紧闭牙关，蹲坐在那里，一张鸳皮铺在身下。

在《奥德赛》中，奥德修斯亲眼看到了部分刑罚：提提俄斯（在德尔斐
附近，他企图强奸勒托）的身上落着两只兀鹫，不停地撕咬着他的肝脏；西
西弗斯（他企图骗过死神）推着一块巨石上山，每每快到山顶，便又滚落下
山，周而复始，永不停止；而坦塔罗斯，就是杀死儿子珀罗普斯、企图骗取
众神食用的那位：

> 站在一池水中。池水虽仅及下巴，但他口渴之时，却无法喝
> 到。只要他低头想要喝水，池水便会流逝，只剩黑色的泥土在他的
> 脚下。神让一切干涸。在他的头上，是一片郁郁葱葱的果树，枝头
> 缀满了闪亮的果实 —— 梨、石榴、苹果、香甜的无花果、饱满的
> 橄榄。然而，只要这位老人想要伸手去摘，便有风吹过，刮得那满
> 树的果实离他远，而离云近。

荷马与赫西俄德都将刑罚之地称为塔耳塔罗斯，和冥府并不在一处，是专为提坦所设。赫西俄德描绘了塔耳塔罗斯的所在：

> 如果从天上落下一块铜砧，必然要经历九个日夜，到了第十天，才会落到大地之上。同样，一块铜砧从地上也要经历九个日夜，到了第十天，才会落到塔耳塔罗斯。那里铜墙环绕。夜色犹如项链，绕其三圈。生根的大地和荒芜的大海高高在其之上……这里阴冷、潮湿，远在大地的尽头。

赫西俄德曾在旁处说，如果有人跨进了塔耳塔罗斯的铜门，落入那裂开的深渊，顶着风往下坠，要落到底，非花上一年时间不可。

到公元前4世纪时，塔耳塔罗斯还都在冥府之内，这里不仅囚禁着提坦诸神，让他们受尽折磨，还关着犯下罪行的凡人，为地狱和炼狱提供了原型。罪无可恕之人永远困在此间，而罪孽稍轻的，每年都有几天的时间可以离开这里，去向他们所害之人祈求宽恕。而一旦他们得到了宽恕，惩罚也就停止了。如果没能被宽恕，罪人就又要回到原处，继续忍受折磨。

在最早可供我们一窥塔耳塔罗斯的文献中，有一则出自公元前6世纪末至公元前5世纪初的阿那克里翁，他坦承了自己的恐惧："塔耳塔罗斯让我心惊肉跳，害我时常落泪。不知下到冥府后，要经历何等的痛苦折磨。唯有一件事确凿无疑：一旦你走向那里，便有去无回了。"

乐土

就像塔耳塔罗斯越来越"平民化"一般，极乐世界（或者，更准确的说法应该是乐土）原本是英雄们的独享之地，也渐渐开始接纳尘世中好人的灵魂。久而久之，乐土的位置也已不同。据赫西俄德记载，乐土距大洋的岸边不远，在极乐之岛上，那里：

> 快乐的英雄们长生。麦地里为他们结出甘甜如蜜的果实，每年三熟，这里远离不死的诸神。克洛诺斯在这里统治——诸神与众人之父宙斯松开了他的枷锁——他们享受着同等的光辉与荣耀。

在荷马看来，乐土同样遥远："在那儿，人们完全不用工作。不下雪，不刮大风，不下雷雨。大洋送来了轻柔的西风，凉爽宜人。"在品达的笔下，乐土也似田园般美丽，他的贵族庇护者可以继续世间的享乐："城外绿草如茵，红玫绽放，林间弥漫着沁人的芳香，垂枝上缀满了金色的果实。他们寻欢作乐，或赛马角力，或饮酒抚琴……"灵魂转世（灵魂转生，重生为人或为兽）的想法在当时颇为普遍，所以品达也写下了：好人历经三世三生，便可以自动来到极乐之岛。这一想法或许在一些神秘宗教中得以发扬光大，譬如厄琉息斯秘仪。的确，极乐世界与厄琉息斯这两个词，或许都源自 eleusō，有（从痛苦中）"解脱"之意。在《蛙》中，阿里斯托芬借用了这一概念，虚构出一队死去的厄琉息斯人，唱着献给伊阿科斯的颂歌——这位神祇将带领他们走向极乐世界。

离开冥府

柏拉图笔下的苏格拉底也相信轮回转世说，提倡有德行的生活。他也同意"人的灵魂不朽。只是在某一刻，到达了一个结尾，人称'死亡'；而另一刻，便获得了重生；灵魂永不灭"。然而，为了重生，灵魂必须先要离开冥府，还要擦去一切在冥府期间的记忆，以及前世生活的记忆。为了擦去记忆，就需要饮用另一条冥河中的水：遗忘之河（"遗忘"）。

不过，无论是灵魂转世，还是轮回转世，出现在玄学或哲学的语境中，都比在神话中要合适得多。在希腊神话中，没有几人能从冥府回来还保留着完整的记忆，只有活着的时候就下至冥府的几位英雄：赫拉克勒斯、忒修斯和奥德修斯。还有俄耳甫斯，他走出了冥府，在迪翁白雪皑皑的奥林匹斯山脚下、赫利孔山上的泉水旁，也就是本书开始的地方，轻吟低唱。

依菲拉的前世今生

保萨尼阿斯认为是依菲拉给了荷马灵感，让他写出了《奥德赛》中的冥府。"这里，"他写道，"就是阿刻鲁斯湖，就是阿刻戎河，和那条令人厌恶的科赛特斯河。依我看，荷马准是来过这里，才如此浮想联翩，写出了冥府，还用塞斯普罗蒂亚的这几条冥河为冥河命了名。"果真如此的话，荷马还真是打破了常规：在《奥德赛》中的另一处，他还讲述了奥德修斯是如何"乘轻舟"来到依菲拉"寻找杀人的毒药，好涂抹在他那青铜的箭矢之上"。

另一则神话，讲的是忒修斯和佩里托俄斯妄图从冥府绑走珀尔塞福涅，据保萨尼阿斯记载，在这则神话常见的几个不同版本中，故事都发生在西基罗斯（依菲拉的另一个名字）。普鲁塔克细述如下（他将塞斯普罗蒂亚称为伊庇鲁斯和摩洛西亚，称哈得斯为埃多纽斯）：

> 忒修斯与佩里托俄斯来到了伊庇鲁斯，来追求摩洛西亚国王
> 埃多纽斯的女儿。这位国王叫自己的妻子"珀尔塞福涅"，女儿
> "可人"，叫他的狗"刻耳柏洛斯"。他命女儿的追求者与这条狗

有人认为依菲拉的这间地下室与 "死者之谕" 有关。

搏斗，他许下诺言，只要有人胜出，便会将女儿许配给他。可他发现，原来这二人的来意并不在此，而是要偷走他的孩子，便将二人抓了起来。他（放狗）杀死了佩里托俄斯，并将忒修斯关进了单人牢房。

依菲拉出土了青铜时代的陶器，不过，尼克罗曼提昂（"死者之谕"）首次被记录下来，还是在希罗多德笔下的一则下流故事里（下文对最不雅的部分已作删减）。他写道，公元前6世纪早期的科林斯君主佩里安德：

> 有一天，他把科林斯所有的女人都脱光，就因为他的妻子梅利莎（Melissa）。之前，他派了使节前往塞斯普罗蒂亚的阿刻戎河，去尼克罗曼昂，问一问朋友留给他的一笔货币存款的下落，可是梅利莎的魂灵拒绝说出这笔钱在哪里，因为她太冷了，还光着身子，没法穿上下葬时的衣服，因为这些衣服下葬时没被火化……于是，佩里安德一声令下，科林斯的女人们就像参加庆典一样，穿着最美的衣服去了赫拉的圣殿。到了那里，佩里安德设下了卫兵，脱光了她们的衣服，不管是自由民还是奴仆，一视同仁，然后将这些衣服堆进了一个坑，一边烧一边向梅利莎祈祷。之后，他再次派出了使节，这回梅利莎的灵魂终于如实相告。

依菲拉因为靠近葛利奇·莱门（Glykis Limen，"甜蜜的港湾"之意）港，因此十分兴旺，拥有一百五十到两百艘船。到了公元前4世纪或前3世纪，尼克罗曼提昂丘陵被夷为平地，之前的建筑荡然无存，而新的建筑也开始动工，至今可见残存的地基。公元前168年，这里又被罗马人付之一炬，于是荒废过半。直至公元18世纪，这里才修建了一座施洗者圣约翰堂和一座经过加固的两层楼房。

关于这一遗址的争论不曾停止。几处残骸都难下结论——外层的多间房屋簇拥着一间中央大厅，下方有一间带拱顶的屋子，只能借助梯子才能进入。索蒂里奥斯·塔卡利斯（Sotirios Dakaris）坚信，这就是尼克罗曼提昂，并从20世纪50年代开始到70年代中期，对此处进行了发掘工作，确认了外层房屋是寝室，供朝圣者在入会仪式前休憩。（据塔卡利斯说）仪式包括吃下致幻的羽扇豆种子和蚕豆，他发现了这些作物的残余。塔卡利斯声称，入会者将被领进一间黑暗的迷宫（迷宫的地基得以保存下来），让人想到柏拉图对通往冥府之路的描绘："我看了世间所行的仪式和规矩，料想这条路上，一定多有岔道和歧路。"

待这些礼仪一一施行完毕，入会者便会被带进一间地下室。发掘工作发现了一些从公元前7世纪至前5世纪的小陶俑和机械装置的部件（一些铁块、铜环和棘轮）。受到这些发现的鼓舞，塔卡利斯认为此处是哈得斯和珀尔塞福涅的圣所。并且，他进一步断定，正是利用这些机械装置，这儿的祭司呈现出了各种幻象（譬如让死者悬浮、站立）。很多人并不同意这样的说法。对他们而言，这座建筑不过是一处加固了的农舍，那些双耳细颈高罐中的食物只是普通的口粮，而机械装置则属于六门弩炮。然而，这位农场主究竟为何需要这六门弩炮，仍是未解之谜。

依菲拉

大事记&遗迹

公元前14世纪	依菲拉开始有人定居。
公元前6世纪	佩里安德向尼克罗曼提昂问谕。
公元前4世纪/前3世纪	尼克罗曼提昂丘陵被夷为平地，在此重修土木。
公元前168年	罗马人烧毁了依菲拉。
18世纪	建成施洗者圣约翰堂和一座农舍。
1958—1977年	塔卡利斯对依菲拉进行了发掘工作。

尼克罗曼提昂坐落在一座低矮的丘陵上，就在迈索波塔莫斯（Mesopotamos）以农为生的小村庄之上，在普雷韦扎和伊古迈尼察间的主公路旁。施洗者圣约翰堂是这里最主要的建筑，在发掘工程之上的部分被脚手架支撑，看上去发发可危。正对着景区大门和售票处的，是一个中央广场，东侧就是那座18世纪的两层小楼。一道拱门（左边）通向**北廊**，在那里可以看到多间房屋的地基，指示牌上自信地写着"**仪式室**"和"**涤罪室**"。在这些房间的最远端，另一道走廊继续（向右）延伸，然后陡然折向（右侧的）"**迷宫**"。从这里就进入了"**大圣所**"，其下是一间**有拱顶的房间**。胆小的人还是不要去了，仅有一架又陡又滑的梯子可通，下面的灯火颇有气氛。"大圣所"的侧面是几间**贮藏室**，其中部分房间中藏有精美的双耳细颈高罐。

游客可以从海滨城市阿穆狄亚（Ammoudia）乘船沿着阿刻戎河向北到达依菲拉。除此之外，还可以在附近的迈索波塔莫斯找到一家名叫尼克罗曼提昂的餐馆去用餐，这个名字不禁让人浮想联翩。网络上的"明智游览指南"中写道："阿刻戎河啊，让人伤感，河中流淌着的是灵魂的泪水，他们失去了生命，也失去了亲人，这文字让人沉思，让人想念心中所爱"。

鸣谢

这本书的创作构想源自一次讨论，当时我们正坐在柯林·里德勒（Colin Ridler）家中的餐桌旁。柯林·里德勒是Thames & Hudson出版社的组稿编辑，这个想法基本上都来自他，而在之后的几个月里，他还一直对我予以指导和鼓励。所以，我先要向柯林·里德勒致以衷心的感谢。为本书的文字配上特约插画也是他的提议。这些插画由利斯·沃特金斯（Lis Watkins）完成，她才华横溢，作品栩栩如生。在写作过程中，收到她一幅幅引人入胜的画作，让我特别开心，其中一些画作还用到了我在现场拍摄的照片。

和以往一样，Thames & Hudson出色的团队为本书保驾护航，直至完成。柯林的助手珍·穆尔（Jen Moore）负责处理邮件和答疑，礼貌而高效；萨拉·弗-亨特（Sarah Vernon-Hunt）负责编辑文本，她目光敏锐，沉着冷静，处理起文本既有耐心，又相当在行；阿曼·富尔（Aman Phull）是位富有想象力和创造力的设计师；西莉亚·福尔克纳（Celia Falconer）是位经验丰富的行家里手，负责监督了整本书的制作；还有了不起的宣传大师凯特·库珀（Kate Cooper）。我要对这个团队所有的人致以深厚的谢意。

我还要感谢你们，珍妮弗·奥格尔维（Jennifer Ogilvie）和伊索贝尔·平德（Isobel Pinder），感谢你们允许我在序言的结尾引用了希灵斯通那首诗。从学生时代起，这首诗就一直陪伴着我。还有对昔日恩师罗伯特·奥格尔维的美好回忆，也一直让我铭记。

为了搜集写书所需的资料，我要动身前往书中涉及的每一个地方，要是没有我的母亲凯特（Kate），没有她的支持和慷慨，这场探索之旅也不可能实现。她鼓励我、相信我，这对我意义非凡。我想，她自己可能都没有意识到，我深切地感谢我的母亲。我还要感谢身在雅典的英国考古学院（British School）的工作人员，尤其是维基·察瓦拉斯（Vicki Tzavara），感谢他们的帮助。同样，我还要感谢旅途中所有善意帮助过我的人［特别要感谢约安娜·卡拉马努（Ioanna Karamanou）、罗宾（Robin）和凯瑟琳·沃特菲尔德（Kathryn Waterfield）］。

在这段日子里，我的妻子艾米莉·简（Emily Jane）常伴我左右。没有她的支持、耐心和信任，我不可能写完这本书。在一本撰写英雄的书中，称她为我的英雄和缪斯女神是恰如其分的。谨以此书献给她，我的爱人——同时也献给我的两个老朋友，多年以前与我一同游历希腊的马克·格兰特（Mark Grant）和亚历克斯·赞贝拉斯（Alex Zambellas）。最后，还要向家里的自学小组，我们的两只猫，斯坦利（Stanley）和奥利弗（Oliver）大声说一句：谢谢你们。他俩坚信键盘是用来坐的，而纸是用来嚼的。

鸣谢

推荐阅读

有大量关于希腊神话的书籍，略举几例：

Buxton, R., *The Complete World of Greek Mythology*, London and New York, 2004
Graves, R., *The Greek Myths*, 2 vols, London, 2011
March, J., *The Penguin Book of Classical Myths*, London, 2008
Matysak, P., *The Greek and Roman Myths*, London and New York, 2010
Waterfield, R. & K., *The Greek Myths*, London, 2011

也有很多书籍，追溯了希腊神话的流传与接受，其中有：

Graziosi, B., *The Gods of Olympus: A History*, London, 2014
Woodard, R. (ed.), *The Cambridge Companion to Greek Mythology*, Cambridge, 2007

一些有关古希腊历史与文化的新书：

Hall, E., *Introducing the Ancient Greeks*, London, 2015
Cartledge, P., *Ancient Greece: A Very Short Introduction*, Oxford, 2011
Rhodes, P., *A Short History of Ancient Greece*, London, 2014
Stuttard, D., *A History of Ancient Greece in Fifty Lives*, London and New York, 2014

许多神话都以青铜时代为背景，所以有关这一时期新发现的书籍，读来大有裨益：

Cline, E. (ed.), *The Oxford Handbook of the Bronze Age Aegean*, New York, 2010
Shelmerdine, C. (ed.), *The Cambridge Companion to the Aegean Bronze Age*, Cambridge, 2008

关于希腊与地中海东部的旅游指南类书籍，最实用的大概要数《蓝色指南》（*Blue Guides*）系列，其中包括了大部分本书涉及遗址的简明历史，还有许多实用的景点平面图。

本书所引古典时期作家的作品大部分都有英译本，其中包括：

Greek Lyric Poetry: The Poems and Fragments of the Greek Iambic, Elegiac, and Melic Poets (Excluding Pindar and Bacchylides), trans. West, M. L., Oxford, 2008
Homeric Hymns, trans. Cashford, J., London, 2003
Aeschylus, *Oresteia*, trans. Collard, C., Oxford, 2008
Aeschylus, *Persians and Other Plays*, trans. Collard, C., Oxford, 2009
Apollodorus, *The Library of Greek Mythology*, trans. Hard, R., New York, 1997
Apollonius, *Jason and the Golden Fleece*, trans. Hunter, R., Oxford, 2009
Euripides, *Bacchae and Other Plays*, intro. Hall, E., trans. Morwood, J., Oxford, 2008
Euripides, *Electra and Other Plays*, intro. Easterling, P., trans. Raeburn, D., London, 2008
Euripides, *Medea and Other Plays*, intro. Hall, E., trans. Morwood, J., Oxford, 2008
Euripides, *Orestes and Other Plays*, intro. Hall, E., trans. Waterfield, R., notes Morwood, J., Oxford, 2008
Euripides, *The Trojan Women and Other Plays*, intro. Hall, E., trans. Morwood, J., Oxford, 2008
Herodotus, *The Histories*, trans. Holland, T., London, 2013
Hesiod, *Theogony* and *Works and Days*, trans. West, M., Oxford, 2008
Homer, *The Iliad*, intro. Graziosi, B., trans. Verity, A., Oxford, 2012
Homer, *The Odyssey*, intro. Kirk, G., trans. Shewring, W., Oxford, 2008
Ovid, *Metamorphoses*, trans. Raeburn, D., London, 2004[7]
Pausanias, *Guide to Greece*, trans. O. Levi, 2 vols, London, 1979
Pindar, *The Complete Odes*, intro. Instone, S., trans. Verity, A., Oxford, 2008
Sappho, *Stung with Love: Poems and Fragments of Sappho*, trans. Poochigian, A., London, 2009
Sophocles, *Antigone; Oedipus the King; Electra*, intro. Hall, E., trans. Kitto, H., Oxford, 2008
Sophocles, *Electra and Other Plays*, intro. Easterling, P., trans. Raeburn, D., London, 2008

神话人物以罗马字体表示；历史人物以斜体表示；地名以小型大写字母表示；古希腊罗马词汇、建筑和机构用小型大写字母斜体表示。

斜体页码表示插图所在页。